iZZo

Chourmo

Jean-Claude Izzo

Chourmo

Uit het Frans vertaald door Marijke Scholts

UITGEVERIJ DE GEUS

Deze uitgave is mede mogelijk gemaakt dankzij een bijdrage van het
Franse ministerie van Cultuur, het Franse ministerie van Buitenlandse Zaken,
het Institut Français des Pays-Bas/Maison Descartes en de BNP Paribas

Oorspronkelijke titel *Chourmo*, verschenen bij Éditions Gallimard
Oorspronkelijke tekst © Éditions Gallimard, Parijs 1996
Nederlandse vertaling © Marijke Scholts en Uitgeverij De Geus bv, Breda 2003
Omslagontwerp Uitgeverij De Geus bv
Omslagillustratie © Hulton Archive/Getty Images
Foto auteur © Jacques Sassier/Gallimard
Drukkerij Haasbeek bv, Alphen a/d Rijn
ISBN 90 445 0159 3
NUR 331·305

Verspreiding in België via Libridis nv, Industriepark-Noord 5a,
9100 Sint-Niklaas

Noot van de auteur

Niets van wat u gaat lezen heeft echt bestaan. Behalve natuurlijk wat waar is. En wat u hebt kunnen lezen in de krant of op de televisie hebt kunnen zien. Niet erg veel, uiteindelijk. En ik hoop oprecht dat het verhaal dat hier wordt verteld op de juiste plek zal blijven: op de bladzijden van dit boek. Dit gezegd hebbende, is Marseille zelf wel degelijk reëel. Zo reëel zelfs, dat ik van harte hoop dat men niet op zoek gaat naar overeenkomsten met personen die werkelijk hebben bestaan. Zelfs niet met de hoofdpersoon. Wat ik over mijn stad vertel, Marseille, zijn altijd en simpelweg alleen maar echo's en herinneringen. Dat wil zeggen, wat tussen de regels te lezen valt.

Voor Isabelle en Gennaro,
mijn ouders, simpelweg

'Het is een beroerde tijd, daar is alles mee gezegd.'

– Rudolph Wurlitzer –

Ter herinnering aan Ibrahim Ali,
doodgeschoten op 24 februari 1995
in een achterstandswijk van Marseille
door afficheplakkers van het Front National

Inhoud

Proloog

Eindpunt Marseille, Gare Saint-Charles

Van bovenaf de trappen van het Gare Saint-Charles keek Guitou, zoals zijn moeder hem nog steeds liefkozend noemde, aandachtig over Marseille uit. 'De grote stad.' Zijn moeder was er geboren, maar ze had hem er nooit mee naartoe genomen. Ondanks haar beloftes. Nu was hij er. Alleen. Als een volwassene.

En over twee uur zou hij Naïma terugzien.

Om haar te ontmoeten, was hij hier.

Met zijn handen in zijn broekzakken en een sigaret tussen zijn lippen liep hij langzaam de trappen af. De stad tegemoet.

'Onderaan de trappen loopt de Boulevard d'Athènes', had Naïma verteld. 'Die volg je tot aan de Canebière. Daar ga je naar rechts. Naar de Vieux-Port. Als je daar bent, ga je weer rechts en zie je tweehonderd meter verder een groot café, op een hoek. Dat heet La Samaritaine. Daar wachten we op elkaar. Om zes uur. Je kunt het niet missen.'

De twee uren die nog voor hem lagen, gaven hem een rustig gevoel. Hij kon uitzoeken waar het café was. Er op tijd zijn. Hij wilde Naïma niet laten wachten. Hij verlangde ernaar haar terug te zien. Haar hand te pakken, haar in zijn armen te nemen, haar te omhelzen. Vanavond zouden ze samen slapen. Voor de eerste keer. Hun eerste keer, voor hem en voor haar. Mathias, een schoolvriend van Naïma, had hun zijn zitslaapkamer geleend. Er zou niemand anders zijn dan zij tweeën. Eindelijk.

Die gedachte toverde een glimlach te voorschijn. Een verlegen glimlach, zoals toen hij Naïma had ontmoet.

Toen hij daarna aan zijn moeder dacht, trok hij een grimas. Als hij thuiskwam stond hem wat te wachten, dat was zeker. Hij was er niet alleen zonder toestemming vandoor gegaan, drie dagen voor de school weer begon, maar voordat hij vertrok had hij ook nog duizend piek uit de winkelkassa gepikt. Een chique kledingboetiek, in het centrum van Gap.

Hij haalde zijn schouders op. Duizend piek zou het dagelijks leven niet in de war schoppen. Met zijn moeder werd hij het wel eens. Zoals gewoonlijk. Maar het was die ander die hem zorgen baarde. Die kaffer die dacht dat-ie zijn vader was. Die had hem er al een keer van langs gegeven, vanwege Naïma.

Toen hij Les Allées de Mailhan overstak, zag hij een telefooncel. Hij bedacht dat hij maar beter zijn moeder kon bellen. Zodat ze zich niet ongerust hoefde te maken.

Hij zette zijn rugzakje neer en stak zijn hand in de achterzak van zijn spijkerbroek. Béng! Portemonnee weg! Radeloos voelde hij in zijn andere zak en vervolgens, ook al was het niet zijn gewoonte hem daar te stoppen, in die van zijn jack. Niets. Hoe had hij die nou kunnen verliezen? Toen hij het station uitkwam, had hij hem nog, want hij had er zijn treinkaartje in opgeborgen.

Nu schoot het hem weer te binnen. Toen hij de stationstrappen afliep, had een naffer hem om een vuurtje gevraagd. Hij had zijn aansteker gepakt. Op hetzelfde moment was hij in zijn rug geduwd, haast omvergelopen zelfs, door een andere naffer die naar beneden rende. Als een dief, had hij nog gedacht. Bijna had hij op de trappen zijn evenwicht verloren en hij was in de armen van de ander beland. Hij had zich mooi laten naaien.

Hij werd bijna duizelig. Van woede en ongerustheid. Geen papieren meer, geen telefoonkaart, geen treinkaartje, en wat het ergste was, bijna geen geld meer. Hij had alleen nog het wisselgeld van zijn treinkaartje en het pakje sigaretten. Driehonderdtien ballen. 'Shit!' liet hij zich hardop ontvallen.

'Wat is er?' vroeg een oude dame.

'M'n portemonnee is gejat.'

'Och, jongen toch. Daar is niets tegen te doen! Die narigheid heb je hier aan de lopende band.' Ze keek hem meelevend aan.

'Niet naar de politie gaan, hoor. Niet doen! Die bezorgen je alleen nog maar meer problemen.'

En met haar handtasje tegen haar borst geklemd vervolgde ze haar weg. Guitou keek haar na. Ze loste op in de bonte stoet voorbijgangers, voornamelijk zwarten en Noord-Afrikanen.

Dat was een slecht begin in Marseille!

Om de tegenspoed te verjagen kuste hij de gouden medaille van de Heilige Maagd die na een zomer in de bergen op zijn nog gebruinde borst hing. Een cadeau van zijn moeder voor zijn plechtige communie. Die ochtend had ze de medaille van haar nek gedaan en hem om de zijne gehangen. 'Zij komt van ver', had ze gezegd. 'Zij zal je beschermen.'

Hij geloofde niet in God, maar zoals alle jongens van Italiaanse komaf was hij bijgelovig. En daarbij, de Heilige Maagd kussen was alsof hij zijn moeder kuste. Toen hij nog maar een jongetje was en zij hem naar bed bracht, kuste ze hem op zijn voorhoofd. Bij die beweging kwam de medaille, die op de weelderige boezem van zijn moeder lag, dicht bij zijn lippen.

Hij verjoeg het beeld, dat hem nog steeds opwond. En dacht aan Naïma. Haar borsten, minder groot, waren net zo mooi als die van zijn moeder. Net zo donker. Op een avond had hij, achter de schuur van Reboul, zijn hand onder de trui van Naïma laten glijden, terwijl hij haar kuste. Ze had toegelaten dat hij ze streelde. Langzaam had hij haar trui omhooggeschoven, om ze te zien. Zijn handen trilden. 'Vind je ze mooi?' had ze zachtjes gevraagd. Hij had geen antwoord gegeven, maar zijn lippen geopend om ze één voor één in zijn mond te nemen. Hij kreeg een erectie. Hij zou Naïma terugzien, en de rest was niet zo belangrijk.

Hij zou zich wel weten te redden.

Naïma werd met een schok wakker. Een geluid, op de bovenetage. Een vreemd geluid. Dof. Haar hart bonsde. Ze spitste haar oren en hield haar adem in. Niets. Stilte. Een zwak licht schemerde door de luiken. Hoe laat zou het zijn? Ze had geen horloge om.

Guitou sliep rustig. Op zijn buik. Met zijn gezicht naar haar toe. Zijn ademhaling was nauwelijks te horen. Dat stelde haar gerust, die regelmatige ademhaling. Ze strekte zich uit en drukte zich dicht tegen hem aan, met open ogen. Ze zou graag een sigaret hebben opgestoken, om kalm te worden. Weer in te slapen.

Voorzichtig liet ze haar hand over de schouders van Guitou glijden en daarna over zijn rug naar beneden, in één lange streling. Zijn huid voelde zijdeachtig aan. Zacht. Net als zijn ogen, zijn lach, zijn stem, de woorden die hij zei. Zoals zijn handen op haar lichaam. Dat had haar in hem aangetrokken, die zachtheid. Die bijna vrouwelijk was. De jongens met wie ze was omgegaan, zelfs Mathias, met wie ze geflirt had, waren veel ruwer in hun manier van doen. Bij de eerste glimlach van Guitou had ze onmiddellijk in zijn armen willen kruipen en haar hoofd tegen zijn borst willen vlijen.

Ze had zin om hem wakker te maken. En dat hij haar weer ging strelen, zoals straks. Dat had ze heerlijk gevonden, zijn vingers op haar lichaam, zijn verrukte blik die maakte dat ze zich mooi voelde. En verliefd. De liefde bedrijven had haar de natuurlijkste zaak van de wereld geleken. En ze had er ook van genoten. Zou het weer net zo heerlijk zijn, als ze opnieuw begonnen? Was het altijd zo? Ze huiverde bij de herinnering. Ze glimlachte, gaf een kus op de schouder van Guitou en drukte zich nog dichter tegen hem aan. Hij was warm.

Hij bewoog. Zijn been gleed tussen de hare. Hij deed zijn ogen open.

'Ben je wakker', mompelde hij en hij streelde haar haren.

'Een geluid. Ik heb een geluid gehoord.'

'Ben je bang?'

Er was geen enkele reden om bang te zijn.

Hocine sliep op de bovenste verdieping. Ze hadden even met hem gepraat, daarstraks. Toen ze de sleutels waren gaan halen, voordat ze een pizza gingen eten. Hij was een Algerijns historicus. Een historicus gespecialiseerd in de Oudheid. Hij had grote belangstelling voor de archeologische opgravingen in Marseille. 'Van een ongelofelijke rijkdom', was hij begonnen uit te leggen. Het leek interessant. Maar ze hadden maar met een half oor geluisterd, gehaast als ze waren om samen te zijn. Tegen elkaar te zeggen dat ze elkaar liefhadden. En elkaar vervolgens lief te hebben.

Hocine woonde al meer dan een maand bij de ouders van Mathias. Ze waren voor het weekend vertrokken naar hun villa in Sanary, in de Var. En Mathias had hun zijn zitslaapkamer op de begane grond kunnen lenen.

Het was een van die mooie gerenoveerde huizen in Le Panier, op de hoek van de Rue des Belles-Ecuelles en de Rue du Puits Saint-Antoine, vlak bij La Place Lorette. De vader van Mathias, een architect, had de binnenkant opnieuw ontworpen. Drie verdiepingen. Tot aan het terras, *à l'italienne*, op het dak toe, waar je uitkeek over de hele rede, van L'Estaque tot aan La Madrague-de-Montredon. Schitterend.

Naïma had tegen Guitou gezegd: 'Morgenochtend ga ik brood halen. We ontbijten op het terras. Je zult zien hoe mooi het is.' Ze wilde dat hij van Marseille hield. Haar stad. Ze had hem er zo vaak over verteld. Guitou was lichtelijk jaloers geweest op Mathias. 'Ben je met hem uit geweest?' Ze had gelachen, maar geen antwoord gegeven. Later, toen ze hem had bekend: 'Weet je, het is echt de eerste keer', was hij Mathias vergeten. En het beloofde ontbijt. Het terras. En Marseille.

'Bang waarvoor?'

Ze sloeg een been over hem heen, trok dat op naar zijn buik. Haar knie beroerde zijn geslacht en ze voelde hoe hij hard werd. Ze legde haar wang op zijn jongensborst. Guitou drukte haar tegen zich aan. Hij streelde haar rug. Naïma huiverde.

Hij verlangde opnieuw heel erg naar haar, maar hij wist niet of je dat kon doen. Of ze dat wilde. Hij wist niets van meisjes, of van liefde. Maar hij had een enorme erectie. Ze sloeg haar ogen naar hem op. En haar lippen raakten de zijne. Hij trok haar naar zich toe en ze kwam op hem. Toen hoorden ze Hocine schreeuwen. De schreeuw verlamde hen.

'Mijn god', zei ze bijna toonloos.

Guitou duwde Naïma weg en sprong uit bed. Hij schoot zijn broek aan.

'Waar ga je heen?' vroeg ze zonder dat ze zich durfde te bewegen.

Hij wist het niet. Hij was bang. Maar hij kon niet niks doen. Laten zien dat hij bang was. Hij was een man, nu. En Naïma keek naar hem.

Ze was overeind gekomen.

'Kleed je aan', zei hij.

'Waarom?'

'Weet ik niet.'

'Wat gebeurt er?'

'Weet ik niet.'

Voetstappen weerklonken op de trappen.

Naïma schoot de badkamer in, onderweg haar verspreid liggende spullen bij elkaar rapend. Met zijn oor tegen de deur probeerde Guitou iets op te vangen. Nog meer voetstappen op de trap. Gefluister. Hij opende de deur, zonder goed te beseffen wat hij deed. Alsof hij door angst was overspoeld. Eerst zag hij het wapen. Vervolgens de blik van de man. Wreed, zo wreed. Zijn hele lichaam begon te beven. De knal hoorde hij niet. Hij voelde alleen hoe een brandende pijn door zijn buik trok, en hij dacht aan zijn moeder. Hij viel. Zijn hoofd werd met kracht verbrijzeld op de stenen trap. Zijn wenkbrauwboog werd in tweeën gespleten. Hij had een bloedsmaak in zijn mond. Het was een vieze smaak.

'Wegwezen hier', was het laatste wat hij hoorde. En hij voelde hoe ze over hem heen stapten. Alsof hij een lijk was.

I

Waarin het geluk eenvoudig is
voor wie uitkijkt op zee

Als je niets te doen hebt, is er weinig aangenamer dan 's ochtends een hapje te eten met uitzicht op zee.

Fonfon had een anchoïade gemaakt, die hij net uit de oven haalde. Ik kwam terug van het vissen, voldaan, en bracht een mooie zeewolf mee, vier goudbrasems en een stuk of tien hardervissen. De anchoïade droeg bij aan mijn geluksgevoel. Ik ben altijd gelukkig te maken met eenvoudige genoegens.

Ik maakte een fles rosé uit Saint-Cannat open. De kwaliteit van de rosé uit de Provence bracht me ieder jaar meer in verrukking. We klonken, om de smaak weer te pakken te krijgen. Deze wijn, van de Commanderie de la Bargemone, was verrukkelijk. Op je tong voelde je de heerlijke zonneschijn van de kleine wijngaarden tegen de hellingen van La Trévarèse. Fonfon gaf me een knipoogje en daarna doopten we ons brood in de anchoïade, op smaak gebracht met peper en gehakte knoflook. Bij de eerste hap leefde mijn maag op.

'Potverdorie! Dat is lekker, zeg!'

'Vind ik ook.'

Meer viel er niet over zeggen. Een woord meer zou een woord te veel zijn geweest. We aten zwijgend. Starend naar de zee. Een mooie herfstzee, donkerblauw, bijna fluwelig. Ik kreeg er nooit genoeg van. Iedere keer weer werd ik verrast door de aantrekkingskracht die ze op mij uitoefende. Een roep. Maar ik was zeeman noch reiziger. Daarginds, achter de horizon, had ik mijn dromen. Jongensdromen. Maar zo ver had ik me nooit gewaagd. Op één keer na. Op de Rode Zee. Lang geleden.

Ik was bijna vijfenveertig en net als zoveel Marseillanen vond ik meer voldoening in het luisteren naar reisverhalen dan in het zelf reizen maken. Ik zag me nog geen vliegtuig nemen naar Mexico-Stad, Saigon of Buenos Aires. Reizen moest nog een reden hebben voor mijn generatie. Die van passagiersschepen, vrachtschepen. Van het varen. Van de tijd die door de zee wordt opgelegd. Van de havens. Van de loopplank die op de kade wordt gelegd, en van de roes van nieuwe geuren, onbekende gezichten.

Het was mij voldoende om, gehuld in de stilte van de zee, in mijn punter, de Tremolino, een paar uur te gaan vissen ter hoogte van het eiland Maïre en de archipel van Riou. Behalve dat had ik verder niets te doen. Gaan vissen als ik daar zin in had. Tussen drie en vier een potje klaverjassen. Om een aperitief spelen bij het jeu de boules.

Een keurig geregeld leventje.

Soms vertrok ik voor een wandeling door de kreken. Sormiou, Morgiou, Sugiton, En-Vau… Urenlang lopen, met een rugzak. Ik zweette, ik hijgde. Het hield me in vorm. Het suste mijn twijfels, mijn vrees. Mijn angsten. Hun schoonheid verzoende me met de wereld. Steeds weer. De kreken zijn dan ook prachtig. Het heeft geen zin dat te vertellen, je moet ze zelf gaan zien. Maar je kunt er alleen te voet komen, of per boot. De toeristen bedachten zich wel twee keer, en dat was prima.

Fonfon stond een keer of tien op om zijn klanten te bedienen. Volk dat hier, net als ik, zijn vaste gewoontes had. Voornamelijk ouderen. Die zich niet hadden laten verjagen door zijn norse houding. Zelfs al mocht je *Le Méridional* niet lezen in zijn bar. Alleen *Le Provençal* en *La Marseillaise* waren toegestaan. Fonfon was een vakbondsactivist van de oude stempel. Hij had ruime opvattingen, maar ging niet zo ver dat hij het Front National tolereerde. En al helemaal niet in zijn bar, waar veel politieke bijeenkomsten waren gehouden. Gastounet, zoals de oud-burge-meester ongedwongen werd genoemd, was hier zelfs eens de hand van socialistische activisten komen schudden. Dat was in 1981.

Daarna was de tijd van de desillusies aangebroken. En van de bitterheid.

Op een ochtend had Fonfon het portret van de Franse president, dat boven de percolator prijkte, van de muur gehaald en in de grote rode plastic afvalbak gegooid. We hoorden het geluid van brekend glas. Van achter zijn tapkast had Fonfon ons één voor één aangekeken, maar niemand had een kik gegeven.

Fonfon stak zijn mening niet onder stoelen of banken. En droeg het hart op de tong. Fifi met de Grote Oren, een kaartmaat van ons, had hem vorige week proberen uit te leggen dat *Le Méridional* veranderd was. Het was nog steeds een rechtse krant, toegegeven, maar wel liberaal, zeg maar. En trouwens, in het hele departement was het plaatselijk nieuws in *Le Provençal* en *Le Méridional* eender. Dus och, al die verhalen...

Ze waren bijna met elkaar op de vuist gegaan.

'Luister goed, ik moet geen krant die succes heeft omdat-ie aanzet Noord-Afrikanen om zeep te helpen. Bij 't zien alleen al krijg ik er vuile handen van.'

'Verdomme, met jou valt niet te praten!'

'Beste man, dat is geen praten, dat. Dat is wartaal. Ik heb geen moffen in mekaar geslagen om naar jouw onzinnige geklets te luisteren, onthoud dat goed.'

'Hé, we zijn weer begonnen', was Momo tussenbeide gekomen en hij had een ruiten acht gegooid op de klaveren aas van Fonfon.

'Jou wordt niks gevraagd! Jij zat bij dat schorriemorrie dat voor Mussolini heeft gevochten! Je mag blij zijn dat je hier aan tafel mag zitten.'

'Troef', zei ik.

Maar het was te laat. Momo had zijn kaarten op tafel gegooid.

'Ook best, ik kan ook ergens anders gaan spelen.'

'Precies. Ga maar naar Lucien. Daar zijn de kaarten blauw-wit-rood. En de schoppenkoning heeft een zwart overhemd.'

Momo was weggegaan en had nooit meer een voet in de bar gezet. Maar hij ging niet naar Lucien. Hij speelde alleen geen klaverjas meer met ons. En dat was jammer, want we mochten Momo graag. Maar Fonfon had geen ongelijk. Omdat je ouder werd hoefde je daarom nog niet je mond te houden. Mijn vader zou precies hetzelfde zijn geweest. Erger misschien, want hij was communist in zijn tijd, en tegenwoordig was het communisme in de wereld niet meer dan een hoopje koude as.

Fonfon kwam terug met een bord vol brood dat eerst met knoflook was bestreken en daarna belegd met verse tomaten. Om het verhemelte te strelen. De rosé, daarbij gedronken, vond nieuwe redenen van bestaan in onze glazen.

Bij de eerste warme stralen van de zon werd de haven langzaam wakker. Het ging niet gepaard met hetzelfde geroezemoes als op de Canebière. Nee, het was niet meer dan een gedruis. Stemmen, muziek her en der. Auto's die wegreden. Bootmotoren die gestart werden. En de eerste bus die aankwam en volstroomde met scholieren.

Les Goudes, dat op nauwelijks een halfuur van het centrum van de stad ligt, is na de zomer een dorpje van slechts zeshonderd inwoners. Sinds ik een goeie tien jaar geleden in Marseille was teruggekeerd, had ik er niet toe kunnen komen ergens anders dan hier, in les Goudes, te gaan wonen. In een klein strandhuis – slaapkamer en woonkeuken – dat ik van mijn ouders had geërfd. In verloren uren had ik het zo goed en zo kwaad als het ging opgeknapt. Het was verre van luxueus, maar acht treden onder mijn terras lag mijn boot, en de zee. En dat was heel wat beter dan alle hoop op een paradijs. In deze kleine, door de zon verweerde haven, kun je je niet voorstellen dat dit een arrondissement van Marseille is. De tweede stad van Frankrijk. Hier ben je aan het einde van de wereld. In Callelongue, op nog geen kilometer hiervandaan, gaat de weg over in een pad met wit rotspuin en schaarse begroeiing. Hierlangs vertrok ik op wandeltocht. Door de Vallon de la Mounine en over het Plan des Cailles waardoor je bij de Col de Cortiou en de Col Sormiou kunt komen.

De boot van de duikschool voer uit en zette koers naar de

eilanden van Frioul. Fonfon keek hem na, richtte zijn blik vervolgens op mij en zei ernstig: 'Nou, wat denk je ervan?'

'Ik denk dat we genaaid worden.'

Ik had geen idee waar hij het over wilde hebben. Met hem kon
dat over de minister van Binnenlandse Zaken zijn, het islamitisch
heilfront (het FIS), Clinton. Over de nieuwe trainer van Olympique Marseille. Of zelfs over de paus. Maar mijn antwoord kon
niet anders dan goed zijn. Want natuurlijk zouden we genaaid
worden. Hoe meer we aan onze kop gezeurd werden over sociale
problemen, democratie, vrijheid, de rechten van de mens en de
hele santenkraam, hoe meer we ons lieten naaien. Zo zeker als
twee en twee vier is.

'Precies', zei hij. 'Zo denk ik d'r ook over. Het is net als met
roulette spelen. Je zet maar in, je zet maar in, d'r is maar één gat en
altijd verlies je. Altijd de pineut.'

'Maar zolang je inzet, blijf je in leven.'

'Tegenwoordig moet je dan hoog inzetten. Ik heb niet genoeg
fiches meer, jongen.'

Ik dronk mijn glas leeg en keek hem aan. Zijn ogen waren op
mij gericht. Violette vlekken deden het bovenste gedeelte van zijn
wangen opbollen, waardoor de magerte van zijn gezicht werd
geaccentueerd. Ik had Fonfon niet ouder zien worden. Ik wist
zelfs niet meer hoe oud hij was. Vijfenzeventig, zesenzeventig. Zo
oud was dat ook weer niet.

'Je brengt me nog aan 't janken', zei ik voor de gein.

Maar ik wist best dat hij geen geintjes maakte. Iedere ochtend
kostte het hem weer een aanzienlijke inspanning om de bar open
te doen. Hij verdroeg de klanten niet meer. Hij verdroeg de
eenzaamheid niet meer. Misschien dat hij zelfs mij op een goeie
dag niet meer zou verdragen, en dat moest hem verontrusten.

'Ik hou ermee op, Fabio.'

Met een breed gebaar wees hij naar de bar. De grote gelagkamer
met de twintig tafels, in de hoek het tafelvoetbalspel – een zeld-
zaam exemplaar uit de jaren zestig – de tapkast van hout en zink,

die Fonfon iedere ochtend met zorg boende, tegen de achterkant. En de klanten. Twee man aan de bar. De eerste verdiept in *L'équipe* en de tweede die steels over zijn schouder de sportuitslagen meelas. Twee oude baasjes bijna tegenover elkaar. De een lezend in *Le Provençal*, de ander in *La Marseillaise*. Drie scholieren die op de bus wachtten en elkaar hun vakantiebelevenissen vertelden.

Het universum van Fonfon.

'Praat geen onzin!'

'Ik heb altijd achter de tapkast gestaan. Sinds ik in Marseille ben aangekomen, samen met mijn beste broer Luigi. Die heb je niet gekend. Toen we zestien waren, zijn we begonnen. In de Bar de Lenche. Hij is havenarbeider geworden. Ik heb in Le Zanzi gestaan, in café Jeannot op de Cinq-Avenues, en in de Wagram, aan de Vieux-Port. Toen ik na de oorlog een halve grijpstuiver had, ben ik voor mezelf begonnen. In Les Goudes. We hadden het goed, toen. Da's veertig jaar geleden.

Vroeger kende je iedereen. De ene keer hielp jij Marius met het verven van zijn bar. Een volgende keer hielp hij jou een handje met het betegelen van je terras. Je ging samen vissen. We visten in een tartaan. De man van Honorine leefde nog, Toinou, een beste kerel. En wat we allemaal niet meebrachten! We verdeelden het niet. Niks. We maakten een gigantische bouillabaisse, nu eens bij de een, dan weer bij de ander. Vrouwen en kinderen erbij. Soms waren we met twintig, dertig man. Een vrolijke boel was dat! Daar waar ze nu zijn moeten jouw ouders, God hebbe hun ziel, het zich nog kunnen herinneren.'

'Ik weet het nog, Fonfon.'

'Jij, ja, jij wilde alleen maar de soep eten, met de croutons. Geen vis. Je maakte er een hoop stampei over tegen je moeder.'

Hij zweeg, verloren in zijn herinneringen aan de 'goede oude tijd'. Het donkere wurm dat ik toen was, deed of ik zijn dochter Magali in de haven wilde verdrinken. We waren even oud. Iedereen zag ons al samen getrouwd. Magali was mijn eerste liefde. De eerste met wie ik heb geslapen. In de bunker, boven La Maronnaise. 's Ochtends kregen we op ons kop omdat we na twaalven thuisgekomen waren.

We waren zestien.

'Dat is allemaal lang geleden.'

'Ja, dat leg ik je net uit. Weet je, we hadden ieder onze eigen ideeën. We kafferden mekaar uit dat 't niet mooi meer was. En je kent me, ik liet me niet kisten. Ik heb altijd een grote mond gehad. Maar we respecteerden elkaar. Als je tegenwoordig geen schijt hebt aan iemand die armer is, dan spugen ze je op je bek.'

'Wat ga je doen?'

'Ik sluit de boel.'

'Heb je er met Magali en Fredo over gepraat?'

'Je hoeft je niet stommer voor te doen dan je bent! Wanneer heb je Magali hier nou voor 't laatst gezien? En de kinderen? Ze hangen al jaren de Parijzenaars uit. Met de hele rimram en de auto die daarbij horen. 's Zomers gaan ze liever naar Benidorm om hun kont bruin te laten bakken, of naar de Turken of naar weet ik wat voor eiland. Dit hier, dit is maar een armoeiig zootje, net als wijzelf. En Fredo is misschien wel dood. De laatste keer dat hij me heeft geschreven, zou hij een *ristorante* beginnen in Dakar. Sindsdien zullen de negers hem wel met huid en haar opgevroten hebben! Wil je koffie?'

'Graag, ja.'

Hij stond op. Hij legde zijn hand op mijn schouder en boog zich naar me toe, waarbij zijn wang langs de mijne streek.

'Fabio, leg een franc op tafel en de bar is van jou. Daar denk ik de hele tijd aan. Zo kun je niet doorgaan, met niksdoen. Nou, wat zeg je d'r van? Het geld dat je hebt, ben je zo weer kwijt. Dus hou ik 't huisje en als ik doodga zorg je ervoor dat ze me naast mijn Louisette leggen.'

'Verdomme! Maar je bent nog niet dood!

'Dat weet ik. Dus heb je nog even de tijd om erover na te denken.'

En hij liep weg naar zijn tapkast zonder dat ik nog een woord kon zeggen. Ik weet trouwens niet wat ik te berde had kunnen brengen. Zijn voorstel liet me sprakeloos achter. En vooral zijn grootmoedigheid. Want ik zag me niet achter zijn tapkast staan. Ik zag me nergens staan.

Ik wachtte wel af wat er komen ging, zoals ze hier plegen te zeggen.

Wie er per direct aankwam, was mijn buurvrouw Honorine. Ze liep met kwieke pas, haar karbies aan de arm. De energie die deze kleine vrouw van tweeënzeventig bezat, verbaasde me steeds weer.

Tijdens het lezen van de krant dronk ik mijn tweede kopje koffie. Zoetjesaan werd mijn rug door de zon verwarmd. Daardoor werd mijn wanhoop over de wereld enigszins getemperd. In ex-Joegoslavië ging de oorlog nog steeds door. Verder was er oorlog uitgebroken in Afrika. In Azië, aan de grens van Cambodja, broeide het. En het zou niet lang duren voor het in Cuba tot een uitbarsting kwam, dat was een ding dat zeker was. Of ergens in die buurt, in Midden-Amerika.

Dichterbij was het nauwelijks opwekkender.

'Inbraak met bloedig geweld in Le Panier', kopte *Le Provençal* op de lokale pagina. Een kort bericht, het laatste nieuws. Twee mensen vermoord. De eigenaars, die het weekend in Sanary verbleven, hadden pas gisteravond de lijken gevonden van de vrienden die bij hen in huis logeerden. En het huis ontdaan van alles wat verhandelbaar was: tv, videorecorder, stereo, cd-speler... Volgens de politie waren de slachtoffers rond drie uur in de nacht van vrijdag op zaterdag gedood.

Honorine kwam recht op me af.

'Ik dacht wel dat ik je hier zou vinden', zei ze, terwijl ze haar karbies op de grond zette.

Fonfon verscheen onmiddellijk, een en al glimlach. Ze mochten elkaar graag, die twee.

'Goeiedag, Honorine.'

24

'Heb je een koppie koffie voor me, Fonfon? Maar niet te sterk, hoor, ik heb er al te veel op.' Ze ging zitten en trok haar stoel naar mij toe. 'Je hebt bezoek.'

Ze keek me aan, wachtend op mijn reactie.

'Waar? Bij mij thuis?'

'Ja, natuurlijk bij jou thuis. Niet bij mij. Ik zou niet weten wie mij zou kunnen opzoeken.' Ze wachtte tot ik haar zou onderbreken, maar het brandde haar op de tong om het mij te vertellen. 'Je raadt nooit wie het is!'

'Nee, dat klopt.'

Ik kon niet bedenken wie mij op kon komen zoeken. Zomaar, op een maandag om halftien 's ochtends. De vrouw van mijn leven was bij haar familie, ergens tussen Sevilla, Córdoba en Cádiz, en ik wist niet wanneer ze terug zou komen. Ik wist zelfs niet of Lole ooit nog terug zou komen.

'Nou, 't is een verrassing, hoor.' Ze keek me weer aan, haar ogen glinsterend van pret. Ze kon het niet langer voor zich houden. 'Het is je nicht Angèle.'

Gélou. Mijn mooie nicht. Dat was inderdaad een verrassing. Ik had Gélou al tien jaar niet meer gezien. Sinds de begrafenis van haar man. Op een avond was Gino doodgeschoten toen hij zijn restaurant in Bandol afsloot. Omdat hij geen schurk was, dacht iedereen aan een kwalijk geval van afpersing. Zoals zo veel andere, verdween het onderzoek onder in een la. Gélou verkocht het restaurant, nam haar drie kinderen onder de arm en vertrok om haar leven ergens anders weer op te bouwen. Ik had nooit meer iets van haar gehoord.

Honorine boog zich naar me toe en zei op vertrouwelijke toon: 'Arme meid, ze lijkt uit haar doen te zijn. Ik durf te wedden dat ze in de problemen zit.'

'Waarom zeg je dat?'

'Niet dat ze niet vriendelijk was, hoor. Ze heeft me omhelsd en tegen me gelachen. We hebben gezellig zitten kletsen onder 't koffiedrinken. Maar daar doorheen was wel duidelijk dat ze dagen lang niet gegeten had, dat zag ik wel.'

'Misschien is ze gewoon moe.'

'Volgens mij zit ze in de problemen. En komt ze je daarom opzoeken.'

Fonfon kwam terug met drie koppen koffie. Hij ging bij ons zitten.

'Ik dacht zo, ik neem zelf ook nog 'n bakkie. Alles in orde?' vroeg hij, terwijl hij ons aankeek.

'Gélou is hier', zei Honorine. 'Ken je die nog?' Hij knikte. 'Ze is net aangekomen.'

'En wat zou dat?'

'Ze zit in de problemen, dat zeg ik.'

Honorines oordelen waren onfeilbaar. Ik keek naar de zee en bedacht dat de rust waarschijnlijk voorbij was. In één jaar was ik twee kilo aangekomen. Het nietsdoen begon me zwaar te vallen. Dus, met of zonder problemen, Gélou was van harte welkom. Ik dronk mijn kopje leeg en stond op.

'Ik ga.'

'En als ik nu eens een haardkoek meebracht, voor tussen de middag', zei Honorine. 'Ze zal toch wel blijven eten, denk je niet?'

2

Waarin wie praat altijd te veel zegt

Gélou keerde zich om en ik zag mijn hele jeugd weer voor me. Zij was het mooiste meisje van de wijk. Vele hoofden hadden zich naar haar omgedraaid, ik met het mijne voorop. Ze had mijn kindertijd vergezeld, mijn jongensdromen gevoed. Ze was mijn geheime liefde geweest. Onbereikbaar. Gélou was volwassen. Bijna drie jaar ouder dan ik.

Ze lachte naar me en er verschenen twee kuiltjes in haar wangen. De glimlach van Claudia Cardinale. Dat wist ze. En ook dat ze op haar leek. Sprekend. Ze had vaak met die gelijkenis gespeeld, zozeer zelfs dat ze zich kleedde en kapte als de Italiaanse ster. We misten geen film waar ze in speelde. Ik had het geluk dat de broers van Gélou niet van film hielden. Ze gingen liever naar het voetballen kijken. 's Zondagsmiddags kwam Gélou me ophalen. Bij ons ging een meisje van zeventien nooit alleen uit, zelfs niet als ze naar haar vriendinnen ging. Er moest altijd een mannelijk familielid mee. En Gélou mocht me wel.

Ik vond het heerlijk om bij haar te zijn. Als ze me op straat een arm gaf, liep ik naast mijn schoenen van trots! Tijdens de vertoning van *Il Gattopardo* van Visconti werd ik bijna gek. Gélou had zich naar me toe gebogen en fluisterde in mijn oor: 'Wat is ze mooi, hè?'

Alain Delon nam haar in zijn armen. Ik had mijn hand op die van Gélou gelegd en nauwelijks hoorbaar geantwoord: 'Net als jij.'

Gedurende de hele voorstelling liet ze haar hand in de mijne. Ik had zo'n stijve dat ik niets van de film heb begrepen. Veertien was ik. Maar ik leek niet in het minst op Alain Delon en Gélou was mijn nicht. Toen het licht weer aanging hernam het leven zijn loop en ik begreep dat dat leven ons niet goed gezind zou zijn.

Haar lach duurde niet. Even flitste de herinnering op. Gélou liep naar me toe. Ze was zo snel in mijn armen dat ik nauwelijks zag dat haar ogen zich met tranen vulden.

'Wat heerlijk om je weer te zien', zei ik terwijl ik haar tegen me aan drukte.

'Je moet me helpen, Fabio.'

Dezelfde hese stem als de actrice. Maar het was geen replica van de film. We zaten niet meer in de bioscoop. Claudia Cardinale was getrouwd, had kinderen gekregen en leefde gelukkig. Alain Delon was flink aangekomen en had veel geld verdiend. Wij waren oud geworden. Zoals voorspeld, was het leven ons niet goed gezind geweest. Voor haar was het dat nog steeds niet. Gélou zat in de zorgen.

'Vertel het maar.'

Guitou, de jongste van haar drie zoons, was weggelopen. Vrijdagochtend. Zonder een briefje of wat ook achter te laten. Wel had hij duizend piek uit de kassa gepikt. Sindsdien had ze niets meer gehoord. Ze had gehoopt dat hij haar zou bellen, zoals hij deed als hij op vakantie ging bij haar familie in Napels. Zaterdag zou hij wel terugkomen, had ze gedacht. Ze had de hele dag op hem gewacht. Vervolgens de hele zondag. Afgelopen nacht was het haar te veel geworden.

'Waar denk je dat-ie naartoe is?'

'Hierheen. Naar Marseille.'

Ze had niet geaarzeld. Onze blikken kruisten elkaar. Die van Gélou verloor zich in een verte waar het waarschijnlijk niet gemakkelijk was moeder te zijn.

'Ik zal 't je uitleggen.'

'Ja, doe dat maar.'

Voor de tweede keer zette ik koffie. Ik had een plaat van Bob Dylan opgezet. *Nashville Skyline.* Mijn favoriete album. Met 'Girl from the North Country', in duet met Johnny Cash. Schitterend.

'Dat is een ouwe! Jaren geleden dat ik die gehoord heb. Luister jij daar nog altijd naar?'

De laatste woorden zei ze bijna met afkeer.

'Hiernaar en naar andere nummers. Mijn smaak verandert niet erg. Maar ik kan Antonio Machin opzetten, als je dat liever hebt. *Dos gardenias per amor...*' neuriede ik en ik maakte een paar boleropassen.

Ze kon er niet om lachen. Misschien hield ze meer van Julio Iglesias! Ik bespaarde haar de vraag en ging naar de keuken.

We waren op het terras gaan zitten, met uitzicht op zee. Gélou in mijn rieten lievelingsstoel. Met haar benen over elkaar geslagen zat ze peinzend te roken. Tersluiks observeerde ik haar vanuit de keuken, terwijl ik wachtte tot de koffie klaar was. Ergens in een kast staat een prachtig elektrisch koffiezetapparaat, maar ik gebruik altijd mijn oude Italiaanse koffiepot. Kwestie van smaak.

De tijd leek Gélou ontzien te hebben. Ze naderde de vijftig en nog steeds was ze een mooie, begerenswaardige vrouw. Kleine kraaienpootjes bij haar ooghoeken, haar enige rimpels, verhoogden haar aantrekkelijkheid. Maar ze straalde iets uit wat me hinderde. Wat me had gehinderd vanaf het moment dat ze zich uit mijn armen had losgemaakt. Ze leek tot een wereld te behoren waarin ik nog nooit een stap had gezet. Een respectabele wereld. Waarin je zelfs midden op een golfterrein nog Chanel no 5 inademde. Waarin communie-, verlovings-, trouw- en doopfeesten zich aaneenregen. Waarin alles bij elkaar paste, tot aan de lakens, dekbedovertrekken, nachtkleding en pantoffels toe. En de vrienden, oppervlakkige relaties die één keer per maand te dineren werden gevraagd, en hetzelfde terugdeden. Ik had een zwarte Saab voor mijn deur zien staan en ik durfde te wedden dat het grijze mantelpak van Gélou niet bij een postorderbedrijf vandaan kwam.

Sinds de dood van Gino had ik kennelijk een aantal episodes in het leven van mijn mooie nicht gemist. Ik wilde er graag het mijne van weten, maar dit was niet het goede moment.

'Van de zomer heeft Guitou een vriendinnetje gekregen. Een vakantiescharrel. Ze kampeerde met een groep vrienden aan het meer van Serre-Ponçon. Hij heeft haar op een dorpsfeest leren kennen. In Manse, geloof ik. De hele zomer door zijn er dorpsfeesten, met dansen en zo. Vanaf dat moment waren ze niet meer bij elkaar weg te slaan.'

'Hij heeft de leeftijd.'

'Ja, maar hij is pas zestien en een half. En zij is achttien, begrijp je.'

'Nou, dan zal hij wel een knappe jongen zijn, die Guitou van je', antwoordde ik plagend.

Nog steeds geen glimlach. Ze kwam niet uit de plooi. De angst beklemde haar. Het lukte me niet haar gerust te stellen. Ze pakte haar tas die bij haar voeten stond. Een tas van Louis Vuitton. Ze haalde een portefeuille te voorschijn, deed hem open en reikte me een foto aan.

'Dit was met skiën, afgelopen winter. In Serre-Chevalier.'

Zij met Guitou. Zo dun als een spijker torende hij meer dan een hoofd boven haar uit. Lang slordig haar hing in zijn gezicht. Een bijna vrouwelijk gezicht. Dat van Gélou. Met dezelfde glimlach. Hij leek niet op zijn plaats naast haar. Zo zelfverzekerd en vastbesloten als zij overkwam, zo breekbaar – niet tenger – leek hij. Ik zei tegen mezelf dat hij de jongste was, de *caganis*, op wie Gino en zij niet meer gerekend hadden en die zij waarschijnlijk buitensporig had verwend. Wat me verbaasde, was dat Guitou alleen met zijn mond lachte, niet met zijn ogen. Met een lege, trieste blik staarde hij voor zich uit. En uit de manier waarop hij zijn ski's vasthield, vermoedde ik dat het hem allemaal behoorlijk de keel uithing. Ik zei er niets over tegen Gélou.

'Ik weet zeker dat jij ook op hem gevallen zou zijn toen je achttien was.'

'Vind je dat hij op Gino lijkt?'

'Hij heeft jouw lach. Moeilijk te weerstaan. Weet je dat…'

De toespeling ontging haar. Of ze wilde er niet op ingaan. Ze haalde haar schouders op en borg de foto op.

'Je moet weten dat Guitou zich snel iets in z'n hoofd haalt. Hij is een dromer. Ik weet niet van wie hij dat heeft. Hij zit uren te lezen. Van sport houdt hij niet. De minste inspanning lijkt hem al moeite te kosten. Marc en Patrice zijn heel anders. Die zijn meer... aards. Praktischer.'

Ik stelde het me voor. Realistischer, zei men tegenwoordig.

'Wonen Marc en Patrice bij jou?'

'Patrice is al drie jaar getrouwd. Hij leidt een winkel van mij in Sisteron. Samen met zijn vrouw. Alles loopt op rolletjes. Marc woont sinds een jaar in de Verenigde Staten. Hij studeert vrijetijdsmanagement. Tien dagen geleden is hij weer weggegaan.' Ze zweeg, nadenkend. 'Het is Guitous eerste vriendin. Dat wil zeggen, de eerste van wie ik weet.'

'Heeft hij je over haar verteld?'

'Na de vijftiende augustus, toen ze is vertrokken, hingen ze de hele dag aan de telefoon. 's Ochtends, 's avonds. 's Avonds duurde het uren. Het was wel een keer genoeg! Hij moest wel iets over haar zeggen.'

'Wat had je dan gewild? Dat het zomaar voorbij was? Een laatste kus en aju-paraplu?'

'Nee, maar...'

'Denk je dat-ie haar is komen opzoeken? Is dat het?'

'Dat denk ik niet, dat weet ik. Eerst wilde hij dat ik zijn vriendin een weekend bij ons thuis uitnodigde, maar dat heb ik geweigerd. Toen vroeg hij toestemming om naar haar toe te gaan in Marseille, en ik heb nee gezegd. Hij is veel te jong. Plus dat ik het geen goed idee vond, zo vlak voor het begin van het nieuwe schooljaar.'

'Vind je dit beter dan?' vroeg ik terwijl ik opstond.

Deze discussie ergerde me. Ik kon me haar angst voorstellen om de jongen naar een andere vrouw te zien vertrekken. Vooral als het om de jongste ging. Italiaanse moeders zijn daar sterk in. Maar dat was het niet alleen. Ik voelde dat Gélou niet alles vertelde.

'Ik hoef geen raad, Fabio, ik zoek hulp.'

'Als je denkt dat je bij een politieman aanklopt, dan ben je aan het verkeerde adres', zei ik koeltjes.

'Dat weet ik. Ik heb het politiebureau gebeld. Je werkt er al meer dan een jaar niet meer.'

'Ik heb ontslag genomen. Dat is een lang verhaal. Ik was hoe dan ook maar een agentje in een voorstad. In de noordelijke wijken.'*1

'Ik kom voor jou, niet voor de politieman. Ik wil dat je hem gaat zoeken. Ik heb het adres van het meisje.'

Nu begreep ik er niets meer van.

'Wacht even, Gélou. Dat moet je me uitleggen. Als je het adres hebt, waarom ben je er dan niet rechtstreeks heen gegaan? Waarom heb je op zijn minst niet gebeld?'

'Ik heb gebeld. Gisteren. Twee keer. Ik kreeg haar moeder. Zij zei dat ze Guitou niet kende. Dat ze hem nooit had gezien. En dat haar dochter niet thuis was. Die was bij haar grootvader en die had geen telefoon. Of zoiets.'

'Misschien is 't waar.'

Ik dacht na. Ik probeerde enige orde in de verwarde situatie te scheppen. Maar ik was ervan overtuigd dat ik nog een paar belangrijke aanknopingspunten miste.

'Waar denk je aan?'

'Wat voor indruk heb je van het meisje?'

'Ik heb haar maar één keer gezien. Op de dag van haar vertrek. Toen ze Guitou kwam halen om naar het station te gaan.'

'Hoe is ze?'

'Gaat wel.'

'Hoezo, gaat wel? Is het een knap meisje?'

Ze haalde haar schouders op.

'Hm.'

'Ja of nee? Verdomme, Gélou! Wat is er met haar? Is ze lelijk? Gebrekkig?'

'Nee. Ze is… Nee, ze ziet er leuk uit.'

'Nou, dat kost je kennelijk nogal moeite. Lijkt ze je serieus?'

Weer haalde ze haar schouders op en dat begon me nu echt op mijn zenuwen te werken.

'Ik weet het niet, Fabio.'

Er klonk een zweem van paniek in haar stem. Ze ontweek mijn blik. We naderden de waarheid van deze geschiedenis.

'Hoezo, je weet het niet? Heb je haar niet gesproken?'

'Alex heeft haar de deur uitgegooid.'

'Alex?'

'Alexandre. De man met wie ik samenwoon sinds… Bijna sinds de dood van Gino.'

'Aha! En waarom deed-ie dat?'

'Ze is… Ze is een naffertje. En… En daar houden wij niet zo van.'

We waren er. Daar wrong de schoen dus. Ineens durfde ik Gélou niet meer aan te kijken. Ik draaide me om, naar de zee. Alsof die overal voor in kon staan. Ik voelde schaamte. Het liefst had ik haar de deur uitgeschopt, maar Gélou was mijn nicht. Haar zoon was 'm gesmeerd, hij liep de kans het begin van het schooljaar te missen en zij was ongerust. En ondanks alles had ik daar begrip voor.

'Waar waren jullie bang voor? Dat ze jullie huis besmeurde, dat naffertje? Wel verdomme nog an toe! Weet je waar je zelf vandaan komt? Weet je nog wat je vader deed? Hoe hij genoemd werd? Jouw vader, de mijne? Alle *nabos*? Kadehonden! Inderdaad, ja! Vertel me niet dat jij het niet erg gevonden hebt dat je in Le Panier bent geboren, bij de kadehonden! En jij durft het in je hoofd te halen om iets over naffers te zeggen!

Het feit dat je in een Saab rijdt en een mantelpak draagt dat een omhooggevallen juffrouw niet zou misstaan, wil niet zeggen dat je tegenwoordig iemand anders bent. Als ze identiteitskaarten maakten naar bloedproef, zou er Arabier op jouw kaart staan.'

Buiten zichzelf van woede stond ze op.

'Ik heb Italiaans bloed. Italianen zijn geen Arabieren.'

'Het zuiden is geen Italië. Dat is het land van de mengelmoesjes. Weet je wat ze zeggen, in de Piemonte? *Mau Mau.* Een uitdrukking om bruinjoekels, zigeuners en alle Ritals onder Rome mee aan te duiden! Verdomme! Vertel me niet dat jij in die lariekoek gelooft, Gélou.'

'Alex heeft in Algerije gevochten. Daar heeft-ie flink moeten afzien. Hij weet hoe ze zijn. Achterbaks en…'

'Juist. En jij bent bang dat je zoontje aids krijgt als ze 'm een keer pijpt.'

'Wat ben je toch grof.'

'Klopt. Ik zou niet weten hoe ik anders zou moeten reageren op stompzinnigheid. Pak je tas en verdwijn. Laat die Alex van je maar naar de Arabieren gaan. Misschien dat-ie het er levend vanaf brengt, samen met je zoon.'

'Alex weet er niets van. Hij is niet hier. Hij is op zakenreis. Tot morgenavond. Dan moeten Guitou en ik terug zijn, want anders…'

'Wat anders?'

Ze liet zich weer in de stoel vallen en begon te huilen. Ik hurkte bij haar neer.

'Wat anders, Gélou?' herhaalde ik wat milder.

'Dan krijgt-ie weer een pak slaag.'

Eindelijk liet Honorine zich zien. Ze had ongetwijfeld geen woord gemist toen Gélou en ik elkaar uitkafferden, maar ze had er wel voor gezorgd zich niet op het terras te vertonen. Het was haar stijl niet zich met mijn zaken te bemoeien. Tenminste niet zolang ik er niet om vroeg.

Gélou en ik waren verzonken in een ernstige stilte. Als je praat, zeg je altijd te veel. Naderhand moet je ieder woord voor je rekening nemen. En het weinige dat Gélou me over haar en Alex had verteld, weerspiegelde niet per se een portie dagelijks geluk.

Ze stelde zich ermee tevreden. Omdat, had ze eraan toegevoegd, een vrouw van vijftig, zelfs als ze nog verleidelijk is, niet veel keus meer heeft. Een man ging boven alles. Evenals materiële zekerheid. Daar had ze wel wat pijn en vernederingen voor over. En opofferingen... Zonder schaamte had ze bekend dat ze Guitou ergens onderweg in de steek had gelaten. Met de beste redenen van de wereld. Dat wil zeggen: angst. Angst om ruzie te krijgen met Alex. Angst om aan de kant gezet te worden. Angst om alleen te zijn. De dag zou komen dat Guitou het huis uit ging. Zoals eerst Patrice en daarna Marc hadden gedaan.

Gino en zij hadden Guitou inderdaad niet gewild. Jaren later was hij nog gekomen. Zes jaar. Een ongelukje. De andere twee waren al groot. Ze had geen zin meer in het moederschap, ze wilde vrouw zijn. Toen was Gino gestorven. En had ze dit kind nog over. Plus een onmetelijk verdriet. Ze was weer moeder geworden.

Alex had goed voor de kinderen gezorgd. Het klikte. Er waren geen problemen. Maar toen Guitou groter werd, begon hij zijn stiefvader te haten. Zijn vader, die hij nauwelijks gekend had, schreef hij alle mogelijke deugden en kwaliteiten toe. Alles waar Alex van hield, begon Guitou te verafschuwen, en van wat Alex verafschuwde, begon hij te houden. Na het vertrek van de twee oudste broers was de vijandigheid tussen Alex en Guitou toegenomen. Alles vormde een aanleiding voor een confrontatie. Zelfs over een film op de tv kregen ze ruzie. Dan sloot Guitou zich op in zijn kamer en draaide snoeiharde muziek. In het begin rock en reggae. Het laatste jaar raï en rap.

Alex begon Guitou te slaan. Tikken, niets ernstigs. Zoals Gino ze uit had kunnen delen. Soms verdienen jongens dat. En Guitou meer dan soms. De tik die hij had gekregen toen het naffertje bij hem thuis was komen opdagen, was ontaard. Guitou had zich verzet. Alex had gevonden dat hij moest slaan. Hard. Ze was tussenbeide gekomen, maar Alex had haar gezegd dat ze zich er niet mee moest bemoeien. Dat jong deed precies waar hij zin in had. Ze hadden al veel te veel geaccepteerd. Thuis naar Arabische muziek luisteren was nog tot daar aan toe. Maar het ging te ver om dat bruine gerei in huis halen, daar kwam niets van in. Dat liedje kende hij al. Dat was eerst zij, en daarna haar broers. En vervolgens de hele kliek. In de grond was Gélou het met Alex eens.

Nu raakte ze in paniek. Want ze wist het niet meer. Ze wilde Alex niet kwijt, maar het weglopen en het zwijgen van Guitou wakkerden haar schuldgevoel aan. Het was haar kind. Zij was zijn moeder.

'Ik heb een paar koeken gebakken', zei Honorine tegen Gélou. 'Ze zijn nog lekker warm.' Ze gaf me het bord en de haardkoek die ze onder haar arm hield.

Van de zomer had ik een doorgang tussen onze huizen gemaakt. Met een kleine houten deur. Dan hoefde ze niet van haar terrein af om naar mij toe te komen. Voor Honorine had ik niets meer te verbergen. Noch mijn vuile wasgoed, noch mijn hartsgeheimen. Ik was de zoon die haar Toinou haar niet had kunnen geven.

Ik lachte en ging water halen, en de fles pastis. En ik stak de houtskool aan om de brasems te grillen. In tijden van narigheid is nergens meer haast bij.

3

Waarin woede is, en leven

De jongens speelden uitstekend. Zonder kapsones. Ze speelden voor hun plezier. Om steeds meer te leren en ooit de beste te worden. Het pas aangelegde basketbalveldje had een gedeelte van het parkeerterrein opgeslokt, voor de twee grote flatgebouwen van de wijk La Bigotte, ter hoogte van de Notre-Dame Limite, op de denkbeeldige grens die Marseille scheidt van de wijk Septèmes-les-Vallons. Een stadsdeel dat boven de noordelijke wijken uitstijgt.

Hier is het niet erger dan elders. Ook niet beter. Beton in een verwrongen landschap, rotsachtig, kalkachtig. En ginds, ter linkerzijde, de stad. Ver weg. Hier ben je ver van alles verwijderd. Behalve van de armoe. Zelfs het wasgoed dat uit de ramen hangt te drogen, getuigt ervan. Het lijkt altijd kleurloos, ondanks de zon en de wind die het laat wapperen. Het wasgoed van werklozen, dat is het. Maar vergeleken met 'die van beneden', heb je hier het uitzicht. Magnifiek. Het mooiste van Marseille. Je doet het raam open en je hebt de hele zee voor jezelf. Gratis. Als je niets hebt, is het bezit van de zee – deze Middellandse Zee – een groot goed. Als een homp brood voor wie honger heeft.

Het idee voor een basketbalveld kwam van een van de jongens, die OubaOuba werd genoemd. Niet omdat hij een wilde neger uit Senegal was, maar omdat hij bij de basket leniger was dan een marsupilami-figuurtje. Een artiest.

'Als ik al die auto's zie die alle plaats innemen, dan baal ik als een stekker', had hij tegen Lucien gezegd, een sympathieke figuur van het wijkcomité. 'Bij ons thuis is 't niet groot, oké. Maar al die parkeerterreinen, shit hé…!'

Het idee had zich een weg hogerop gebaand. Vervolgens had zich een snelheidswedstrijd tussen de burgemeester en de gedeputeerde voltrokken, onder de grijnzende blik van de algemeen adviseur die geen verkiezingscampagne nodig had. Ik herinnerde het me nog goed. De jongens wachtten zelfs het einde van de officiële redevoeringen niet af om 'hun' veld in gebruik te nemen. Het was nog niet eens klaar. Dat kwam het nooit, overigens, en het dunne laagje asfalt was nu overal gebarsten.

Met een sigaret in mijn hand keek ik toe hoe ze speelden. Het raakte me weer terug te zijn in de noordelijke wijken. Het was mijn gebied. Nadat ik mijn ontslag had ingediend, had ik er geen voet meer gezet. Er was geen enkele reden om hiernaartoe te gaan. Niet hierheen, niet naar La Bricarde, niet naar la Solidarité, niet naar La Savine, niet naar La Paternelle… Wijken waar niets te beleven was. Niets te zien. Niets te doen. Je kon er zelfs geen blikje cola kopen zoals in het Plan d'Aou, waar in ieder geval nog een kruidenierszaakje voortsukkelde.

Je moest hier wonen, politieman zijn of buurtwerker, om je in deze wijken te begeven. Voor de meeste Marseillanen zijn de noordelijke wijken slechts een abstracte werkelijkheid. Oorden die bestaan, maar die ze niet kennen, die ze nooit zullen kennen. En die ze alleen maar zien door de 'ogen' van de tv. Als een soort Bronx. Met de waandenkbeelden die erbij horen. En de angsten.

Natuurlijk had ik me door Gélou laten overhalen om Guitou te gaan zoeken. Tijdens het eten waren we het onderwerp uit de weg gegaan. We voelden ons alletwee opgelaten. Zij om wat ze me had verteld. Ik om wat ik had gehoord. Gelukkig had Honorine het gesprek gaande gehouden.

'Ik snap niet hoe je 't uithoudt in die bergen. Ik ben maar één keer weggeweest uit Marseille. Toen moest ik naar Avignon. Louise, een van m'n zusters, had me nodig. Jee, wat voelde ik me ongelukkig… Toch ben ik 'r maar twee maanden gebleven. De zee miste ik 't meest. Ik kan er urenlang naar blijven kijken. Hij is altijd anders. Daarginds had je de Rhône natuurlijk. Maar dat is niet hetzelfde. Die verandert nooit. Hij is altijd grijs en ruikt naar niets.'

'Je hebt 't in je leven niet altijd voor het uitzoeken', had Gélou met vermoeide stem geantwoord.

'Je bedoelt dat de zee niet alles is. Geluk, kinderen, gezondheid komen eerst.'

De tranen zaten hoog bij Gélou. Ze had een sigaret opgestoken. Haar zeebrasem had ze nauwelijks aangeraakt.

'Ga er alsjeblieft heen', had ze gemompeld toen Honorine wegging om de koffiekopjes te halen.

En hier was ik dan. Voor de flat waar de familie Hamoudi woonde. Gélou wachtte op me. Wachtte op ons, op mij en Guitou. Bang, zelfs in het rustgevende gezelschap van Honorine.

'Ze heeft problemen, hè, dat is toch zo?' had ze me in de keuken gevraagd.

'Met Guitou ja, haar jongste zoon. Hij is weggelopen. Ze denkt dat-ie hier is, in Marseille. Plaag haar niet te veel als ik weg ben.'

'Ga je 'm zoeken?'

'D'r zal iemand moeten gaan, nietwaar?'

'Misschien had d'r... Ik weet niet... Is ze getrouwd?'

'Daar hebben we 't later allemaal wel over, goed?'

'Ik zei 't wel, je nicht heeft problemen. En niet alleen met haar nakomertje.'

Ik stak nog een sigaret op. OubaOuba scoorde een punt dat zijn makkers naar adem deed happen. Deze kinderen vormden een verdomd goed team. En ik kon niet tot een besluit komen. Geen moed. Of eerder, geen overtuiging. Het leek toch nergens op, de mensen zomaar op hun dak te vallen? 'Goeiedag, ik ben Fabio Montale. Ik kom de jongen ophalen. De toestand heeft nu lang genoeg geduurd. En jij houdt je een beetje gedeisd. Je moeder is al ongerust genoeg.' Nee, dat ging niet. Wat ik zou doen, was de twee kinderen mee naar huis nemen en ze hun verhaal aan Gélou laten vertellen.

Ik zag een vertrouwde gestalte. Serge. Ik herkende hem aan zijn loop, stuntelig, bijna kinderlijk. Hij kwam uit gebouw D4, voor mij. Hij leek me magerder geworden. Een volle baard bedekte de helft van zijn gezicht. Hij stak over naar het parkeerterrein. Zijn handen had hij in de zakken van zijn katoenen jack gestopt. Gebogen schouders. Hij zag er nogal triest uit.

De laatste twee jaar had ik hem niet meer gezien. Ik had zelfs gedacht dat hij uit Marseille weg was. Na een aantal jaren buurt-werker in de noordelijke wijken te zijn geweest, was hij, enigszins door mijn schuld, op straat gezet. Als ik een stel kinderen had opgepakt voor de een of andere stommiteit, liet ik hem op het bureau komen, nog eerder dan de ouders. Hij gaf me tips over gezinnen, hij gaf me raad. De jongeren waren zijn leven. Daarvoor had hij dit werk gekozen. Hij had er genoeg van pubers in de nor te zien eindigen. Eerst geloofde hij in ze. Met het soort vertrouwen in de mensen dat sommige pastoors ook hebben. Dat was hij trouwens een beetje te veel naar mijn zin, pastoor. We konden het goed met elkaar vinden, zonder vrienden te worden. Vanwege die herderlijke kant van hem. Ik heb nooit geloofd dat de mensen goed zijn. Alleen dat ze gelijk behandeld dienen te worden.

Mijn band met Serge gaf aanleiding tot kletspraatjes en dat viel niet in goede aarde bij mijn chefs, maar dan ook helemaal niet. Een diender en een buurtwerker! We moesten ervoor boeten. Eerst Serge, heel zwaar. Vervolgens ikzelf, maar op een wat ele-gantere manier. Je zet niet zomaar eventjes een politieman op straat wiens benoeming in de noordelijke wijken een paar jaar eerder met veel tamtam in de pers was gebracht. Ik kreeg minder manschappen tot mijn beschikking en langzaam maar zeker werd me iedere verantwoordelijkheid ontnomen. Zonder er nog in te geloven was ik doorgegaan met mijn werk, omdat ik niets anders kon dan dat: politieman zijn. Het heeft het leven gekost van te veel dierbaren voordat de weerzin de overhand kreeg en me be-vrijdde.

Ik kreeg niet de tijd Serge te vragen wat hij hier uitspookte. Een zwarte BMW met donkere ramen leek uit het niets te voorschijn te komen. De auto reed stapvoets en Serge schonk er geen aandacht aan. Toen hij bij hem in de buurt was, verscheen er een arm uit het achterraampje. Een arm, gewapend met een revolver. Drie schoten, van zeer dichtbij. De bmw schoot weg en verdween net zo snel als hij verschenen was.

Serge lag languit op het asfalt. Dood, daarover bestond geen enkele twijfel.

De schoten weergalmden tussen de flatgebouwen. Ramen gingen open. De jongens stopten met spelen en de bal rolde op het wegdek. De tijd stolde in een korte stilte. Toen snelde men van alle kanten toe.

En ik rende naar Serge.

'Uit de weg', schreeuwde ik naar allen die zich rond het lijk verdrongen. Alsof Serge nog behoefte had aan ruimte, aan lucht.

Ik hurkte bij hem neer. Een beweging die me vertrouwd was geworden. Te vertrouwd. Evenals de dood. De jaren gingen voorbij en ik deed niet anders dan me met één knie op de grond over een lijk buigen. Verdomme! Het kon toch niet altijd en eeuwig zo doorgaan? Waarom was mijn pad bezaaid met lijken? En waarom waren die steeds vaker van mensen die ik kende of van wie ik hield? Manu en Ugo, mijn jeugdvrienden met wie ik van alles had meegemaakt. Leila, zo mooi, en zo jong dat ik niet met haar samen had durven wonen. En nu mijn makker Serge.

De dood liet me niet los, als een noodlot waarin ik ooit verstrikt moest zijn geraakt. Maar waarom? Waarom? Verdomme nog an toe!

Serge had de volle laag in zijn buik gekregen. Groot kaliber. Een .38, vermoedde ik. Wapens van beroeps. Waarin kon die mafkees verzeild zijn geraakt? Ik keek op naar gebouw D4. Bij wie kwam hij vandaan? En waarom? Degene die hij net bezocht had zou in ieder geval niet achter het raam gaan staan om zich kenbaar maken.

'Heb jij 'm wel eens gezien?' vroeg ik aan OubaOuba, die naast me was neergeknield.

'Nee, nooit.'

Aan het begin van de wijk klonk de politiesirene. Snel, voor de verandering! In een mum van tijd waren de kinderen in het niets verdwenen en bleven alleen de vrouwen over, wat klein grut en een paar ouderen van onbepaalde leeftijd. En ik.

Ze arriveerden als cowboys. Te oordelen naar de manier waarop ze naast de groep remden, wist ik zeker dat ze vaak naar de tv-serie over Starsky en Hutch hadden gekeken. Deze aankomst moesten ze zelfs gerepeteerd hebben, zo nauwkeurig werd hij uitgevoerd. De vier portieren werden gelijktijdig geopend en meteen schoten ze naar buiten. Behalve Babar. Hij was de oudste diender van het wijkbureau en een remake van een politieserie maken kon hem al heel lang niet meer bekoren. Hij hoopte zijn pensioen te bereiken zoals hij zijn carrière was begonnen, zonder zich al te veel uit te sloven. En levend, bij voorkeur.

Pertin, door alle jongeren in de wijken Dubbelkop genoemd vanwege de Ray-Ban-zonnebril die hij altijd en eeuwig op had, wierp een blik op Serges lijk en staarde me vervolgens langdurig aan.

'Wat doe jij hier?'

Pertin en ik waren niet bepaald vrienden. Hoewel hij commissaris was, had ik zeven jaar lang alle macht in de noordelijke wijken. Zijn wijkbureau was niet meer dan een steunpunt van de veiligheidsbrigade geweest, die onder mijn leiding stond. Tot onze beschikking.

Vanaf de eerste dag was het oorlog tussen Pertin en mij. 'In die Arabierenwijken', herhaalde hij steeds, 'is er maar één ding dat werkt, en dat is geweld.' Dat was zijn credo, dat hij jarenlang letterlijk had toegepast. 'Van tijd tot tijd grijp je zo'n naffer bij zijn kladden en geef je 'm ervan langs in een verlaten groeve. Ze hebben altijd wel iets op hun kerfstok waar je geen weet van hebt. Je geeft ze een pak slaag en geloof me, dat tuig weet waar 't voor is. Het is veel effectiever dan een identiteitscontrole. En je hebt geen papieren rompslomp op het bureau. Daarbij is 't ook nog 'ns een ontlading van de stress die dat bruine gespuis je bezorgt.'

Voor hem was dat 'eerlijk je werk doen', had hij tegen de journalisten verklaard. De avond ervoor had zijn team 'ongelukkigerwijze' een naffer van zeventien jaar neergeschoten tijdens een heel gewone identiteitscontrole. Dat was in 1988. Die miskleun had Marseille in beroering gebracht. Dat jaar werd ik tot hoofd van de veiligheidsbrigades gebombardeerd. De superagent die in de noordelijke wijken de orde en rust moest herstellen. We waren toen inderdaad heel dicht bij een volksopstand geweest.

Iedere dag weer toonde mijn hele optreden hem dat hij ongelijk had. Ook al vergiste ook ik me vaker dan me lief was, omdat ik te veel wilde afwachten, verzoenen. Te veel het onbegrijpbare wilde begrijpen. De ellende en de wanhoop. Waarschijnlijk was ik niet genoeg politieman. Dat kreeg ik van mijn chefs te horen. Naderhand. Ik denk dat ze gelijk hadden. Vanuit de politie bekeken, bedoel ik.

Na mijn ontslag had Pertin de macht over de wijken weer teruggekregen. Zijn methode kwam weer in zwang. De afranselingen in de in onbruik geraakte steengroeven waren weer hervat. De achtervolgingen met auto's in de straten eveneens. De haat. En de escalatie van de haat. De waandenkbeelden werden werkelijkheid en om het eender welke burger met een geweer kon gericht schieten op alles wat niet helemaal blank was. Het had de dood betekent voor Ibrahim Ali, een Comoor van zeventien jaar, toen hij op een avond in februari 1995 met zijn vrienden achter de nachtbus aan rende.

'Ik vroeg je iets. Wat doe je hier?'

'Een dagje uit. Ik miste de buurt hier. De mensen en zo.'

Van alle vier kon er alleen bij Babar een lachje af. Pertin boog zich over het lichaam van Serge.

'Shit! Het is dat nichtenvriendje van je. Hij is dood.'

'Dat heb ik gezien, ja.'

Hij keek me vuil aan.

'Wat had hij hier te schaften?'

'Geen flauw idee.'

'En jij?'

'Dat heb ik al gezegd, Pertin. Ik kwam langs. Ik wilde die jochies zien spelen en ben blijven staan.'

Het basketbalveld was leeg.

'Welke jochies? Er is geen kind te bekennen.'

'Ze stopten met spelen toen het schieten begon. Je weet hoe ze zijn. Niet dat ze niet dol op je zijn, maar ze komen je liever niet tegen.'

'Hou je commentaar maar voor je, Montale. Dat interesseert me geen barst. Vertel op.'

En ik vertelde.

Ik vertelde het hem nog een tweede keer. Op het politiebureau. Pertin was niet in staat geweest weerstand te bieden aan dit pleziertje. Me tegenover zich hebben op een stoel en me ondervragen. Op dit bureau waar ik jarenlang de enige kapitein aan boord was geweest. Het was een kleine wraakoefening, maar hij genoot ervan met de gelukzaligheid die alleen de ellendigen beschoren is, en hij verkoos er zoveel mogelijk van te genieten. Deze gelegenheid deed zich misschien nooit meer voor.

En achter zijn vermaledijde Ray-Ban begon hij na te denken. Serge en ik waren vrienden geweest. Misschien waren we dat nog. Serge was zojuist koud gemaakt. Voor een vies zaakje ongetwijfeld. Ik was ter plekke. Getuige. Akkoord, maar waarom geen medeplichtige? Plotseling kon ik een spoor zijn. Niet om degenen te pakken die Serge neergeknald hadden, maar om mij te pakken. Ik stelde me de ongelofelijke kick voor die hij hier uit zou peuren.

Zijn ogen kon ik niet zien, maar het is precies wat ik erin had kunnen lezen. Logisch nadenken wordt niet belemmerd door domheid.

'Beroep', vroeg hij minachtend.

'Werkloze.'

Hij barstte in lachen uit. Carli stopte met typen en lachte zich eveneens krom.

'Het is niet waar! Je gaat stempelen en zo? Net als de apen en de bruinen?'

Ik wendde me tot Carli.

'Noteer je dat niet?'

'Ik noteer alleen de antwoorden.'

'Dan zou-ie zich maar opwinden, superman!' hernam Pertin. Hij boog zich naar me toe: 'En waar leef je van?'

'Zeg, Pertin, waar denk je eigenlijk dat je bent? Op de tv? In het circus?'

Ik had net iets luider gepraat. Om de zaken weer scherp te krijgen. Om hen eraan te herinneren dat ik een getuige was. Ik wist niets van deze zaak af. Op het doel van mijn aanwezigheid in de wijk na had ik niets te verbergen. Mijn verhaal kon ik honderd keer op dezelfde manier vertellen. Pertin had het al snel door en dat maakte hem pisnijdig. Hij zou me het liefst een oplawaai verkopen. Daar was hij toe in staat. Hij was tot alles in staat. In de tijd dat hij onder mijn gezag stond, gaf hij de dealers een seintje als ik van plan was een inval te doen. Of hij tipte de drugsbrigade, als hij voelde dat het een flinke vangst kon worden. Ik herinnerde me nog goed de mislukte operatie in Le Petit-Séminaire, een andere wijk in noord. Hele families traden op als dealers. Ouders, broers en zusters waren erbij betrokken. Ze woonden in de wijk zelf, als goede buren. De kinderen betaalden met hifi-apparatuur die van inbraken afkomstig was. Apparatuur die ze onmiddellijk drie keer zo duur doorverkochten. De winst werd weer in drugs gestoken. We vingen bot. Drie jaar later slaagde de drugsbrigade er wel in, met Pertin aan de leiding.

Hij glimlachte. Een valse glimlach. Ik scoorde punten en dat voelde hij. Om te laten zien dat hij nog steeds de touwtjes in handen had, pakte hij het paspoort van Serge dat voor hem lag. Hij wapperde ermee onder mijn neus.

'Vertel 'ns, Montale, weet je waar die maat van je woonde?'

'Geen idee.'

'Echt niet?'

'Zou dat moeten, dan?'

Hij sloeg het paspoort open en daar was zijn glimlach weer.

'Bij Arno.'

Allemachtig! Wat was dit voor geschiedenis? Pertin observeerde mijn reacties. Die had ik niet. Ik wachtte af. Door de haat die hij voor me voelde zou hij flaters begaan, informatie verstrekken aan een getuige.

'Het staat er niet in', zei hij, het paspoort als een waaier gebruikend. 'Maar we hebben onze kanalen. Goed geïnformeerd zelfs, nu jij er niet meer bent. Wij zijn namelijk geen pastoors. We zijn dienders. Snap je het verschil?'

'Ik snap het', antwoordde ik.

Hij boog zich naar me toe.

'Zeg, dat zigeunerschoffie was toch een van jouw lievelingetjes?'

Arno. Arno Gimenez. Ik heb nooit geweten of we het met hem fout hadden aangepakt. Achttien jaar, een beetje getikt, sluw, koppig, soms op het idiote af. Hartstochtelijk liefhebber van motoren. De enige knaap die op straat een fiets kon optillen met grietje en al. En haar meenemen zonder dat ze moord en brand schreeuwde. Een genie in werktuigkunde. Iedere keer als hij in een oplichterszaakje betrokken was, verscheen eerst Serge op het toneel, daarna ik.

Op een avond hadden we hem bij zijn lurven gegrepen in Le Balto, een bar in L'Estaque.

'Waarom probeer je geen baan te krijgen?' had Serge gevraagd.

'Ja, cool. Dan kan ik 'n tv kopen en een videorecorder, pensioenpremie betalen en die wezenloze koffiedrinkende *Kawa's* op straat voorbij zien komen. Zo is 't toch? Ja, echt cool, mannen. Een superidee…'

Hij nam ons in de maling. De eerlijkheid gebiedt te zeggen dat we niet erg veel wisten over de weldaden van de maatschappij.

Uitweiden over de moraal, ja, daar waren we goed in. Voor de rest was het een zwart gat. Arno ging verder: 'De jongens willen brommers. Ik vind brommers voor ze. Ik knap ze voor ze op en ze zijn er tevreden mee. Het kost minder dan in de winkel en d'r zit zelfs geen BTW op, dus…'

Ik had in mijn glas bier gestaard om te peinzen over de zinloosheid van dit soort discussies. Serge wilde nog een paar fraaie zinnen te berde brengen, maar Arno onderbrak hem.

'Voor kleren ga je naar Carrefour. Keuze zat. Voor eten hetzelfde. Je hoeft alleen maar te bestellen.' Hij keek ons spottend aan: 'Zin om een keer mee te gaan?'

Ik dacht vaak aan het credo van Serge: 'Waar opstand is, is woede. En waar woede is, is leven.' Dat klonk mooi. Misschien hadden we te veel vertrouwen gehad in Arno. Of niet genoeg. In ieder geval niet zoveel dat hij naar ons toe kwam op de avond dat hij besloot in te breken in een apotheek, op de Boulevard de la Libération, boven aan de Canebière. Helemaal alleen, als een dwaas. En niet met een plastic pistooltje van de markt. Nee, met een echt pistool, groot en zwart, waar echte kogels uit komen die doden. En dat allemaal omdat Mira, zijn grote zus, de deurwaarder op de stoep had staan. Ze had vijfduizend piek contant nodig als ze niet met haar twee kinderen op straat gezet wilde worden.

Arno moest er vijf jaar voor opknappen. Mira was haar huis uitgezet. Met haar kinderen was ze naar haar familie in Perpignan vertrokken. De maatschappelijk werkster had niets voor haar kunnen doen, het buurtcomité niets tegen kunnen houden. Serge noch ik kon iets voor Arno doen. Onze getuigenissen werden net zo snel van tafel geveegd als stront door de plee. Soms moet de maatschappij een voorbeeld stellen, om de burgers te laten zien dat ze de situatie goed in de hand heeft. Er kwam een einde aan de dromen van de kinderen Gimenez.

We waren op slag een stuk ouder geworden, Serge en ik. In zijn eerste brief schreef Arno: 'Ik verveel me kapot, hier. Aan die kerels hier heb ik niks te melden. Er is er één die aldoor over z'n heldendaden vertelt. Denkt dat-ie Mesrine zelf is. De idioot. Een andere, een naffer, is er alleen maar op uit peuken van je te bietsen, en koffie en suiker... de nachten duren lang. Ik ben bekaf, maar toch kan ik niet slapen. Op van de zenuwen. Ik zit de hele tijd te piekeren...'

Pertin bleef me aankijken, tevreden met het effect dat hij had gescoord.

'Nou, hoe verklaar je dat? Dat hij bij dat hoerenjong woonde?'

Langzaam hief ik mijn achterwerk van mijn stoel, terwijl ik mijn gezicht vlak bij het zijne bracht. Ik pakte zijn Ray-Ban en zette die laag op zijn neus. Hij had kleine ogen. Vuilgele ogen. Hyena-oogjes. Het was weerzinwekkend om recht in die ogen te kijken. Hij knipperde niet. Een fractie van een eeuwigheid bleef ik zo staan. Met mijn vinger duwde ik ruw zijn Ray-Ban weer op zijn plek.

'We hebben elkaar lang genoeg gezien. Ik heb nog meer te doen. Vergeet me maar.'

Carli's vingers zweefden boven het toetsenbord. Met open mond zat hij me aan te kijken.

'Als je je rapport af hebt,' beet ik hem toe, 'dan teken je in mijn plaats en veeg je er je kont mee af.' Ik keerde me weer om naar Pertin: 'Ajuus, Dubbelkop.'

Ik ging weg. Niemand hield me tegen.

4

Waarin het van wezenlijk belang is
dat mensen elkaar ontmoeten

Het was donker toen ik weer in La Bigotte opdook. Terug bij af. Voor gebouw D4. Op het wegdek vervaagde reeds de krijtstreepmarkering van Serges lichaam. Tot aan het nieuws van acht uur zouden ze in de flats wel over niets anders gepraat hebben dan over de man die was neergeschoten. Daarna had het leven zijn loop weer hernomen. Morgen zou in het noorden het weer nog steeds grijs zijn, en zonnig in het zuiden. En zelfs de werklozen vonden dat geweldig.

Ik keek naar de flatgebouwen en vroeg me af uit welk appartement Serge was gekomen, bij wie hij op bezoek was geweest en waarom. En wat kon hij gedaan hebben dat hij als een hond was neergeschoten?

Mijn blik stopte bij de ramen van de familie Hamoudi. Op de negende verdieping. Waar Naïma woonde, een van hun kinderen. Van wie Guitou hield. Maar ik had niet het gevoel dat die twee jonge mensen hier waren. Niet in deze flats. Niet in een slaapkamer om naar muziek te luisteren. Ook niet in de zitkamer, rustig naar de tv kijkend. Een wijk als deze was niet geschikt om elkaar lief te hebben. Dat wisten alle kinderen die hier waren geboren en opgegroeid. Dit was geen leven hier, maar een doodlopende weg. En de liefde heeft dromen nodig, en een toekomst. Verre van hun het hart te verwarmen, zoals ze dat bij hun ouders deed, spoorde de zee hen aan hun heil elders te zoeken.

Ik wist het. Zodra we konden, ontvluchtten Manu, Ugo en ik Le Panier om naar het uitvaren van de vrachtschepen te gaan kijken. Waar zij heen gingen was het beter dan de ellende die wij meemaakten in de klamme straatjes van de buurt. We waren vijftien en dus waren we daar heilig van overtuigd. Zoals mijn vader dat zestig jaar daarvoor had geloofd in de haven van Napels. En mijn moeder. En duizenden Spanjaarden en Portugezen. En Armeniërs, Vietnamezen, Afrikanen, Algerijnen, Comoren.

Daar dacht ik aan toen ik over het parkeerterrein liep. En vervolgens dat de familie Hamoudi een Franse jongen geen onderdak kon verschaffen. Net zomin als Gélou een meisje van Arabische afkomst wilde ontvangen. Dat was de traditie en het viel niet te ontkennen dat het racisme twee kanten op werkte. Tegenwoordig meer dan ooit.

Maar hier stond ik. Zonder illusie en altijd bereid in wonderen te geloven. Guitou vinden, hem terugbrengen naar zijn moeder en naar die klootzak van een kerel die het alfabet op de vingers van één hand kon opzeggen. Als ik hem vond zou ik rustig te werk gaan, had ik besloten. Ik wilde niets overhaasten. Niet met deze twee kinderen. Ik geloofde in eerste liefdes. In *'la première fille qu'on a pris dans ses bras...'* (het eerste meisje dat je in je armen hebt gehouden), zoals Brassens zong.

De hele middag al moest ik terugdenken aan Magali. Dat was me al jaren niet meer gebeurd. Sinds die eerste nacht in de bunker was de tijd verder gegaan. We hadden andere afspraakjes gehad. Maar die nacht had ik nooit uit de doos met herinneringen opgeroepen. Ik was geneigd te denken dat de eerste keer dat je met iemand slaapt bepalend is, ongeacht je leeftijd – vijftien, zestien, zeventien of achttien zelfs – omdat je je dan voorgoed losmaakt van je moeder, en van je vader. Dat is niet alleen een kwestie van seks. Het is de blik waarmee je daarna naar anderen, mannen, vrouwen, zult kijken. De blik waarmee je naar het leven kijkt. En hoe je, juist of niet, mooi of lelijk, voor altijd over de liefde zult denken.

Van Magali heb ik gehouden. Ik had met haar moeten trouwen. Dan zou mijn leven er anders hebben uitgezien, dat wist ik zeker. Het hare ook. Maar er waren te veel mensen die wilden dat gebeurde wat wijzelf zo graag wilden. Mijn ouders, die van haar, ooms, tantes… We wilden ze hun zin niet geven, die volwassenen, die alles beter wisten, die je van alles voorschreven. Dus speelden Magali en ik dat we elkaar pijn deden. Ik kreeg haar brief in Djibouti, waar ik mijn dienstplicht vervulde bij de marine. 'Ik ben drie maanden zwanger. De vader wil met me trouwen. In juni. Liefs.' Magali was de eerste stomme zet van mijn leven. De rest volgde.

Ik wist niet of Guitou en Naïma van elkaar hielden zoals wij van elkaar hadden gehouden. Maar ik wilde niet dat ze elkaar te gronde zouden richten, elkaar kapot zouden maken. Ik wilde dat ze een weekend, een maand, een jaar samen konden zijn. Of altijd. Zonder dat volwassenen erover begonnen te emmeren. Zonder dat het ze al te lastig werd gemaakt. Dat kon ik voor ze doen. Dat was ik Magali verschuldigd, die zich al twintig jaar lang opvrat in het gezelschap van een man van wie ze nooit echt had gehouden, zoals ze me veel later had geschreven.

Ik haalde diep adem en klom helemaal naar boven naar de Hamoudi's. Want vanzelfsprekend was de lift 'momenteel defect'.

Achter de deur klonk keiharde muziek. Ik herkende de stem van MC Solaar. 'Prose combat'. Een van zijn hits. Nadat hij tussen twee concerten door, op een eerste mei, met de kinderen uit de wijk had deelgenomen aan een middagje rapnummers schrijven, was hij hun idool. Een vrouw schreeuwde iets. Het geluid werd zachter gezet. Ik maakte van de gelegenheid gebruik om nogmaals te bellen. 'Er wordt gebeld', riep de vrouw. Mourad deed open.

Mourad was een van de jongens die ik eerder op het basketbalveld bezig had gezien. Hij was me opgevallen. Hij speelde met een duidelijk teamgevoel.

'O', zei hij met een terugtrekkende beweging. 'Hallo.'

'Wie is daar?' vroeg de vrouw.

'Een man', antwoordde hij zonder zich om te draaien. 'Bent u van de politie?'

'Nee. Waarom?'

'Ehm… ' Hij staarde me aan. 'Nou, voor daarstraks. Die Fransoos die is afgemaakt. Ik dacht 't. Omdat u toen met de politie praatte. Alsof u ze kende.'

'Jij hebt de dingen gauw in de gaten.'

'Ja, nou, wij praten niet bepaald met ze. We gaan ze uit de weg.'

'Kende je die man?'

'Ik heb 'm amper gezien. Maar de anderen zeggen dat ze 'm hier nog nooit hebben zien rondhangen.'

'Dus je maakt je nergens zorgen over?'

'Nee.'

'Maar je dacht dat ik van de politie was. En je schrok. Is daar een reden voor?'

De vrouw verscheen in de gang. Ze droeg Europese kleren en liep op muiltjes met grote rode pompoenen.

'Waar gaat 't over, Mourad?'

'Goedenavond, mevrouw', zei ik.

Mourad trok zich terug achter zijn moeder, maar hij verdween niet.

'Waar gaat 't over?' herhaalde ze, tegen mij deze keer.

Haar zwarte ogen waren magnifiek. Net als haar gezicht, dat omlijst werd door dik, krullend haar, dat geverfd was met henna. Veertig, als ze het al was. Een mooie vrouw, die wat rondingen kreeg. Ik stelde me haar twintig jaar jonger voor en kon me een beeld vormen van Naïma. Guitou had een goede smaak, dacht ik, met een licht tevreden gevoel.

'Ik zou Naïma graag spreken.'

Mourad kwam weer helemaal te voorschijn. Zijn gezicht betrok. Hij keek zijn moeder aan.

'Ze is er niet', zei ze.

'Mag ik even binnenkomen?'

'Ze heeft toch niets uitgehaald?'

'Daar zou ik graag achter willen komen.'

Met haar vingertoppen raakte ze haar hart aan.

'Laat 'm maar binnen', zei Mourad. 'Hij is niet van de politie.'

Ik vertelde mijn verhaal bij een kopje muntthee. Na acht uur 's avonds is dat niet mijn favoriete drank. Ik droomde van een glas Clos-Cassivet, een witte wijn met een geur van vanille, die ik kort geleden had ontdekt op een van mijn tochten in het achterland.

Dat was wat ik gewoonlijk deed op dit uur van de dag, op het terras uitkijkend over de zee. Ik dronk met evenveel plezier als aandacht. Luisterend naar jazz. Coltrane of Miles Davis de laatste tijd. Die had ik herontdekt. Ik had de oude *Sketches of Spain* weer opgediept en op de avonden dat Loles afwezigheid me te zwaar viel, draaide ik voortdurend 'Satea' en 'Solea'. De muziek voerde me naar Sevilla. Ik zou daar nu graag onmiddellijk naartoe zijn gegaan, maar daar was ik te trots voor. Lole was weggegaan. Ze zou terugkomen. Ze was vrij om te doen wat ze wilde en ik had haar niet na te lopen. Het was een belachelijke redenering en dat wist ik.

In mijn verlangen de moeder van Naïma te overtuigen, maakte ik een toespeling op Alex, hem omschrijvend als een 'moeilijke man'. Ik had over de ontmoeting van Guitou en Naïma verteld, het weglopen van Guitou, het geld dat hij uit de kassa had gepikt, zijn zwijgen sindsdien en de ongerustheid van zijn moeder, mijn nicht.

'Dat zult u kunnen begrijpen', zei ik.

Ze begreep het, mevrouw Hamoudi, maar ze gaf geen antwoord. Haar Franse woordenschat scheen zich te beperken tot: 'Ja. Nee. Misschien. Dat weet ik. Dat weet ik niet.' Mourad bleef me strak aankijken. Ik voelde een onderhuidse sympathie tussen ons. Zijn gezicht gaf echter niets prijs. Ik vermoedde dat het allemaal minder eenvoudig was dan ik had voorzien.

'Mourad, het is belangrijk.'

Hij keek naar zijn moeder die haar handen op haar knieën samenklemde.

'Vertel 't hem, mam. Hij wil ons geen kwaad doen.'

Ze keerde zich naar haar zoon, pakte hem bij zijn schouders en drukte hem tegen zich aan, tegen haar borst. Alsof iemand haar hier en nu haar kind zou kunnen afnemen. Maar later begreep ik dat dat het gebaar was van een Algerijnse vrouw die zich onder verantwoordelijkheid van een man het recht toekende te spreken.

'Ze woont hier niet meer', begon ze met neergeslagen ogen. 'Al een week niet meer. Ze woont bij haar grootvader. Sinds Farid naar Algerije is.'

'Mijn vader', verduidelijkte Mourad.

'Een dag of tien geleden', ging ze verder, nog steeds zonder me aan te kijken, 'hebben islamitische strijders het dorp van mijn man aangevallen. Om jachtgeweren in te zamelen. De broer van mijn man woont daar nog. We zijn bezorgd over wat er in het dorp gebeurt. Dus zei Farid: "Ik ga mijn broer halen." Ik wist niet hoe we dat moesten aanpakken,' ging ze verder, nadat ze een slokje van haar thee had gedronken, 'want het is hier niet groot. Daarom is Naïma bij haar grootvader gaan wonen. Ze zijn erg op elkaar gesteld, die twee.' En snel voegde ze eraan toe, me recht in de ogen kijkend deze keer: 'Niet dat ze 't bij ons niet naar haar zin heeft, maar... Wel... Alleen maar met de jongens... En dan is Redouane er ook nog, Redouane is de oudste, hij is... hoe moet ik 't zeggen... religieuzer dan wij. Dus zit hij de hele tijd op haar te mopperen. Omdat ze lange broeken draagt, omdat ze rookt, omdat ze met vriendinnen uitgaat...'

'En omdat ze Franse vrienden heeft', onderbrak ik haar.

'Nee meneer, een *roumi* in huis, dat is niet mogelijk, niet voor een meisje. Dat hoort niet. We hebben onze traditie, zoals Farid altijd zegt. Als we in ons dorp terugkomen, wil hij niet dat ze tegen 'm zeggen: "Jij moest zo nodig naar Frankrijk en nu zie je 't: het heeft je je kinderen afgenomen."'

'Voorlopig zijn het de mannen met baarden die u uw kinderen afnemen.'

Onmiddellijk betreurde ik het dat ik zo direct was geweest. Ze zweeg abrupt en keek radeloos om zich heen. Haar blik keerde terug naar Mourad, die zwijgend toehoorde. Zachtjes maakte hij zich los uit de omstrengeling van zijn moeder.

'Het is niet aan mij om daarover te praten', hernam ze. 'Wij zijn Fransen. Grootvader heeft oorlog gevoerd voor Frankrijk. Hij heeft Marseille bevrijd. Met het regiment van Algerijnse infanteristen. Daar heeft hij een medaille voor gekregen...'

'Hij was zwaar gewond', verduidelijkte Mourad. 'Aan zijn been.'

De bevrijding van Marseille. Ook mijn vader had een medaille gekregen. Een eervolle vermelding. Maar dat was lang geleden. Vijftig jaar. Oude geschiedenis. Er was alleen nog de herinnering aan de Amerikaanse soldaten op de Canebière. Met hun Coca Cola, hun pakjes Lucky Strike. En de meisjes die hun in de armen vlogen voor een paar nylonkousen. De bevrijders. De helden. Vergeten waren hun nietsontziende bombardementen op de stad. En vergeten de wanhopige stormloop van de Algerijnse infanteristen op de Notre-Dame de la Garde, om de Duitsers te verdrijven. Kanonnenvlees, perfect gecommandeerd door onze officieren.

Marseille had de Algerijnen er nooit voor bedankt. Frankrijk ook niet. En op hetzelfde moment onderdrukten andere Franse officieren met geweld de eerste onafhankelijksbetogingen in Algerije. Vergeten ook waren de slachtpartijen van Sétif, waar vrouwen noch kinderen gespaard werden... Als het ons uitkomt bezitten wij het vermogen kort van memorie te zijn...

'Fransen, maar ook moslims', vervolgde ze. 'Vroeger bezocht Farid cafés, dronk bier, speelde domino. Daar is hij nu mee gestopt. Hij zegt zijn gebeden. Misschien dat hij op een dag de hadj verricht, de pelgrimstocht naar Mekka. Zo gaat dat bij ons, voor alles is een tijd. Maar... We hebben niemand nodig om ons te vertellen wat we wel of niet moeten doen. Het FIS jaagt ons een beetje angst aan. Dat zegt Farid.'

Deze vrouw was een en al goedheid. En scherpzinnigheid. Ze

uitte zich nu in zeer correct Frans. Langzaam. Als een echte moslimvrouw deed ze haar verhaal in geuren en kleuren, maar zonder het wezenlijke te vermelden. Ze had haar eigen opvattingen, maar verborg ze achter die van haar man. Ik wilde haar niet bruuskeren, maar ik moest het weten.

'Heeft Redouane haar het huis uit gejaagd, is dat het?'

'U moest nu maar vertrekken', zei ze, terwijl ze opstond. 'Hier is ze niet. En de jongeman over wie u het heeft gehad, ken ik niet.'

'Ik moet uw dochter spreken', zei ik, terwijl ik op mijn beurt ging staan.

'Dat kan niet. Grootvader heeft geen telefoon.'

'Ik zou erheen kunnen gaan. Het hoeft niet lang te duren, maar ik moet met haar praten. En vooral met Guitou. Zijn moeder is ongerust. Hij moet tot rede gebracht worden. Ik wil ze geen kwaad doen. En…' Ik aarzelde even. 'En het blijft onder ons. Redouane hoeft er niets van te weten. U kunt het naderhand bespreken, als uw man terug is.'

'Hij is niet meer bij haar', kwam Mourad ertussen.

Zijn moeder keek hem verwijtend aan.

'Heb je je zuster gezien?'

'Hij is niet meer bij haar. Ze vertelde dat hij weg is gegaan. Dat ze ruzie hadden gehad.'

Verdomme! Als dat waar was, liep Guitou ergens te piekeren over een eerste liefde die slecht was afgelopen.

'Toch moet ik haar spreken', zei ik tegen haar. 'Guitou is nog steeds niet thuisgekomen. Ik moet hem vinden, dat begrijpt u toch wel', drong ik aan.

In haar ogen stonden radeloosheid en genegenheid te lezen. En vragen. Ze staarde in de verte en haar blik ging dwars door me heen, zoekend naar een mogelijk antwoord in mij. Of een geruststelling. Als je een immigrant bent, is het opbouwen van vertrouwen het moeilijkst te bereiken. Een fractie van een seconde sloot ze haar ogen.

'Morgen ga ik haar opzoeken, bij haar grootvader. Morgenochtend. Belt u mij rond het middaguur. Als grootvader het goed vindt, zal Mourad met u meegaan.' Ze liep naar de voordeur. 'Nu moet u gaan. Redouane komt zo thuis, het is zijn tijd.'

'Dank u wel', zei ik. Ik keerde me naar Mourad. 'Hoe oud ben je?'

'Bijna zestien.'

'Je moet doorgaan met basketbal. Je bent steengoed.'

Toen ik het flatgebouw verliet, stak ik een sigaret op en liep naar mijn auto. In de hoop dat hij nog heel was. OubaOuba moest me al een flink tijdje in de gaten gehouden hebben, want hij kwam recht op me af, nog voor ik het parkeerterrein had bereikt. Als een schaduw. Zwart T-shirt, zwarte broek. En een bijpassende Rangers-pet.

'Hoi', zei hij, terwijl hij door bleef lopen. 'Ik heb een tip voor je.'

'Ik luister', antwoordde ik, met hem meelopend.

'Ze zeggen dat die vermoorde Fransoos overal rondsnuffelde. In La Savine, in La Bricarde, overal. En vooral in het Plan d'Aou. Wij zagen 'm hier voor 't eerst.'

Kletsend, als twee willekeurige mensen, liepen we naast elkaar verder langs de flatgebouwen.

'Waar was hij naar op zoek?'

'Hij stelde vragen. Over jongeren. Alleen over naffers.'

'Wat voor soort vragen?'

'Over fundamentalisten.'

'Wat weet je ervan?'

'Wat ik gezegd heb.'

'En wat nog meer?'

'De kerel in die kar hebben we hier een paar keer gezien, met Redouane.'

'Redouane Hamoudi?'

'Daar kom je toch net vandaan?'

We waren rondgelopen en kwamen weer bij het parkeerterrein

en mijn auto. Alle informatie was zo'n beetje gegeven.

'Waarom vertel je me dit allemaal?'

'Ik weet wie je bent. Een paar vrienden van me ook. En dat Serge een maat van je was. Van vroeger. Van toen je nog sheriff was.' Hij lachte, waarbij zijn mond als een halvemaan zijn gezicht oplichtte. 'Hij was wel oké, die vent. Hij heeft zijn nut bewezen, zeggen ze dan. Jij ook. D'r zijn een hoop kinderen die veel aan je te danken hebben. De moeders weten dat. Dus je hebt nog wat te goed.'

'Wat is je voornaam eigenlijk?'

'Anselme. Wat ik heb uitgevreten was niet erg genoeg om naar 't politiebureau te mogen.'

'Ga door.'

'Ik heb prima ouders. Dat is niet voor iedereen zo. En het basketbal…' Hij lachte. 'En er is de *chourmo*. Weet je wat dat is?'

Ik wist het. De *chourmo*, in het Provençaals, is het bagno, het oord waar de boeven zitten die tot de galeien zijn veroordeeld. In Marseille wisten we wat de galeien waren. Om daar terecht te komen hoefde je je vader of moeder niet te vermoorden, zoals twee eeuwen geleden. Nee, tegenwoordig hoefde je alleen maar jong te zijn, immigrant of niet. De fanclub van Massilia Sound System, de meest losgeslagen *raggamuffin*-groep die er bestond, had de uitdrukking weer opgepakt.

Sindsdien werd met *chourmo* zowel een ontmoetingsplaats bedoeld als supporters. Ze waren met tweehonderdvijftig, misschien driehonderd en 'supporterden' nu meerdere bands. Massilia, Les Fabulous, Bouducon, de Black Lions, Hypnotik, Wadada… Die hadden onlangs gezamenlijk een fantastisch album uitgebracht. *Ragga baletti*. Daar kickten we op, 's zaterdagavonds!

De *chourmo* organiseerde DJ Sound Systems, en bekostigde met de opbrengst een bulletin, deelde cassettes uit van live-optredens en zette goedkope reizen in elkaar om de bands op hun tournee te volgen. Dat werkte ook zo in het stadion, rondom Olympique Marseille. Met de Ultras, de Winners en de Fanatics.

Maar dat was niet het wezenlijke van de *chourmo*. Het wezenlijke was dat de mensen elkaar ontmoetten. Zich 'tegen elkaar aan bemoeien', zoals ze in Marseille zeggen. Met andermans zaken, en omgekeerd. Er bestond een *chourmo*-geest. Je was niet meer uit een wijk of buurt. Je was *chourmo*. In dezelfde galei, en roeien maar! Om eruit te komen. Samen.

Rástafada, zogezegd!

'Is er wat aan de hand in de buurt?' vroeg ik, toen we bij de parkeerplaats kwamen.

'Er is altijd wel wat aan de hand, dat zou je moeten weten. Denk erover na.'

En toen we bij mijn auto waren, liep hij door zonder gedag te zeggen.

Ik pakte een bandje van Bob Marley uit het handschoenen-kastje. Van hem lag er altijd minstens een in de auto, voor momenten zoals deze. En 'So much trouble in the world' beviel me goed om mee door de Marseillaanse nacht te rijden.

5

Waarin een snippertje waarheid niemand kwaad doet

Op de Place des Baumes, in Saint-Antoine, stond mijn besluit vast. In plaats van naar huis te gaan via de Autoroute du Littoral, draaide ik en sloeg de Chemin de Saint-Antoine in naar Saint-Joseph. Richting Le Merlan.

Het gesprek met Anselme hield me bezig. Er moest een addertje onder het gras zitten, aangezien hij het nodig had gevonden me over Serge te komen vertellen. Ik wilde het weten. Begrijpen, zoals altijd. Een regelrechte ziekte. Ik moest wel de instelling van een politieman hebben. Dat ik meteen in actie kwam. Tenzij ik ook *chourmo* was! Het deed er niet toe. Een beetje waarheid, dacht ik, heeft nog nooit iemand kwaad gedaan. De doden niet, in ieder geval. En Serge was niet zomaar iemand. Hij was een goeie vent, die ik respecteerde.

Ik had ruim een nacht voorsprong om in zijn spullen rond te snuffelen. Pertin was trots, haatdragend. Maar hij was geen goeie politieman. Ik kon me niet voorstellen dat hij ook maar één enkel uur zou willen besteden aan het uitkammen van de woning van een dode. Dat liet hij liever over aan de 'klerken' zoals hij zijn collega's van het politiebureau noemde. Hij had wel wat beters te doen. Cowboytje spelen in de noordelijke wijken. Met name 's nachts. Ik had alle kans om rustig mijn gang te gaan.

Maar eigenlijk wilde ik tijd winnen. Hoe kon ik met lege handen thuiskomen en de blik van Gélou ontmoeten? En wat zou ik tegen haar moeten zeggen? Dat Guitou en Naïma nog wel een nachtje samen konden doorbrengen. Dat niemand daar last van had. Dat soort dingen. Leugens. Dat zou alleen haar moedertrots kwetsen. Maar ze had erger kwetsuren gekend. En mij ontbreekt het soms aan moed. Vooral tegenover vrouwen. In het bijzonder tegenover de vrouwen van wie ik houd.

In Merlan-Village zag ik een telefooncel die vrij was. Bij mij thuis werd niet opgenomen. Ik belde naar Honorine.

'We hebben niet op je gewacht, hoor. We zijn al aan tafel gegaan. Ik heb spaghetti gemaakt met een pistouschotel. Heb je de jongen gevonden?'

'Nog niet, Honorine.'

'Ze zit zich op te vreten van ongerustheid. Zeg, voor ik je haar geef, die harders die je vanochtend hebt meegebracht, d'r zijn genoeg eitjes om een lekkere poutargue te maken. Lijkt je dat wat?'

De poutargue was een specialiteit van Les Martigues. Net zoiets als kaviaar. Het was een eeuwigheid geleden dat ik het gegeten had.

'Maak je niet te druk, Honorine, dat is hartstikke bewerkelijk.'

Je moest namelijk de twee trossen eieren eruit halen, zonder het beschermende membraan te beschadigen, ze zouten, uitknijpen, en ze vervolgens laten drogen. De bereiding duurde zeker een week.

'Nee, nee, dat geeft niks. En ik heb nu de kans. Je zou die arme Fonfon voor 't eten uit kunnen nodigen. Volgens mij maakt de herfst 'm somber.'

Ik glimlachte. Het was een poos geleden dat ik Fonfon had uitgenodigd, dat was waar. En omdat die twee elkaar niet uit-nodigden, moest ik het wel doen. Alsof het ongepast was dat een weduwe en een weduwnaar, beide in de zeventig, elkaar graag zagen.

'Ik geef je Gélou, want ze sterft van ongeduld.'

Ik was gereed.

'Hallo.'

Claudia Cardinale *live*. De sensualiteit van Gélous stem werd aan de telefoon nog benadrukt. Ze daalde in mij neer met dezelfde warmte als een glas whisky. Zacht en warm.

'Hallo', herhaalde ze.

Ik moest de herinneringen verjagen. Ook de herinneringen aan Gélou. Ik haalde diep adem en stak mijn verhaal af.

'Luister 's, het is wat ingewikkelder dan het leek. Ze zijn niet bij de ouders van het meisje. Ook niet bij haar grootvader. Weet je zeker dat hij nog niet thuis is?'

'Ja. Ik heb jouw telefoonnummer daar achtergelaten. Op zijn bed. En Patrice weet ervan. Die weet dat ik hier ben.'

'En Alex?'

'Die belt nooit als hij op reis is. Dat is nog een geluk. Het is… Dat is zo sinds we elkaar kennen. Hij doet zijn zaken. Ik vraag nergens naar.' Er viel een stilte en daarna vervolgde ze: 'Guitou is… Misschien zijn ze bij een vriend van haar, Mathias. Hij hoorde bij de vriendenclub met wie ze kampeerde. Die Mathias was bij haar toen ze Guitou gedag kwam zeggen, en toen…'

'Weet je zijn achternaam?'

'Fabre. Maar waar hij woont weet ik niet.'

'Er staan nogal wat Fabres in het telefoonboek van Marseille.'

'Dat weet ik. Zondagavond heb ik erin gezocht. Diverse mensen gebeld. Ik had iedere keer het gevoel dat ik niet goed wijs was. Bij de twaalfde ben ik gestopt, doodmoe was ik. En gestresst. En nog onnozeler dan voordat ik ermee begon.'

'In ieder geval kan hij de eerste schooldag wel vergeten, denk ik. Ik zal zien wat ik vanavond nog kan doen. En anders zal ik morgen wat meer over Mathias te weten zien te komen. En ik ga bij de grootvader op bezoek.'

Een snippertje waarheid tussen alle leugens. En de hoop dat Naïma's moeder me niet voor de gek had gehouden. Dat de grootvader bestond. Dat Mourad met me meeging. Dat de grootvader me wilde ontvangen. Dat Guitou en Naïma bij hem zouden zijn, of daar in de buurt…

'Waarom nu niet gelijk?'

'Gélou, heb je gezien hoe laat het is?'

'Jawel, maar… Fabio, denk je dat het in orde is, met hem?'

'Hij ligt daar lekker onder de lakens met een lief meisje. Hij weet niet eens meer dat je bestaat. Denk 'ns terug, dat was toch geweldig, nietwaar?'

'Ik was twintig! En Gino en ik gingen trouwen.'

'Toch moet het heerlijk geweest zijn. Dat is wat ik je vraag.'

Er viel weer een stilte. Daarna hoorde ik haar snuiven aan de andere kant van de lijn. Daar was niets erotisch aan. Het was niet de Italiaanse ster die stond te acteren. Het was mijn nicht die huilde, gewoon, als een moeder.

'Ik geloof echt dat ik dom heb gedaan, met Guitou. Denk je ook niet?'

'Gélou, je moet uitgeput zijn. Eet je bord leeg en kruip onder de wol. Wacht niet op mij. Neem mijn bed en probeer te slapen.'

'Goed', zuchtte ze.

Ze snoof nog een keer. Op de achtergrond hoorde ik Honorine kuchen. Haar manier van zeggen dat ik me niet ongerust hoefde te maken, dat zij voor haar zou zorgen. Honorine kuchte nooit.

'Welterusten, Gélou', zei ik. 'Morgen zijn we allemaal weer samen, dat zul je zien.'

En ik hing op. Een beetje abrupt zelfs, want al een paar minuten lang reden twee rotjochies op een bromfiets om mijn auto heen. Ik had vijfenveertig seconden om mijn autoradio te redden. Schreeuwend stormde ik de telefooncel uit. Meer om de spanning kwijt te raken dan om hen bang te maken. Ik maakte ze werkelijk bang, maar daarmee verdwenen nog niet alle gedachten die in mijn hoofd rondtolden. Toen ze vol gas langs me heen reden, schold de passagier van de brommer me uit voor 'vuile teringlijer', op een manier die in geen verhouding stond tot de prijs van mijn ouwe autoradio.

Arno woonde in een buurtje dat 'Le Vieux Moulin' werd genoemd, een plek die vreemd genoeg gespaard was door de projectontwikkelaars aan de weg naar Le Merlan. Ervoor en erna stonden alleen maar goedkope huizen. Rijen woningwetwoningen voor bankpersoneel en middenkader. Samen met Serge was ik er een paar keer geweest. Het was een nogal naargeestige plek. Vooral 's avonds. Na half negen reed er geen bus meer en zag je nog slechts een enkele auto.

Ik parkeerde voor de oude molen, die een winkeldepot voor meubels was geworden. Ervoor lag de autosloop van Saadna, een zigeuner en een verre neef van Arno. Daarachter huisde Arno, in een van holle steen opgetrokken hok met een dak van golfplaat. Saadna had het gebouwd om er een kleine machine-werkplaats te beginnen.

Ik liep om de molen heen en volgde het kanaal voor de watervoorziening van Marseille. Na honderd meter maakte het een bocht, net achter de sloop. Ik liep in volle vaart een helling van huisvuil af tot ik bij het hok van Arno was. Een paar honden sloegen aan, maar het was niets serieus. De honden sliepen allemaal binnen in de huizen, waar ze net als hun baasjes crepeerden van angst. Saadna hield niet van honden. Hij hield van niemand.

Eromheen stonden nog een paar geraamtes van motoren. Gestolen, waarschijnlijk. 's Avonds knapte Arno ze op, met ontbloot bovenlijf, op zijn sloffen en met een stickie in zijn mond.

'Daar kun je de nor voor in', had ik tegen hem gezegd, toen ik daar op een avond langskwam. Ik wilde me ervan overtuigen dat hij thuis was, en niet betrokken bij een oplichterij die in de wijk Bellevue op til was. Over een uur zouden we een inval doen in de kelders en alles wat er rondslingerde meenemen. Dope, dealers en andere menselijke rotzooi.

'Je komt me m'n strot uit, Montale! Bemoei jij je d'r niet ook nog mee. Serge en jij, jullie verstieren alles voor me. Het is werk. Oké, ik ben niet verzekerd, maar het is mijn leven. Je moet gis zijn. Snap je wat dat is, gis zijn?' Woedend had hij aan zijn joint gezogen, hem weggegooid, driftig, en me vervolgens aangekeken, met in zijn hand een nieuwe sleutel. 'Kom op, zeg! Ik wil niet m'n hele leven hier blijven wonen. Dus pak ik alles aan. Wat dacht je…'

Ik dacht niets. Dat was precies wat me bij Arno verontrustte. 'Gestolen geld is gewonnen geld.' Met die redenering hadden Manu, Ugo en ik onze entree gemaakt in het leven. Je kunt wel tegen jezelf zeggen dat vijfhonderdduizend een mooi getal is om te stoppen, op een goed moment is er altijd iemand die verder gaat dan je van hem verwachtte. Manu had geschoten. Ugo had gejubeld omdat het onze beste slag was. Ik had gekotst en me bij de marine aangemeld. Met geweld was er een bladzijde omgeslagen. Die van de jonge jaren en van onze dromen over reizen en avonturen. Van het geluk vrij te zijn, niet te hoeven werken. Geen bazen, geen chefs. Geen God, geen Meester.

In een andere tijd had ik me kunnen inschepen op een passagiersschip. Argentinië. Buenos Aires. 'Gereduceerde prijzen. Enkele reis', stond op de oude affiches van de pakketvaartmaatschappijen te lezen. Maar sinds 1970 voeren de passagiersschepen niet meer. De wereld was net als wij geworden, zonder doel. Zonder toekomst. Ik was vertrokken. Gratis voor niets. Naar Djibouti. Vijf jaar. Een paar jaren eerder had ik er mijn dienstplicht al vervuld. Het was niet erger dan de gevangenis. Of de fabriek. Met *Exil* van Saint-John Perse op zak, om het vol te houden, om bij zinnen te blijven. Het exemplaar waaruit Lole ons voorlas op de Digue du Large, tegenover de zee.

Ik had die wens, die wens om bij de mensen te wonen, en zie hoe de aarde zijn vreemde ziel uitademt...

Om te janken.

Daarna was ik bij de politie gegaan, zonder precies te weten hoe en waarom. En had ik mijn vrienden verloren. Manu en Ugo waren nu dood. En Lole was ergens waar je zonder herinneringen kon leven. Zonder wroeging, zonder wrok. Je verzoenen met het leven, was je verzoenen met je herinneringen. Dat had Lole op een avond tegen me gezegd. De avond voor haar vertrek. Daarover was ik het met haar eens. Stilstaan bij het verleden heeft geen enkele zin. Vragen moet je aan de toekomst stellen. Zonder toekomst is het heden slechts wanorde. Ja, allemaal waar. Maar ik kwam er niet uit met mijn verleden, en daar lag mijn probleem.

Tegenwoordig was ik niets meer. Ik geloofde niet in dieven. Ik geloofde niet in de politie. Degenen die de wet vertegenwoordigden, hadden ieder gevoel voor morele waarden verloren, en de echte dieven hadden nooit tasjes geroofd om 's avonds te eten te hebben. Er werden ministers in de gevangenis gezet, klopt, maar dat was meer uit politieke overwegingen. Niet uit gerechtigheid. Op een dag deden ze allemaal weer mee. In de zakenwereld wast de politiek altijd witter. Het beste voorbeeld is de maffia. Maar voor duizenden kinderen uit de achterstandswijken was de bajes de grote sprong. Als ze eruit kwamen, kon het alleen maar slechter worden. Het beste lag ver achter hen. Dat hadden ze opgegeten en het was toen al harde kost.

Ik duwde tegen de deur. Er had nooit een grendel op gezeten. 's Winters zette Arno er een stoel tegenaan, zodat hij dicht bleef. 's Zomers sliep hij buiten, in een Cubaanse hangmat. Het interieur was zoals ik het me herinnerde. In een hoek een ijzeren ledikant uit de dump van het leger. Een tafel, twee stoelen. Een kleine kast. Een klein gasstel. Een elektrisch kacheltje. De vaat was gedaan en stond op het aanrecht. Een bord, een glas, een vork, een mes. Serge leefde hier alleen. Ik zag hem hier trouwens niet zo snel een vriendinnetje uitnodigen. Je moest er wel willen wonen. In ieder geval had ik Serge nog nooit met een meisje gezien. Misschien was hij inderdaad homo.

Ik wist niet wat ik precies kwam zoeken. Iets waaruit bleek waar hij in verzeild was geraakt en dat zou verklaren waarom hij op straat was neergeschoten. Ik verwachtte er niet veel van, maar proberen kostte niets. Ik begon bij de kast, bovenop, eronder. In de kast hing een colbert, een jack, twee spijkerbroeken. Er zat niets in de zakken. De tafel had geen la. Op de tafel slingerde een brief, die ik in mijn zak stak. Niets onder het ledikant. Onder het matras evenmin. Ik ging zitten en dacht na. Voor een geheime bergplaats was nergens plek.

Naast het bed lagen twee pockets op een stapel kranten. *Fragments d'un paradis* (Fragmenten van een paradijs) van Jean Giono en *L'Homme foudroyé* (De geteisterde man) van Blaise Cendrars. Ik had ze gelezen. Die boeken had ik thuis. Ik bladerde ze door. Geen papieren. Geen aantekeningen. Ik legde ze weer neer. Een derde, gebonden boek behoorde niet tot mijn klassieken. *Le Licite et L'Illicite en Islam* (Het geoorloofde en het ongeoorloofde in de islam) van Youssef Qaradhawi. Een krantenknipsel maakte melding van het besluit waarmee de verkoop en de verspreiding van dit boek werd verboden 'vanwege de ronduit anti-westerse toon en omdat de beweringen die er in staan strijdig zijn met de republikeinse wetten en fundamentele waarden'. Ook hierin geen enkele aantekening.

Ik stuitte op een hoofdstuk met de titel: 'Wat te doen als een vrouw zich trots en opstandig gedraagt.' Ik moest lachen en bedacht dat ik er misschien uit kon leren hoe ik met Lole moest omgaan als ze op een dag terugkeerde. Maar kon je met een wet het leven van twee mensen regelen? Je had er het godsdienstig fanatisme – van moslims, christenen, joden – voor nodig om dat te denken. In de liefde geloofde ik alleen maar in vrijheid en vertrouwen. En dat maakte mijn liefdesrelaties er niet eenvoudiger op. Dat heb ik altijd geweten. Dat ondervond ik vandaag de dag.

De kranten waren van de vorige dag. *Le Provençal, Le Méridional, Libération, Le Monde, Le Canard Enchaîné* van die week. Diverse recente exemplaren van Algerijnse dagbladen, *Liberté* en *El Watam*. En, verrassender, een stapel van de *Al Ansar*, het clandestiene bulletin van de GIA (gewapende islamitische groep). Onder de kranten, in mappen, een aantal krantenknipsels: 'Proces van Marrakech: een proces tegen de achtergrond van een Franse buitenwijk', 'Razzia zonder weerga onder de islamieten', 'Terrorisme: hoe de Islamieten in Frankrijk rekruteren', 'De islamitische spin weeft zijn web in Europa', 'De islam: het verzet van de fundamentalisten'.

Dit was misschien een spoor, dit boek van Qaradhawi en de nummers van *Liberté, El Watam* en *Al Ansar*. Wat had Serge toch uitgespookt sinds ik hem uit het oog verloren was? Journalistiek? Een onderzoek naar de moslims in Marseille? Er waren zes mappen vol met krantenknipsels. Ik zag een plastic tasje van de boekhandel Fnac onder de gootsteen liggen en stopte er het boek en de papieren in.

'Sta stil!' schreeuwde iemand achter mij.

'Geen geintjes, Saadna, ik ben 't, Montale!'

Ik had zijn stem herkend. Omdat ik geen zin had gehad hem te ontmoeten, was ik langs het kanaal gekomen.

Het vertrek werd verlicht. Door het ene peertje dat aan een draad aan het plafond hing. Wit licht, hard, scherp. De omgeving leek er nog troostelozer door. Knipperend met mijn ogen keerde ik me langzaam om, de Fnac-tas in mijn hand. Saadna hield me met een jachtgeweer onder schot. Hij deed een stap, slepend met zijn manke been. Een slecht genezen polio.

'Je ben zeker langs 't kanaal gekomen?' vroeg hij met een valse grijns. 'Als een dief. Ben je tot inbreker omgeschoold, Fabio?'

'Weinig kans om hier m'n slag te slaan', zei ik spottend.

Saadna en ik hadden een oprechte hekel aan elkaar. Hij was het archetype van de zigeuner. De *gadzé*, alle mensen die geen zigeuner waren, waren stuk voor stuk hufters. Steeds als een jonge zigeuner een of andere stommiteit beging, was het vanzelfsprekend de schuld van de *gadzé*. Al eeuwenlang hadden we hen in de peiling. We bestonden alleen om hun het leven zuur te maken. Een uitvinding van de duivel. Om God de Vader dwars te zitten, die in zijn oneindige goedheid de Zigeuner had geschapen naar zijn beeld. De Roma. De Mens. Sindsdien had de duivel het nog een graadje erger gemaakt. Hij had miljoenen Arabieren over Frankrijk verspreid, enkel en alleen om de zigeuners nog méér dwars te zitten.

Hij mat zich een air aan van oude wijsgeer, met baard en lang, peper-en-zoutkleurig haar. De jongeren kwamen hem vaak om raad vragen. Die altijd de slechtste was. Gedicteerd door haat en verachting. Cynisme. Via hen wreekte hij zich voor de hinkende poot die sinds zijn twaalfde achter hem aan sleepte. Zonder de genegenheid die hij voor hem voelde, had Arno misschien nooit iets stoms uitgehaald. Was hij nooit in de gevangenis beland. En zou hij nog leven.

Toen Chano, Arno's vader, stierf, hadden Serge en ik ervoor gezorgd dat hij verlof kreeg. Arno was erg van streek. Hij wilde per se op de begrafenis zijn. Ik had er zelfs de maatschappelijk werkster voor lopen versieren – 'makkelijker op te geilen dan de opbouwwerkster', had Arno gezegd – zodat zij zich er ook, persoonlijk, mee zou bemoeien. Het verlof werd gegeven en vervolgens weer ingetrokken op uitdrukkelijk bevel van de directeur, met als voorwendsel dat Arno hardleers was. Hij kreeg alleen toestemming om zijn vader nog een laatste keer te zien in het mortuarium. Tussen twee agenten in. Toen ze daar waren aangekomen, wilden ze hem de handboeien niet afdoen. Dus weigerde Arno zijn vader te zien. 'Ik wilde niet dat hij me met die dingen om mijn polsen zou zien', schreef hij ons niet lang daarna.

Weer terug in de gevangenis stortte hij in, maakte een kabaal van jewelste en werd in de isoleercel gestopt. 'Jongens, ik ben de rotzooi zat, dat ze me tutoyeren, en het hele verdere gedoe. De muren, de minachting, de beledigingen... Het stinkt hier! Ik heb het plafond tweeduizend keer bekeken en ik kan niet meer.'

Toen hij de isoleercel uit kwam, had hij zijn aderen doorgesneden.

Saadna sloeg zijn ogen neer. En liet zijn geweer zakken.

'Eerlijke mensen komen door de voordeur. Was 't je te veel om me te gedag te komen zeggen?' Hij liet zijn blik door de ruimte gaan. Zijn ogen bleven rusten op de Fnac-tas. 'Wat zit daar in?'

'Papieren. Serge heeft ze niet meer nodig. Hij is voor mijn ogen doodgeschoten. Vanmiddag. Morgen krijg je de politie over de vloer.'

'Doodgeschoten, zei je?'

'Heb je enig idee wat Serge in zijn schild voerde?'

'Ik heb een slok nodig. Kom mee.'

Ook al had hij iets geweten, dan nog zou Saadna het me niet verteld hebben. Toch liet hij zich niet bidden om te praten en kwam niet aanzetten met kronkelige verklaringen, zoals hij deed als hij loog. Dat had me te denken moeten geven. Maar ik had te veel haast om zijn rattenhol te verlaten.

Hij had twee kleverige glazen gevuld met een stinkend vocht dat hij whisky noemde. Ik had het glas niet aangeraakt. Het ook niet geheven. Saadna hoorde bij het soort mensen met wie ik niet toostte.

Afgelopen herfst was Serge hem op komen zoeken en had hem voorgesteld dat hij in Arno's hok zou trekken. 'Ik heb het een poosje nodig', had Serge verteld. 'Als schuilplaats.' Saadna had geprobeerd hem uit te horen, maar tevergeefs. 'Je loopt geen gevaar, maar hoe minder je weet, hoe beter het is.' Ze kwamen elkaar weinig tegen, spraken zelden met elkaar. Een week of twee geleden had Serge hem gevraagd zich ervan te vergewissen dat hij niet werd gevolgd als hij 's avonds thuiskwam. Daar had hij hem duizend piek voor gegeven.

Voor Serge had Saadna ook niet veel sympathie. Straathoek-werkers, dienders, die behoorden allemaal tot hetzelfde verdomde gespuis van teringlijers. Maar Serge had zich om Arno bekommerd. Hij schreef hem, stuurde hem pakketjes, ging hem op-zoeken. Saadna vertelde het met zijn gebruikelijke boosaardig-heid, om flink te benadrukken dat hij echt wel verschil maakte tussen Serge en mij. Ik zei niets. Ik had geen zin om vriendjes te spelen met Saadna. Wat ik deed ging alleen mijzelf aan, en mijn geweten.

En inderdaad, ik schreef Arno niet veel. In brieven schrijven ben ik nooit goed geweest. De enige aan wie ik er duizenden heb geschreven, was Magali. Toen ze naar het internaat in Caen ging, om juf te worden. Ik vertelde haar over Marseille, Les Goudes. Dat miste ze enorm. Maar met woorden ben ik niet sterk. Ik raak de draad kwijt. Zelfs praten, ik weet niet. Over wat ons beweegt, bedoel ik. Voor de rest, het gewone kletsen, zoals alle Marseillanen doen, red ik me aardig.

Maar om de week ging ik bij Arno op bezoek. Eerst in de jeugdgevangenis in Luynes, bij Aix-en-Provence. Later in Les Baumettes. Na een maand hadden ze hem naar de ziekenafdeling gebracht, omdat hij niets meer at. En de hele tijd bleef schijten. Hij stroomde leeg. Ik had Pepito's voor hem meegebracht, daar was hij dol op.

'Ik zal je een verhaal vertellen over de Pepito's', zei hij tegen me. 'Op een dag, wat zal ik geweest zijn, acht, negen jaar, zwierf ik rond met mijn grote broers. Ze hadden een peuk van een *payo* gebietst en rookten die op terwijl ze het over vozen hadden. Dat vond ik wat, dat snap je! Op een gegeven moment zei Le Pacho: "Marco, hoeveel calorieën heeft gewone yoghurt?" Dat wist-ie natuurlijk niet. Op je vijftiende hou je je niet zo met yoghurt bezig. "En een hardgekookt ei?", ging Le Pacho door. "Vertel op!", onderbraken de anderen hem, die niet snapten waar hij naartoe wilde.

Le Pacho had horen vertellen dat je tachtig calorieën verbrandt als je neukt. En dat dat overeenkomt met een hardgekookt ei of een bakje yoghurt. Serieus. "Normaal gesproken moet het er weer uitkomen als je het eet." Lachen! Marco wilde niet achterblijven: "Ik heb gehoord dat je vijftien Pepito's moet eten als het niet lukt, dan komt 't er op dezelfde manier uit!" Sindsdien eet ik Pepito's. Je weet maar nooit! Dat heeft hier niet veel zin, zul je zeggen. Oké, mee eens. Je hebt de kop van die verpleegster gezien!'

We waren in lachen uitgebarsten.

Plotseling had ik behoefte aan lucht. Ik had geen zin om met Saadna over Arno te praten. Of over Serge. Als Saadna praatte, bezoedelde hij. Hij bezoedelde wat hij aanraakte, wat hem omgaf. En ook degenen tegen wie hij praatte. Hij had erin toegestemd dat Serge kwam, niet vanwege diens vriendschap met Arno, maar Serge in de stront te weten bracht hem dichter bij hem.

'Je hebt je glas niet aangeraakt', zei hij toen ik opstond.

'Je weet 't, Saadna. Ik drink nooit met types zoals jij.'

'Op een dag zul je dat berouwen.'

En in één teug sloeg hij mijn glas achterover.

In de auto deed ik het plafondlampje aan en bekeek de brief die ik bij me had gestoken. Hij was zaterdag gepost op het postkantoor Colbert, in het centrum. In plaats van zijn naam en adres had de afzender onbeholpen op de achterkant geschreven: 'Omdat de kaarten slecht zijn geschud, bereiken we dat stadium van wanorde waarin leven niet meer mogelijk is.' Ik rilde. In de envelop zat maar één velletje, uit een schrift gescheurd. Hetzelfde handschrift. Twee korte zinnen. Die ik koortsachtig las, gedreven door de urgentie van een dergelijke roep om hulp. 'Ik kan niet meer. Kom naar me toe. Pavie.'

Pavie. God nog an toe! Die ontbrak er nog aan.

6

Waarin keuzes niet alles bepalen in het leven

Toen ik mijn knipperlicht aanzette om rechtsaf de Rue de la Belle de Mai in te slaan, merkte ik dat ik werd gevolgd. Op enige afstand maar doelbewust reed een zwarte Safrane achter me aan. Op de Boulevard Fleming was hij me na het wachten voor het rode licht zelfs voorbij gereden. Hij was naast me komen staan. Ik voelde dat er naar me werd gekeken. Vluchtig had ik mijn ogen over de auto laten gaan, maar de getinte raampjes beschermden de chauffeur tegen onbescheiden blikken. Alles wat ik zag was de weerkaatsing van mijn gezicht.

Vervolgens reed de Safrane voor me, waarbij hij zich nauwgezet aan de maximumsnelheid hield. Dat had me aan het denken moeten zetten: 's nachts stoort niemand zich aan de snelheidslimiet. Zelfs ik niet met mijn ouwe Renault 5. Maar ik was te druk bezig mijn gedachten op orde te brengen om me om een eventuele achtervolger te bekommeren. En daarbij kwam het in de verste verte niet bij me op dat iemand me zou kunnen schaduwen.

Ik dacht na over wat 'een samenloop van omstandigheden' genoemd wordt, die maakt dat je 's ochtends rustig wakker wordt, en dat je 's avonds te maken hebt met het kind van een nichtje dat ervandoor is, een vriend die voor je ogen wordt vermoord, een jongen die je nauwelijks kent vriendschap met je komt sluiten, een snoeshaan die je niet wilt zien maar met wie je verplicht een praatje moet maken. Met de herinneringen die naar boven komen. Magali. Manu, Ugo. En Arno, aan wie ik sterk moest denken door zijn ex-vriendinnetje dat permanent op heroïne leefde. Pavie, de kleine Pavie, die te veel had gedroomd. En die te snel had begrepen dat het leven een slechte film is waaraan

Technicolor, als het eropaan kwam, niets kon veranderen. Pavie die om hulp vroeg, en Serge die met altijddurend verlof was.

Het leven bestaat uit kruispunten. En uit keuzes die ons naar andere wegen voeren dan we verwacht hadden, al naar gelang we linksaf in plaats van rechtsaf sloegen. Dat we ja tegen het één, nee tegen het ander zeiden. Het was niet de eerste keer dat ik me in een dergelijke situatie bevond. Soms had ik het gevoel dat ik altijd de verkeerde richting nam. Maar zou de andere weg beter zijn geweest? Anders?

Dat betwijfelde ik. Maar ik was er niet zeker van. In een goedkoop romannetje had ik ergens gelezen dat 'de mensen geleid worden door een blinde vlek die ze in zich hebben'. Dat klopte, op die manier gingen wij vooruit. Blindelings. Keuze was maar een illusie. De *change* die het leven bood om zijn bittere pil te vergulden. Het was niet de keuze die alles bepaalde, maar onze houding tegenover anderen.

Toen Gélou vanochtend onverwacht binnenviel, was ik een vrij mens. Zij was de vonk in een kettingreactie. De wereld om mij heen was weer in beweging gekomen. En gaan knetteren, zoals zijn gewoonte was.

Vooruit maar!

Een blik in de achteruitkijkspiegel leerde me dat ik nog steeds werd gevolgd. Door wie? Waarom? Sinds wanneer? Zinloze vragen, omdat ik geen enkel aanknopingspunt had om ze te beantwoorden. Ik kon alleen maar veronderstellen dat het schaduwen was begonnen toen ik bij Saadna was weggegaan. Maar voor hetzelfde geld was dat het geval nadat Anselme bij me was weggelopen. Of toen ik het politiebureau verliet. Of toen ik thuis wegging. Nee, dat was onmogelijk, niet vanaf mijn huis, dat sloeg nergens op. Maar 'ergens' na de dood van Serge, ja, dat was aannemelijk.

Om moed te verzamelen voor mijn taak zette ik het cassettebandje van Bob Marley aan bij 'Slave Driver' en in de Rue Honorat, langs de spoorweg, ging ik iets harder rijden. De Safrane reageerde nauwelijks op mijn zeventig km per uur. Ik zakte weer terug naar de normale snelheid.

Pavie. Ze was bij het proces tegen Arno aanwezig geweest. Zonder te zeuren, zonder te huilen, zonder een woord. Trots, net als Arno. Daarna was ze teruggevallen op de dope, en de diefstalletjes om het te kunnen kopen. Haar leven met Arno was uiteindelijk niet meer geweest dan een gelukkig intermezzo. Arno was haar laatste toevlucht geweest. Maar zijn pad was besmeurd met dezelfde glibberige drek. Hij was uitgegleden, zij was eronder verdwenen.

Op de Place d'Aix reed de Safrane door oranje. Goed, zei ik bij mezelf, het is bijna elf uur en ik wil wel wat eten. En drinken. Ik ging de Rue Sainte-Barbe in zonder mijn richtingaanwijzer aan te zetten, maar ook zonder sneller te gaan rijden. Vervolgens nam ik de Rue Méry en de Rue Caisserie, richting Les Vieux-Quartiers, het territorium van mijn kinderjaren. Waar mijn ouders hadden gewoond toen ze Italië ontvlucht waren. Waar Gélou was geboren. Waar ik Manu en Ugo had leren kennen. En Lole, die altijd in de straten aanwezig leek te zijn.

Op de Place de Lenche parkeerde ik op de bij ons gebruikelijk wijze: waar het verboden was, voor de ingang van een klein flatgebouw, met mijn rechterwiel helemaal tegen de onderste traptrede van de ingang. Er was wel een plek aan de overkant, maar ik wilde bij mijn achtervolger de indruk wekken dat ik wel niet lang weg zou blijven als ik niet inparkeerde. Zo gaat dat hier. Soms zelfs was dubbelparkeren met knipperende waarschuwingslichten de beste oplossing.

Toen ik het portier afsloot, liet de Safrane de voorkant van zijn neus zien. Ik schonk er geen aandacht aan. Ik stak een sigaret op en liep toen resoluut de Place de Lenche op, sloeg rechtsaf de Rue des Accoules in en ging vervolgens nog een keer naar rechts de Rue Fonderie-Vieille in. Een reeks trappen afdalen en ik was weer in de Rue Caisserie. Nu hoefde ik alleen maar naar de Place de Lenche terug te gaan om te zien hoe het met mijn achtervolger stond.

Ongegeneerd was hij op de plek gaan staan die ik had gelaten voor wat hij was. Onberispelijk ingeparkeerd. Het raampje van de chauffeur was open en er ontsnapten kleine rookwolkjes uit. De man voelde zich op zijn gemak. Over hem maakte ik me niet ongerust. In dat soort auto's zat zelfs een stereo. De Safrane stond geregistreerd in de Var. Ik nam het nummer in me op. Voor het moment bracht het me niet verder. Maar morgen was er weer een dag.

Aan tafel, spoorde ik mezelf aan.

In restaurant Chez Félix beëindigden twee koppels hun diner. Félix zelf zat achterin aan een tafeltje, met daarop aan de ene kant zijn filtersigaretten en aan de andere kant zijn pastis. Hij las het stripboek *Les Pieds Nickelés à Deauville*. Zijn favoriete lectuur. Iets anders las hij niet, zelfs de krant niet. Hij verzamelde *Les Pieds Nickelés* en *Bibi Fricotin*, en zodra hij vijf minuten over had, zat hij ervan te genieten.

'Hé! Céleste,' riep hij toen hij me binnen zag komen, 'we hebben bezoek.'

Zijn vrouw kwam uit de keuken, haar handen afdrogend aan haar zwarte schort dat ze pas afdeed als het restaurant ging sluiten. Ze had er weer een dikke drie kilo bij gekregen. Op de plekken waar dat het best te zien is. Boezem en billen. Alleen al door haar te zien, kreeg je zin om aan tafel te gaan.

Haar bouillabaisse was een van de beste van Marseille. Roodbaars, poon, zeepaling, zonnevis, zeeduivel, spinkrab, mul, zeebrasem, kleine schorpioenvis, regenboogvis… Ook een paar strandkrabben, en, bij gelegenheid, een langoest. Alleen rotsvissen. Niet zoals veel anderen. En vervolgens had ze voor de rouille haar persoonlijke talent om de knoflook en de Spaanse peper met de aardappel en het zee-egelvlees te binden. Maar haar bouillabaisse stond nooit op de kaart. Je moest regelmatig bellen om te weten wanneer ze het maakte. Want voor een goede bouillabaisse moet je met minstens zeven of acht personen zijn. Zodat er zoveel mogelijk soorten vis ingestopt kunnen worden om er een rijk gevulde soep van te maken. Op die manier waren we altijd met vrienden, en kenners, onder elkaar. Zelfs Honorine 'erkende' de kwaliteiten van Céleste. 'Maar dat komt, 't is mijn beroep ook niet…'

'Dat komt mooi uit,' zei ze toen ze me omhelsde, 'ik ben wat restjes aan het klaarmaken. 'Schelpjes in saus, een soort ragout, zal ik maar zeggen. En ik wou wat figatelli roosteren. Wil je een paar gemarineerde sardines vooraf?'

'Ik neem hetzelfde als jullie.'

'Mens, zeur niet, zet het op tafel!' kwam Félix ertussen.

Hij dronk zijn glas leeg, ging achter de tapkast staan en serveerde ongevraagd een rondje. Gemiddeld dronk Félix zowel 's middags als 's avonds tien tot twaalf glazen. Tegenwoordig dronk hij de pastis uit een gewoon glas, met bovendien een druppeltje water erbij. Vroeger serveerde hij alleen *mominettes*, een heel klein glas waarin de alcohol de meeste plaats innam. Rondjes *mominettes* werden niet geteld. Afhankelijk van het aantal vrienden bij het aperitief, kon een rondje tien tot twaalf glazen pastis betekenen. Nooit minder. Als Félix zei: 'Deze is voor mij', begonnen we opnieuw. Maar elders, in Le Péano en in L'Unic, was het, voordat de één een trendy bar werd en de andere een rockcafé, precies hetzelfde. Pastis en *kémia* – zwarte en groene olijven, cornichons en allerlei groenten op zuur – vormden een onderdeel van de Marseillaanse kunst van leven. Het was een tijd waarin de mensen nog met elkaar wisten te praten, waarin er nog zaken waren om elkaar te vertellen. En dat gaf natuurlijk dorst. En nam tijd in beslag. Maar tijd telde niet. Er was geen haast. Alles kon nog wel vijf minuten langer wachten. Het was een tijd die niet beter of slechter was dan de onze. Maar vreugde en verdriet werden gewoon met elkaar gedeeld, zonder valse schaamte. Zelfs over armoede kon gepraat worden. Je was nooit alleen. Je hoefde maar naar Félix te gaan. Of naar Marius. Of naar Lucien. En de drama's die in woelige dromen waren geboren werden gesmoord in de anijswalmen.

Vaak zei Céleste zonder omhaal tegen een klant: 'Hé, zeg, zal ik voor je dekken?'

'Nee, ik ga thuis eten.'

'En weet je vrouw dat je thuis komt eten?'

'Dat zou 'k denken! Ik heb 't vanochtend tegen d'r gezegd.'

'Nou, ze zal je nu wel niet meer verwachten. Heb je gezien hoe laat 't is?'

'O! shiddo!'

En hij ging achter een bord spaghetti met tapijtschelpjes zitten, dat hij snel naar binnen werkte om op tijd op het werk te zijn.

Félix zette het glas voor me neer en proostte, terwijl hij me met zijn bloeddoorlopen ogen aankeek. Blij. We kenden elkaar al vijfentwintig jaar. Maar de laatste vier jaar had hij zijn vaderlijke genegenheid op mij overgebracht.

Dominique, hun enige zoon, die een hartstochtelijke belangstelling had voor scheepswrakken die tussen de eilanden Riou en Maïre op de bodem van de zee lagen, was op een dag niet teruggekomen van het diepzeeduiken. Hij had gehoord dat vissers uit Sanary regelmatig met hun netten vast bleven haken in de bodem van het Plateau de Blauquières, twintig kilometer uit de kust, tussen Toulon en Marseille. Het kon een vooruitstekende rots zijn. Het kon iets anders zijn. Dominique is het nooit komen vertellen.

Maar Dominique had een juist voorgevoel gehad. Een paar maanden geleden hadden twee diepzeeduikers van de Compagnie Maritime, Henri Delauze en Popof, precies op die plek volkomen toevallig het intacte scheepswrak van de Protée ontdekt. De Franse onderzeeër die in 1943 als vermist werd opgegeven tussen Algiers en Marseille. De plaatselijke pers had uitgebreid aandacht besteed aan de ontdekking en een paar regels aan Dominique gewijd. 's Middags was ik naar Félix gegaan. De ontdekking van de Protée bracht zijn zoon niet tot leven. Maar zij riep hem in herinnering en maakte een pionier van hem. Hij werd een le-

78

gende. Dat hadden we gevierd. Geluk, tot tranen toe.

'Proost!'

'Dat doet 'n mens goed!'

Sinds die dag was ik niet meer langs geweest. Vier maanden. Als je niets uitvoert verstrijkt de tijd met een krankzinnige snelheid. Dat realiseerde ik me ineens. Na het vertrek van Lole had ik mijn strandhuisje niet meer verlaten. En de zeldzame vrienden die ik had, verwaarloosd.

'Wil je iets voor me doen?'

'Natuurlijk', zei hij, terwijl hij met zijn hoofd knikte.

Ik kon hem alles vragen, behalve om water te drinken.

'Bel Jo op, van de Bar de la Place. Bijna recht voor zijn deur staat een zwarte Safrane. Vraag of hij de chauffeur ervan een kop koffie wil brengen, met de complimenten van de man uit de Renault 5.' Hij nam de hoorn van de haak. 'En vraag meteen of ze willen kijken waar die kerel op lijkt. Hij zit me al een uur lang op de hielen, als een echte napslak.'

'D'r lopen steeds meer van die klootzakken rond. Ben je met z'n vrouw aan de rol geweest?'

'Niet dat ik me herinner.'

Een geintje uithalen aan het eind van de dag was net iets voor Jo. Dat verbaasde me niet. Keet schoppen, het was de stijl van het huis. Zijn café meed ik trouwens. Dat was een beetje te *mia* naar mijn zin. Bekrompen. Ik had andere stamcafés. Félix, natuurlijk. Etienne, in de Rue de Lorette, in Le Panier. En Ange, op de Place des Treize-Coins, net achter het politiebureau.

'En na de koffie,' vroeg Jo, 'zullen we 'm dan vasthouden? We zijn met acht man in 't café.'

Félix keek me aan. Ik luisterde mee. Ik schudde van nee.

'Laat maar', antwoordde Félix. 'Koffie is genoeg. Hij heeft net de hoorns opgezet gekregen, dat is alles.'

Een kwartier later belde Jo terug. We hadden al een rode Côteaux d'Aix 1988 soldaat gemaakt, uit het Domaine des Béates.

'Félix, als jij die kerel de hoorns hebt opgezet zou ik maar uitkijken.'

'Hoezo?' vroeg Félix.

'Hij heet Antoine Balducci.'

Félix keek me vragend aan. Ik kende niemand van die naam. En zijn vrouw al helemaal niet.

'Ken ik niet', zei Félix.

'Hij komt vaak in de Rivesalte, in Toulon. Die kerel sjachert met de onderwereld uit de Var. Volgens Jeannot. Die ging mee om de koffie te serveren. Je weet nooit of er nog wat te lachen valt, snap je wel? Jeannot is er kelner geweest. Daar kent-ie Balducci van. Godsamme, gelukkig dat 't donker was. Als-ie 'm had herkend, was 't misschien hommeles geweest... Vooral omdat ze met z'n tweeën waren.'

'Met z'n tweeën?' herhaalde Félix en trok zijn wenkbrauwen naar me op.

'Wist je dat niet?'

'Nee.'

'Van die ander', ging Jo verder, 'weet ik zelfs niet hoe z'n kop eruitzag. Die vent heeft zich niet verroerd. Geen woord gezegd. Zelfs geen ademgehaald. Volgens mij hoort die Balducci tot de crime de la crime... Zeg 's, zit je in de problemen, Félix?'

'Nee, nee... Het is vanwege een... Een goeie klant.'

'Goed, nou, vertel 'm maar dat-ie zich heel erg gedeisd houdt. Die lui zitten d'r tot over hun oren in, als je 't mij vraagt.'

'Ik zal 't advies doorgeven. Zeg Jo, je hebt 'r toch geen last mee gekregen, hè?'

'Nee, Balducci moest er om lachen. Als een boer die kiespijn heeft weliswaar, maar hij heeft gelachen. Die mannen weten te incasseren, hoor.'

'Zijn ze er nog?'

'Nee, ze zijn weg. "Was 't aangeboden?" vroeg-ie, wijzend naar de koffie. Hij propte tien briefjes van tien in 't koppie. M'n handen zaten onder de koffie. "Voor de bediening." Je ziet het type zo voor je.'

'Ik zie 't. Bedankt, Jo. Kom een borrel halen, binnenkort. Ciao.'

Céleste bracht de figatelli, precies goed gaar, en wat aardappels met peterselie erover. Félix ging zitten en maakte nog een fles open. Met zijn geuren van tijm, rozemarijn en eucalyptus was deze wijn een klein meesterwerk. Die werd je niet zat.

Onder het eten spraken we over de viswedstrijd op tonijn, die de Club Nautique du Vieux-Port als vanouds eind september organiseerde. Het was het seizoen. In Marseille, in Port-de-Bouc, in Port-Saint-Louis. Drie jaar geleden had ik een tonijn gevangen van 300 kilo, op zee bij Saintes-Marie-de-la-Mer, op een diepte van 85 meter. Een gevecht van drie uur en een kwartier. Ik mocht met mijn foto in de krant, de Arles-editie van *Le Provençal*. Sindsdien was ik erelid van De Schorpioenvis, de nautische sociëteit van Les Goudes.

Net als andere jaren bereidde ik me voor op de wedstrijd. Sinds kort mocht je met *broumé* vissen. Een traditionele vismethode in Marseille. Als de boot is stilgelegd, lok je de vis door fijngemalen sardines en brood in het water te gooien. Dat vormt een olieachtige vlek die door de stroom wordt meegevoerd. Als de vis die tegen de stroom op zwemt die geur ruikt, komt hij omhoog naar de boot. Daarna is het een ander verhaal. Dan wordt het échte sport!

'Nou, ben je er wat mee opgeschoten?' vroeg Félix een tikkeltje bezorgd, toen Céleste de kaas ging halen.

'Mwah', antwoordde ik laconiek.

Ik was die kerels in de Safrane vergeten. Ik was inderdaad nauwelijks iets opgeschoten. Waar was ik in terecht gekomen, dat twee zware jongens uit de Var me op de hielen zaten? In Toulon kende ik niemand. Ik was er al bijna dertig jaar niet meer geweest. Als eenvoudige Jan Soldaat had ik daar mijn opleiding gehad. Ik had er verschrikkelijk moeten afzien. Toulon had ik voor altijd uit mijn aardrijkskundeboek geschrapt. En ik was niet van plan mijn mening te veranderen. Bij de laatste gemeenteraadsverkiezingen had de stad zich aan het Front National 'overgeleverd'. Misschien was het niet erger dan onder het oude gemeentebestuur. Het was alleen een kwestie van principe. Zoals met Saadna. Ik drink nooit met mensen die boordevol haat zitten.

'Je zit toch niet in de nesten?' vroeg hij vaderlijk.

Ik haalde mijn schouders op.

'Daar ben ik te oud voor.'

'Wat ik zeggen wil… Luister, ik wil me niet bemoeien met zaken die me niet aangaan, maar… Ik dacht dat je het ervan nam, in dat huisje van je. Met Lole, alles prima voor elkaar.'

'Ik neem het er ook van, Félix. Maar zonder Lole. Ze is weg.'

'Neem me niet kwalijk', stamelde hij bedroefd. 'Ik dacht 't. Zoals ik jullie de laatste keer samen heb gezien…'

'Lole hield van Ugo. Ze hield van Manu. En van mij hield ze ook. En dat allemaal in twintig jaar. Ik was de laatste.'

'Ze heeft altijd van jou gehouden.'

'Dat heeft Manu me een keer verteld. Een paar dagen voordat hij hier, bij jou op de stoep werd neergeschoten. We hadden aïoli gegeten, weet je dat nog?'

'Hij leefde met de angst dat jij haar op een dag bij hem zou weghalen. Hij dacht dat het wat kon worden, zij en jij.'

'Lole haal je niet weg. Ugo had haar nodig, om te bestaan. Manu ook. Ik niet. Niet in die tijd. Nu wel, ja.'

Het was even stil. Félix vulde onze glazen bij.

'De fles moet leeg', zei hij, ietwat in verlegenheid gebracht.

'Ja… Ik had de eerste kunnen zijn en dan zou alles anders zijn geweest. Voor haar en voor mij. En ook voor Ugo en Manu. Maar ik ben de laatste. Dat je van elkaar houdt is één ding. Maar je leeft niet simpelweg in een museum, te midden van herinneringen. Degenen van wie je hebt gehouden, sterven nooit. Je leeft met ze. Altijd… Het is net als met deze stad, begrijp je, die leeft door allen die er hebben gewoond. Iedereen heeft er zich in het zweet gewerkt, zich afgebeuld, hoop gehad. In de straten leven mijn vader en moeder nog steeds.'

'Omdat ze bij de ballingen horen.'

'Marseille hoort bij de ballingen. Deze stad zal nooit iets anders zijn, de laatste ankerplaats van de wereld. Haar toekomst hangt af van degenen die aankomen. Nooit van degenen die vertrekken.'

'O! En degenen die blijven, dan?'

'Die zijn als degenen die op zee zijn, Félix. Je weet nooit of ze dood zijn of levend.'

Net als wij, dacht ik, mijn glas leegdrinkend. Zodat Félix het nog een keer vol kon schenken.

Wat hij uiteraard snel deed.

7

Waarin voorgesteld wordt de witte en de zwarte draad te scheiden

Ik was laat thuisgekomen, had flink gedronken, te veel gerookt en slecht geslapen. Dit kon alleen maar een rampzalige dag worden.

Toch was het schitterend weer, zoals je dat alleen hier hebt, in september. Voorbij de Lubéron en de Alpen was het al herfst. In Marseille proef je in de herfst de zomer nog, soms wel tot eind oktober. Een zuchtje wind was al voldoende om zijn geuren van tijm, munt en basilicum op te wekken.

Vanochtend rook het daarnaar. Munt en basilicum. De geuren van Lole. Haar geur bij het vrijen. Plotseling voelde ik me oud en moe. En triest. Maar zo ben ik altijd als ik te veel heb gedronken, te veel heb gerookt en slecht heb geslapen. Ik had niet de moed er met de boot op uit te gaan. Een slecht teken. Dat was me al lange tijd niet overkomen. Zelfs na het vertrek van Lole was ik uitstapjes op zee blijven maken.

Voor mij was het essentieel dat ik iedere dag afstand nam van de mensen. Om in de stilte inspiratie op te doen. Vissen was bijzaak. Een eerbetoon, dat je deze onmetelijke uitgestrektheid moest bewijzen. Ver weg, op het wijde water, leerde je weer nederigheid kennen. En vervuld van goedheid voor de mensheid keerde ik dan steeds terug in de realiteit.

Dat wist Lole, en nog heel wat meer dingen die ik nooit verteld had. Op het terras wachtte ze op me met het ontbijt. Daarna zetten we muziek op en bedreven de liefde. Met evenveel plezier als de eerste keer. Met dezelfde hartstocht. Het leek alsof onze lichamen vanaf onze geboorte voor dit feest waren voorbestemd. De laatste keer waren we onze liefkozingen begonnen bij *Yo puedo vivir sin ti.* Een album van zigeuners uit Perpignan. Familie van Lole. Dat was nadat ze haar vertrek had aangekondigd. Zij had behoefte aan 'andere streken', zoals ik aan de zee.

Met een kop hete koffie ging ik tegenover de zee zitten en liet mijn blik zo ver als mogelijk weg dwalen. Waar zelfs herinneringen ophouden te bestaan. Waar alles kantelt. Bij de vuurtoren van Planier, twintig mijl uit de kust.

Waarom was ik nooit weggegaan, om nooit meer terug te keren? Waarom bleef ik hier, om oud te worden in dit strandhuis van drie grijpstuivers, kijkend naar de vrachtschepen die vertrokken? Marseille had er veel mee te maken, dat was zeker. Of je er nu bent geboren, of op een dag bent aanbeland, in deze stad verzinken je voeten al snel in de aarde. Reizen beleven we het liefst door de ogen van een ander. Van degene die terugkeert na 'het ergste' te hebben getrotseerd. Zoals Odysseus. We waren hier dol op Odysseus. En in de loop der eeuwen weefden en ontrafelden de Marseillanen hun geschiedenis, net als de arme Penelope. Het drama van vandaag is dat Marseille zelfs niet meer naar de Oriënt keek, maar naar de afspiegeling van wat er van zichzelf was terechtgekomen.

Ik was als de stad. En wat er van mij terechtkwam was niets, of nagenoeg niets. Van mijn dromen het minst, van mijn glimlach nog het meest, misschien. Ik had weinig van mijn leven begrepen, dat was zeker. Planier wees de schepen de weg niet meer. Hij had een andere bestemming gekregen. Maar het was mijn enige houvast, deze wereld achter de zeeën.

Ik zal terugkeren om te stranden te midden van de schepen

Deze versregel van Louis Brauquier, een Marseillaanse dichter, mijn favoriet, kwam me in gedachten. Ja, zei ik bij mezelf, als ik dood ben scheep ik me in op het vrachtschip dat vertrekt, met mijn kinderdromen als bestemming. Eindelijk rust. Ik dronk mijn koffie op en ging Fonfon opzoeken.

Niemand wachtte me op bij mijn auto toen ik om één uur 's nachts bij Félix was weggegaan. En ook was niemand me gevolgd. Ik ben niet bang uitgevallen, maar voorbij La Madrague de Montredon, in het uiterste zuidoosten van Marseille, is de weg naar Les Goudes 's nachts behoorlijk angstaanjagend. Een waar maanlandschap, en net zo verlaten. De huizen houden op bij de Calanque de Samena. Daarna is er niets meer. De smalle, bochtige weg loopt een paar meter boven de rotsen langs de zee. De drie kilometer hadden me nog nooit zo lang geleken. Ik had haast om thuis te komen.

Gélou was ingeslapen zonder het bedlampje uit te doen. Ze had waarschijnlijk op me gewacht. Ze had zich opgerold tot een bal, haar rechterhand klampte het kussen vast alsof het een reddingsboei was. Haar slaap moest op een schipbreuk lijken. Ik deed het licht uit. Dat was het enige wat ik op dat moment voor haar kon doen.

Met een glas whisky dat ik voor mezelf had ingeschonken, installeerde ik me voor de nacht op de bank met *Hart der duisternis* van Conrad. Een boek dat ik iedere avond steeds weer herlees. Het brengt me tot kalmte en helpt me de slaap te vinden. Zoals de gedichten van Brauquier me helpen te leven. Maar mijn geest was elders. In de wereld van de mensen. Ik moest Guitou naar Gélou terugbrengen. Dat was simpel. Vervolgens zou ik met haar moeten praten, ook al wist ik zeker dat ze de essentie al had begrepen. Een kind heeft er recht op dat je het nooit in de steek laat. Niet één vrouw had me de gelegenheid gegeven vader te worden, maar daar was ik van overtuigd. Het was vast en zeker niet gemakkelijk een kind op te voeden. Dat ging niet zonder pijn. Maar het was de moeite waard. Als er een toekomst bestond voor de liefde.

Ik was ingeslapen en werd bijna direct weer wakker. Wat me bezighield, ging veel dieper. Serge, zijn dood. En alles wat daarmee was opgerakeld. Arno, en Pavie, verloren ergens in de nacht. En wat dat had ontketend. Als twee gangsters mij schaduwden, was het daarom. Om wat Serge had uitgespookt. Ik kon geen verband ontdekken tussen geëxalteerde fundamentalisten en de onderwereld uit de Var. Maar tussen Marseille en Nice was alles mogelijk. We hadden hier al zoveel meegemaakt. En het ergste was altijd denkbaar.

Wat ik ook niet normaal vond, was dat ik geen adresboekje, aantekeningen of iets dergelijks had gevonden. Al was 't alleen maar een stukje papier. Misschien waren Balducci en zijn vriend me voor geweest, dacht ik bij mezelf. Was ik later gekomen. Maar ik herinnerde me niet dat ik op weg naar Vieux-Moulin een Safrane had gezien. Al die documentatie over de islam moest een betekenis hebben.

Nadat ik me nog een tweede whisky had ingeschonken, had ik de kranten en de knipsels bekeken die ik had meegebracht. Er kwam uit naar voren dat de islam van nu zich in Europa in meerdere richtingen presenteerde. De eerste was de *Dar el-Suhl*, letterlijk 'wereld van overeenkomst', waarin je je moest aanpassen aan de wetten van het land. De tweede, de *Dar el-Islam*, was de wereld waarin de islam onvermijdelijk in de meerderheid zal zijn. Dat was de analyse van Habib Mokni, een kaderlid van de Tunesische islamitische beweging die naar Frankrijk was gevlucht. Dat was in 1988.

Sindsdien was de *Dar el-Suhl* door de fundamentalisten verworpen. En was Europa, en Frankrijk meer in het bijzonder, inzet en uitvalsbasis geworden van waaruit tot acties werd aangezet om het land van herkomst te destabiliseren. De aanslag in augustus 1988 op hotel Atlas Asni in Marrakech, Marokko, vond zijn oorsprong in een wijk van de stad La Courneuve. Deze combinatie van doelstellingen dreef ons, de Europeanen, en hen, de fundamentalisten, naar een derde richting, die van de *Dar el-Harb*, 'wereld van oorlog' zoals de koran het omschrijft.

Na de golf van aanslagen in de zomer van 1995 in Parijs, was het nutteloos je kop in het zand te steken. Er was een oorlog op onze bodem begonnen. Een smerige oorlog. Waarvan de 'helden', zoals

Khaled Kelkal bijvoorbeeld, opgegroeid waren in de voorsteden van Parijs of Lyon. Zouden de noordelijke wijken van Marseille ook een kweekvijver kunnen zijn van 'soldaten van God'? Had Serge op die vraag een antwoord proberen te krijgen? Maar waarom? En voor wie?

Op de laatste bladzijde van het artikel van Habib Mokni had Serge in de kantlijn geschreven: 'Zijn zichtbaarste slachtoffers zijn die van de aanslagen. Anderen vallen zonder duidelijk verband'. Ook had hij met een gele markeerstift een citaat uit de koran aangestreept: 'Totdat voor u, uiteindelijk, de witte draad zich onderscheidt van de zwarte draad'. Dat was alles.

Uitgeput had ik mijn ogen gesloten en was onmiddellijk weggezonken in een enorme streng witte en zwarte draden. Om vervolgens te verdwalen in de moeder van alle doolhoven. Een waar spiegelpaleis. Maar het was niet mijn beeld dat door het glas werd teruggekaatst. Het was het beeld van verloren vrienden, van vrouwen die ik had liefgehad. Ik werd van de een naar de ander geduwd. Op een bord waren portretten aangeplakt, en voornamen. Ik voelde me als een bal in een flipperkast. Ik zat in een flipperkast. Zwetend was ik wakker geworden. Flink door elkaar geschud.

Op tilt.

Gélou stond voor me, met slaperige ogen.

'Gaat 't?' vroeg ze bezorgd. 'Je schreeuwde.'

'Het gaat wel. Een nachtmerrie. Dat heb ik als ik op deze waardeloze bank slaap.'

Ze had naar de fles whisky gekeken en naar mijn lege glas.

'En je het op een drinken hebt gezet.'

Ik had mijn schouders opgehaald en was gaan zitten. Met een zwaar hoofd. Terug op aarde. Het was vier uur 's nachts.

'Het spijt me.'

'Kom bij mij slapen. Dan zul je je beter voelen.'

Ze trok me mee aan mijn hand. Even zacht en warm als toen ze achttien was. Sensueel en moederlijk. Guitou moest de zachtheid in die handen ontdekt hebben toen zij ze om zijn wangen legde om hem een zoen op zijn voorhoofd te geven. Waar was het fout gegaan tussen die twee? Waarom in vredesnaam!

In bed had Gélou zich omgedraaid en was onmiddellijk weer in slaap gevallen. Ik durfde me niet te verroeren, bang haar wakker te maken.

De laatste keer dat we samen hadden geslapen moeten we zo'n jaar of twaalf geweest zijn. Dat gebeurde vaak toen we nog kind waren. Bijna elke zaterdag kwam de hele familie 's zomers bij elkaar, hier in Les Goudes. Wij, de kinderen, moesten met zijn allen op een matras op de grond slapen. Gélou en ik lagen als eersten in bed. Hand in hand sliepen we in, luisterend naar het gelach en gezang van onze ouders. Gewiegd door de *Maruzella*, *Guaglione* en andere Napolitaanse liedjes, populair gemaakt door Renato Carosone.

Later, toen mijn moeder ziek werd, kwam Gélou twee à drie avonden per week naar ons toe. Ze deed de was, de strijk en maakte de maaltijd klaar. Ze was bijna zestien. Zodra we in bed lagen, kroop ze tegen me aan en vertelden we elkaar de verschrikkelijkste verhalen. Om elkaar zo bang mogelijk te maken. Dan legde ze haar been over het mijne en drukten we ons nog dichter tegen elkaar aan. Ik voelde haar borsten, die al goed gevormd waren, en haar harde tepels op mijn borst. Daar raakte ik waanzinnig opgewonden van. Dat wist ze. Maar daar hadden we het natuurlijk niet over, over die dingen die tot de wereld van de volwassenen behoorden. En zo sliepen we in, vol tederheid en zekerheid.

Voorzichtig had ik me omgedraaid, om deze herinneringen, zo breekbaar als glas, weer op te bergen. Om het verlangen te verdrijven mijn hand op haar schouder te leggen, haar in mijn armen te nemen. Zoals vroeger. Alleen maar om onze angsten te verjagen.

Ik had het moeten doen.

Fonfon vond dat ik er belazerd uitzag.

'Zal best,' zei ik, 'je hebt 't niet altijd voor 't zeggen.'

'O! en meneer is nog met z'n verkeerde been uit bed gestapt ook.'

Ik schoot in de lach en ging op het terras zitten. Op mijn vaste plek. Met uitzicht op zee. Fonfon kwam terug met koffie en *Le Provençal.*

'Zo, ik heb 'm goed sterk gemaakt. Ik weet niet of je er wakker van wordt, maar wie weet word je er beleefder van.'

Ik sloeg de krant op en zocht naar een artikel over de moord op Serge. Er was hem maar een klein berichtje gegund. Zonder details of commentaar. Zelfs dat Serge een aantal jaren straathoekwerker was geweest in deze wijken, werd niet vermeld. Hij werd gekwalificeerd als iemand 'zonder beroep', en het artikel eindigde met een laconiek: 'De politie denkt aan een afrekening tussen criminelen'. Pertin moest wel een heel bondig rapport gemaakt hebben. Voor een crimineel zou er geen onderzoek komen. Dat betekende het. En ook dat Pertin de zaak voor zichzelf hield. Als een kluif om op te kauwen. De kluif in kwestie zou ik best eens kunnen zijn.

Terwijl ik ging staan om *La Marseillaise* te gaan halen, sloeg ik gedachteloos de pagina om. De grote kop bovenaan pagina 5 deed me ter plekke verstijven: 'Dubbele moord in Le Panier: half ontkleed lijk jongeman niet geïdentificeerd.' Halverwege het artikel stond in een kader: 'Architect Adrien Fabre, de huiseigenaar, ontsteld.'

Verdoofd ging ik zitten. Misschien was het niet meer dan een optelsom van toevalligheden. Dat hield ik mezelf voor, zodat ik het artikel kon lezen zonder te trillen. Ik zou mijn leven gegeven hebben om de regels die zich voor mijn ogen ontrolden niet te hoeven zien. Want ik wist wat ik te weten zou komen. Een rilling trok door mijn lijf. De bekende architect Adrien Fabre verschafte sinds drie maanden onderdak aan Hocine Draoui, een Algerijns historicus, gespecialiseerd in het Antieke Middellandse-Zeegebied. Met de dood bedreigd door het FIS was hij, zoals zoveel

Algerijnse intellectuelen, zijn land ontvlucht. Hij had zojuist de status van politiek vluchteling aangevraagd.

Vanzelfsprekend werd direct aan een actie van het FIS gedacht. Maar voor de onderzoekers was dat nogal onwaarschijnlijk. Tot op heden was er – officieel – maar één executie opgeëist, die van imam Sahraoui, op 11 juli 1995 in Parijs. In Frankrijk woonden tientallen Hocines Draoui. Waarom hij en niet een ander? Plus, zoals Adrien Fabre vaststelde, Hocine Draoui had tegen hem nooit gewag gemaakt van de een of andere doodsbedreiging. Hij was alleen maar bezorgd over het lot van zijn vrouw die in Algerije was gebleven en die zich bij hem zou voegen zodra zijn status geregeld zou zijn.

Adrien Fabre roerde zijn vriendschap aan met Hocine Draoui, die hij voor het eerst ontmoet had tijdens een groot congres over 'Grieks Marseille en Gallië'. Zijn studie over de status van de haven – Fenicisch, vervolgens Romeins – zou volgens hem de geschiedenis van onze stad nieuw leven inblazen en haar helpen eindelijk haar herinneringen te omvatten. Onder de kop: 'In den beginne was er de zee', publiceerde de krant samenvattingen uit de lezing van Hocine Draoui tijdens dit congres.

Voor het moment ging de politie ervan uit dat het om een uit de hand gelopen inbraak ging. Inbraken kwamen veel voor in Le Panier. Dat had overigens een remmende invloed op de renovatiepolitiek van de buurt. Nieuwe bewoners, voornamelijk uit de rijke klasse, vormden het mikpunt van bandieten, voor het merendeel naffers. Met een paar maanden tussentijd waren sommige huizen zelfs drie of vier keer bezocht, waardoor de nieuwe bewoners zich genoopt voelden Le Panier vol weerzin de rug toe te keren.

Het was de eerste keer dat in het huis van de familie Fabre werd ingebroken. Gingen zij verhuizen? Zijn vrouw, zijn zoon en hijzelf waren nog te geschrokken om daarover na te denken.

Bleef het raadsel van het tweede lijk.

De jongeman, die ongeveer zestien jaar oud was, en slechts

gekleed in een onderbroek, was geen bekende van de familie Fabre. Hij was dood aangetroffen voor de deur van het appartement van hun zoon. De politie had het hele huis doorzocht, maar alleen zijn kleren gevonden – een spijkerbroek, een T-shirt, een jack – en een klein rugzakje met toiletspullen en een verschoning, maar geen portefeuille of identiteitspapieren. Een ketting die hij om zijn hals had gedragen, was daar met geweld vanaf gerukt. De sporen waren nog te zien.

Volgens Adrien Fabre zou Hocine Draoui nooit iemand hebben laten logeren zonder er met hen over te praten. Zelfs geen vriend of familielid dat op bezoek kwam. Als hij er om de een of andere reden niet onderuit had gekund, zou hij eerst naar Sanary hebben gebeld. Hij had veel respect voor zijn gastheer en gastvrouw.

Wie was deze jongeman? Waar kwam hij vandaan? Wat deed hij daar? Met het antwoord op die vragen zou volgens commissaris Loubet, die belast was met het onderzoek, deze dramatische zaak opgehelderd worden.

Ik had de antwoorden.

'Fonfon!'

Fonfon verscheen met twee koppen koffie op een blad.

'Je hoeft niet zo te schreeuwen, de koffie is klaar! Ik dacht zo dat nog een kop flinke sterke koffie je geen kwaad zou doen. Asjeblieft', zei hij toen hij de kopjes op tafel zette. Daarna keek hij me aan: 'Hé, voel je je wel goed? Je bent lijkbleek!'

'Heb je de krant gelezen?'

'Nog geen tijd voor gehad.'

Ik legde de pagina van *Le Provençal* voor hem neer.

'Lees dit.'

Langzaam las hij het. Ik raakte mijn koffie niet aan, niet bij machte ook maar de geringste beweging te maken. De rillingen schoten door mijn lijf. Ik beefde tot in mijn vingertoppen.

'Wat zou dat?' vroeg hij, opkijkend.

Ik vertelde het hem. Gélou. Guitou. Naïma.

'Potverdomme!'

Hij staarde me aan en verdiepte zich toen weer in het artikel. Alsof de trieste waarheid teniet kon worden gedaan door haar een tweede keer te lezen.

'Ik wil een glas cognac.'

'Met Fabres…' begon hij.

'Staat het telefoonboek vol, dat weet ik. Breng me een cognac, nu!'

Ik moest het bloed in mijn aderen laten ontdooien.

Hij kwam terug met de fles. Achter elkaar dronk ik twee glazen leeg. Met gesloten ogen en me met één hand vasthoudend aan de tafel. De verdorvenheid van de wereld was sneller dan wij. Je kon haar vergeten, haar ontkennen, steeds weer haalde ze ons in op de hoek van een straat.

Ik dronk een derde cognac. Ik werd misselijk, rende naar het uiteinde van het terras en kotste boven de rotsen. Een golf brak erop, mijn braaksel van de mensheid opslokkend. Haar onmenselijkheid, haar zinloos geweld. Ik keek hoe het witte schuim door de rotsspleten sloeg voordat het zich terugtrok. Mijn maag deed pijn. Mijn lijf zocht naar gal. Maar er was niets meer om uit te braken. Behalve een onmetelijke triestheid.

Fonfon had verse koffie voor me gezet. Ik werkte nog een cognac weg, daarna de koffie en ging toen zitten.

'Wat ga je doen?'

'Niks. Voorlopig vertel ik het haar niet. Hij is dood, daar verandert niets meer aan. En of zij nu, vanavond of morgen verdriet krijgt, dat maakt ook niets uit. Ik ga het allemaal verifiëren. Ik moet het meisje vinden. En die jongen, Mathias.'

'Nou, 'k weet niet…' zei hij sceptisch, terwijl hij zijn hoofd schudde. 'Denk je niet dat…'

'Fonfon, ik begrijp het niet. Die jongen is op vakantie geweest met Guitou, ze hebben samen feestgevierd, iedere avond bijna. Waarom beweert hij dat hij hem niet kent? Volgens mij hadden Guitou en Naïma erop gerekend daar het weekend door te brengen, in dat appartement. Guitou heeft er vrijdagnacht geslapen, hij zou het meisje de volgende dag ontmoeten. Hij moet een sleutel hebben gehad om binnen te komen, of iemand die hem binnenliet.'

'Hocine Draoui.'

'Ja, dat moet wel. En de Fabres weten wie Guitou is. Mijn hand eraf, Fonfon.'

'Misschien wil de politie het nog geheim houden.'

'Dat denk ik niet. Een ander dan Loubet, misschien. Hij is niet zo gewetenloos. Als hij de identiteit van Guitou kende, zou hij die bekend gemaakt hebben. Hij zegt zelf dat met de identiteit van het lijk de zaak opgehelderd kan worden.'

Ik kende Loubet goed. Hij zat bij de anti-criminaliteitsbrigade en had heel wat lijken voorbij zien komen. Hij had zich in de meest verwrongen geschiedenissen verdiept om op te helderen wat nooit had mogen gebeuren. Hij was een goed politieman. Eerlijk en recht door zee. Een van degenen voor wie de politie in dienst staat van de republikeinse orde. Van de burger. Wie dat ook is. Hij geloofde bijna nergens meer in, maar hij hield stand. En als hij een onderzoek leidde, waagde niemand het onder zijn duiven te schieten. Hij ging altijd door tot het einde. Ik heb me vaak afgevraagd door welk gelukkig toeval hij nog steeds in leven was. En op deze post.

'Dus?'

'Dus is er iets wat niet klopt.'

'Denk je dat het geen inbraak is?'

'Ik denk niets.'

Ja toch, ik had gedacht dat dit een rampzalige dag zou worden. Het was erger.

8

Waarin de geschiedenis niet de enige vorm van lotsbestemming is

De deur ging open en ik was met stomheid geslagen. Voor me stond een jonge Aziatische vrouw. Een Vietnamese, dacht ik. Maar daar kon ik me in vergissen. Ze was op blote voeten en ging traditioneel gekleed. Een helderrode tuniek die op de schouder was vastgeknoopt en tot halverwege haar bovenbenen op een donkerblauwe broek viel. Haar lange zwarte haar viel naar één kant en verborg gedeeltelijk haar rechteroog. Haar gezicht stond ernstig en met haar blik verweet ze me dat ik bij haar aan had durven bellen. Ze was vast en zeker een van die vrouwen bij wie je altijd ongelegen komt, op welk tijdstip ook. Toch was het al over elven.

'Ik zou de heer en mevrouw Fabre graag willen spreken.'

'Ik ben mevrouw Fabre. Mijn man is op kantoor.'

Wederom stond ik met een mond vol tanden. Het was geen moment bij me opgekomen dat de vrouw van Adrien Fabre een Vietnamese zou zijn. En zo jong. Ik schatte haar op een jaar of vijfendertig. Ik vroeg me af hoe oud ze was toen ze Mathias had gekregen. Maar misschien was zij niet zijn moeder.

'Goedemorgen', slaagde ik er eindelijk in uit te brengen, maar bleef haar ondertussen met mijn ogen verslinden.

Dat was behoorlijk onbeschoft van mij. Maar meer nog dan haar schoonheid, had de charme van deze vrouw effect op mij. Ik voelde het in mijn lijf. Als een elektrische stroom die zich voortbeweegt. Soms overkomt je dat op straat. Je ontmoet de blik van een vrouw en je kijkt om in de hoop die blik nogmaals te kruisen. Zonder erbij na te denken of die vrouw mooi is, hoe haar lichaam eruit ziet, hoe oud ze is. Alleen om wat zich op dat moment in de ogen afspeelt: een droom, een verwachting, een verlangen. Een heel leven, wellicht.

'Wat kan ik voor u doen?'

Haar lippen bewogen nauwelijks en haar stem klonk als een deur die voor je neus wordt dichtgegooid. Maar de deur bleef open. Enigszins nerveus duwde ze haar haren naar achter, wat mij de gelegenheid gaf haar gezicht te zien.

Ze bestudeerde me van top tot teen. Marineblauwe broek, blauw overhemd met witte stippen – cadeau van Lole – witte espadrilles. Recht op mijn benen met mijn één meter vijfenzeventig en mijn handen in de zakken van een petrolgrijs jack. Honorine vond dat ik er erg elegant uitzag. Ik had haar niet verteld wat ik in de krant had gelezen. Voor haar en Gélou was ik op pad gegaan om Guitou te zoeken.

Onze ogen ontmoetten elkaar en zo, met mijn ogen in de hare, bleef ik staan, zwijgend. Haar gezicht kreeg een geërgerde uitdrukking.

'Ik luister', sprak ze weer, gebiedend.

'Misschien kunnen we er binnen over praten.'

'Waar gaat het over?'

Ondanks de zelfverzekerdheid die ze normaal gesproken moest hebben, was ze op haar hoede. Twee lijken in je huis aantreffen als je een weekend weg bent geweest, zette niet aan tot gastvrijheid. En ook al had ik me netjes aangekleed, met mijn zwarte, licht gekrulde haar en mijn bleke, bijna asgrauwe huid zag ik eruit als een buitenlander. Wat ik overigens ook was.

'Over Mathias', zei ik zo rustig mogelijk. 'En over de vriend met wie hij van de zomer op vakantie is geweest. Guitou. Die bij u dood is aangetroffen.'

Heel haar wezen sloot zich af.

'Wie bent u?' stamelde ze, alsof spreken haar moeite kostte.

'Iemand van de familie.'

'Kom binnen.'

Ze wees naar een trap aan het eind van de hal en ging opzij om me door te laten. Ik deed een paar stappen en stopte toen bij de eerste trede. De steen – een witte Lacoste-steen – zat onder het bloed van Guitou. Een donkere vlek die een streep vormde op de trede. Als een zwarte band. Ook de steen was in de rouw.

'Was het hier?' vroeg ik.

'Ja', mompelde ze.

Voordat ik had besloten in actie te komen, had ik, uitkijkend over de zee, een aantal sigaretten gerookt. Ik wist wat ik ging doen en in welke volgorde, maar ik voelde me zo zwaar als lood. Een loden soldaatje. Dat wachtte totdat een hand het leidde om in actie te komen. En die hand was het lot. Het leven, de dood. Aan de vinger die op je wordt gelegd, valt niet te ontsnappen. Wie je ook bent. In voor- en tegenspoed.

Van tegenspoed wist ik het meeste af.

Ik had Loubet gebeld. Ik kende zijn gewoontes. Hij was een harde werker die vroeg opstond. Het was half negen en hij nam op bij de eerste rinkel.

'Met Montale.'

'Hé! Een geest. Dat doet me plezier, iets van je te horen.'

Hij was een van de weinigen geweest die me een borrel had aangeboden bij mijn vertrek. Dat had me goed gedaan. Op mijn ontslag drinken bracht, net als bij de vakbondsverkiezingen, een scheidslijn binnen de politie aan het licht. Alleen was er hier geen sprake van een geheime stemming.

'Ik heb 't antwoord op je vragen. Over die jongen in Le Panier.'

'Wat! Waar heb je 't over, Montale?'

'Over je onderzoek. Ik weet wie de jongen is. Waar hij vandaan komt, en de rest.'

'Hoe weet je dat?'

'Het is de zoon van mijn nicht. Hij is vrijdag weggelopen.'

'Wat voerde hij daar uit?'

'Dat is een heel verhaal. Kunnen we elkaar ergens ontmoeten?'

'Ja, natuurlijk! Wanneer kun je hier zijn?'

'Ik heb liever dat we elkaar bij Ange treffen. In de Treize-Coins, als je 't goed vindt.'

'Best.'

'Om twaalf uur, half één ongeveer.'

'Half één! Wat moet je voor die tijd allemaal doen, Montale?'

'Vissen.'

'Je bent een verdomde leugenaar.'

'Klopt. Tot straks, Loubet.'

Ik wilde inderdaad uit hengelen gaan. Maar naar informatie. Zeewolven en brasems zouden wel wachten. Daar waren ze aan gewend. Ik was maar een amateur, geen echte visser.

Cûc – zo heette ze, was inderdaad een Vietnamese, uit Dalat in het zuiden, 'de enige koude stad van het land' – keerde haar gezicht naar me toe en haar blik verdween weer achter een lok haar. Ze duwde hem niet terug. Ze was op een bank gaan zitten, met haar benen kruislings onder zich opgetrokken.

'Wie is er nog meer op de hoogte?'

'Niemand', loog ik.

Ik zat met mijn rug naar het licht, in de stoel die ze me had aangeboden. Voor zover ik ze kon zien, waren van haar gitzwarte ogen nog maar twee harde, fonkelende spleten over. Ze had iets van haar zelfvertrouwen teruggevonden. Of in ieder geval genoeg kracht om mij op een afstand te houden. Onder haar schijnbare kalmte vermoedde ik de energie die ze in zich kon hebben. Ze bewoog als iemand die veel sport. Cûc was niet alleen op haar hoede, ze stond klaar om op te springen, haar nagels in de aanslag. Ze moest veel te verdedigen hebben sinds haar komst naar Frankrijk. Haar herinneringen, haar dromen. Haar leven. Haar leven als vrouw van Adrien Fabre. Haar leven als moeder van Mathias. Haar zoon. 'Míjn zoon', zoals ze zelf had benadrukt.

Ik stond op het punt haar een reeks indiscrete vragen te stellen. Maar ik beperkte me tot de kern. Wie ik was. Mijn verwantschap met Gélou. En ik vertelde haar het verhaal van Naïma en Guitou. Zijn weglopen. Marseille. Wat ik in de krant had gelezen en hoe ik het verband had gelegd.

'Waarom hebt u niets tegen de politie gezegd?'

'Waarover?'

'De identiteit van Guitou.'

'Die hebt u me zojuist verteld. Wij hadden geen idee.'

Dat kon ik niet geloven.

'Maar Mathias... Hij kende hem, en...'

'Mathias was niet bij ons toen we zondagavond thuiskwamen. We hadden hem afgezet bij mijn schoonouders, in Aix. Hij gaat dit jaar studeren en hij moest nog wat formaliteiten regelen.'

Dat klonk aannemelijk, maar niet overtuigend.

'En u hebt hem natuurlijk niet gebeld', kon ik niet nalaten spottend op te merken. 'Hij weet niets van het drama dat zich hier heeft afgespeeld, en dat een van zijn vakantievrienden daarbij is doodgeschoten?'

'Mijn man heeft hem gebeld. Mathias heeft gezworen dat hij zijn sleutel aan niemand heeft uitgeleend.'

'En u geloofde hem?'

Ze schoof haar lok opzij. Een gebaar dat de indruk van oprechtheid wilde wekken. Dat had ik al direct bij onze ontmoeting doorgehad.

'Waarom zouden wij hem niet geloven, meneer Montale?' vroeg ze, zich licht vooroverbuigend, haar gezicht naar mij toegekeerd.

Ik raakte meer en meer onder de bekoring van haar charme en dat maakte me erg gespannen.

'Omdat Hocine Draoui het u verteld zou hebben, als er iemand in uw huis was', zei ik barser dan de bedoeling was. 'Dat vertelde uw man, in de krant.'

'Hocine is dood', zei ze zachtjes.

'Guitou ook!' schreeuwde ik. Opgewonden ging ik staan. Het was twaalf uur. Ik moest er meer van weten voordat ik Loubet ontmoette. 'Waar kan ik bellen?'

'Naar wie?'

Ze was opgesprongen. En stond tegenover me. Kaarsrecht,

onbeweeglijk. Ze leek veel langer, met bredere schouders. Ik voelde haar adem op mijn borst.

'Naar commissaris Loubet. Het is hoog tijd dat hij de identiteit van Guitou te horen krijgt. Of hij uw verhaal zal slikken, weet ik niet. Maar het zal hem zeker vooruit helpen bij zijn onderzoek.'

'Nee. Wacht.'

Met twee handen duwde ze haar haren naar achteren. Ze taxeerde me. Tot alles bereid. Zelfs om me in mijn armen te vallen. En daar zat ik niet echt op te wachten.

'Wat hebt u prachtige oren', hoorde ik mezelf murmelen.

Ze glimlachte. Een bijna onmerkbare glimlach. Ze legde haar hand op mijn borst en deze keer sloeg de vonk over. Heftig. Haar hand brandde.

'Alstublieft.'

Ik kwam te laat in Le Treize-Coins. Loubet dronk een cocktail, een mauresque, in een groot glas. Toen Ange me binnen zag komen, schonk hij een pastis voor me in. Het is moeilijk gewoontes te veranderen. Jarenlang was deze bar, achter het politiebureau, mijn kantine geweest. Ver weg van de andere agenten, die hun stamtafel in de Rue de l'Evêché hadden staan, of op de Place des Cantons. Waar kirrende diensters, vanwege de fooien, lieve woordjes tegen ze zeggen.

Ange was geen prater. Hij liep niet achter zijn klanten aan. Toen de groep IAM besloot de clip van hun nieuwe album bij hem op te nemen, vroeg hij droogjes, maar toch een tikkeltje trots: 'O? Wat hebben jullie tegen mijn bar?'

Hij was verzot op geschiedenis. Alles wat hem in handen viel, was goed. Decaux, Castellot. Maar ook, her en der bij toeval uit tweedehands boekenstalletjes geplukt, Zévaes, Ferro, Rousset. Bij een paar glazen praatte hij me bij. De laatste keer dat ik bij hem was, had hij me in geuren en kleuren verteld over de triomfantelijke intocht van Garibaldi in de haven van Marseille, op 7 oktober 1870. 'Om tien uur precies.' Bij de derde pastis had ik hem verteld dat ik tegen de opvatting was dat de geschiedenis de enige vorm van lotsbestemming zou zijn. Ik had geen idee wat ik daarmee bedoelde en dat weet ik nog steeds niet, maar het lijkt me juist. Hij had me verbijsterd aangekeken en niets meer gezegd.

'We zaten op je te wachten', zei hij, het glas naar me toe duwend.

'Goeie vangst gehad, Montale?'

'Niet slecht.'

'Eten jullie hier?' vroeg Ange.

Loubet keek me aan.

'Straks', zei ik, mat.

Ik kon niet goed tegen het mortuarium. Maar voor Loubet was het onvermijdelijk. Alleen Mathias, Cûc en ik wisten dat de dode jongen inderdaad Guitou was. Ik wilde Loubet niet over mijn ontmoeting met Cûc te vertellen. Hij zou het niet op prijs gesteld hebben en hij zou als de donder naar haar toe gestormd zijn. Ik had Cûc nog wat tijd beloofd. De middagmaaltijd. Zodat zij met haar man en Mathias een waarheidsgetrouwe lezing van een leugen in elkaar konden zetten. Dat had ik beloofd. Dat kost niets, had ik tegen mezelf gezegd. Enigszins beschaamd echter dat ik me zo gemakkelijk had laten verleiden. Maar ik val niet te veranderen, ik ben gevoelig voor vrouwelijk schoon.

Als een ter dood veroordeelde dronk ik mijn glas leeg.

In mijn loopbaan had ik maar drie keer een voet in een mortuarium gezet. Zodra ik de deur van de receptie door was, werd ik bevangen door de ijzige atmosfeer. Vanuit de zonneschijn kom je in het neonlicht. Wit, vaal. Vochtig. Dit was niet anders dan de hel. De dood, de kou. Niet alleen hier. Op de bodem van een gat was het, zelfs in de zomer, hetzelfde.

Ik vermeed de gedachte aan degenen die ik al begraven had, van wie ik had gehouden. Toen ik de eerste hand aarde op de kist van mijn vader had gegooid, had ik tegen mezelf gezegd: 'Zo, nu ben je alleen.' Daarna had ik het moeilijk gekregen, met de anderen. Ook met Carmen, de vrouw die toen mijn leven deelde. Ik was zwijgzaam geworden. Omdat het onmogelijk was uit te leggen dat deze afwezigheid van mijn vader plotseling veel belangrijker was dan zijn aanwezigheid. Zijn liefde. Het was idioot. Mijn vader was een echte vader geweest, dat is waar. Maar net als Fonfon of Félix. Zoals veel anderen. Zoals ik het ook had kunnen wezen, gewoon, vanzelfsprekend.

Wat me in werkelijkheid ondermijnde, was de dood zelf. Toen mijn moeder ons verliet, was ik te jong. Met het heengaan van mijn vader drong de dood voor het eerst bij me binnen, als een knaagdier. In mijn hoofd, in mijn botten. In mijn hart. Het knaagdier had zijn liederlijke weg voortgezet. Sinds de afgrijselijke dood van Leila was mijn hart een open wond, die maar niet genas.

Ik richtte mijn aandacht op een schoonmaakster die bezig was de grond te dweilen. Een grote Afrikaanse. Ze keek op en ik lachte naar haar. Want je moest toch verdomd moedig zijn om hier te werken.

'We komen voor 747', zei Loubet, terwijl hij zijn legitimatie liet zien.

Er klonk een metalige klik en de deur ging open. Het mortuarium was ondergronds. De karakteristieke geur van ziekenhuizen deed me kokhalzen. Het daglicht sijpelde door, even gelig als het water in de emmer waar de werkster haar dweil in doopte.

'Gaat 't?' vroeg Loubet.

'Het zal wel lukken', antwoordde ik.

Guitou werd binnengereden op een verchroomde kar die geduwd werd door een kleine kale man met een peuk in zijn mond.

'Is het voor u?'

Met een knik van zijn hoofd beaamde Loubet de vraag. De man zette de kar voor ons neer en verdween zonder verder nog iets te zeggen. Langzaam pakte Loubet het laken en legde het terug tot aan de nek. Ik had mijn ogen gesloten. Ik haalde diep adem en keek toen eindelijk naar het lijk van Guitou. De geliefde zoon van Gélou. Dezelfde als op de foto. Maar schoon, bloedeloos en ijskoud leek hij op een engel. Van het paradijs naar de aarde, in een vrije val. Hadden Naïma en hij de tijd gehad elkaar lief te hebben? Van Cûc had ik begrepen dat ze vrijdagavond waren aangekomen. Zij had Hocine rond achten gebeld. Sindsdien buitelden de vragen in mijn hoofd over elkaar heen: waar kon Naïma zijn toen Guitou werd gedood? Was ze al vertrokken? Of was ze bij hem? En wat had ze gezien? Ik zou tot vijf uur moeten wachten om misschien een antwoord op deze vragen te krijgen. Mourad moest me naar zijn grootvader brengen.

Het was het eerste wat ik had gedaan, nadat ik Loubet had gebeld. Naar de moeder van Naïma gaan. Ze had het niet prettig gevonden dat ik bij haar kwam, en zeker niet zo vroeg. Redouane had er kunnen zijn en ze wilde dat hij buiten deze hele geschiedenis bleef. 'Het leven is zo al ingewikkeld genoeg', zei ze. Het was een risico dat ik nam, maar mijn tijd was beperkt. Ik wilde een flinke voorsprong hebben op Loubet. Het was stom, maar ik wilde *weten*, eerder dan hij.

Dit was een goede vrouw. Ze maakte zich zorgen om haar kinderen. Daarom besloot ik haar bang te maken.

'Naïma is mogelijk betrokken bij een vuile zaak. Vanwege de jongen.'

'De Fransman?'

'De zoon van mijn nicht.'

Langzaam was ze op het puntje van de bank gaan zitten, met haar handen om haar gezicht geslagen.

'Wat heeft ze gedaan?'

'Niets. Tenminste, niet dat ik weet. Zij is de laatste die deze jongeman heeft gezien.'

'Waarom laat u ons niet met rust? De kinderen geven al meer dan genoeg zorgen op dit moment.' Ze keerde haar gezicht naar me toe. 'Misschien is hij naar huis terug, die jongeman. Of gaat hij terug. Redouane is ook eens verdwenen, meer dan drie maanden en zonder bericht. Daarna is hij teruggekomen. Tegenwoordig gaat hij niet meer weg. Hij is serieus geworden.'

Ik hurkte voor haar neer.

'Ik geloof u, mevrouw. Maar Guitou zal nooit terugkomen. Hij is dood. Hij is vermoord. En Naïma was bij hem die nacht.'

Ik zag de paniek in haar ogen schieten.

'Dood? En Naïma…'

'Ze waren samen. Allebei in hetzelfde… hetzelfde huis. Ze moet me haar verhaal vertellen. Als ze er nog was toen het gebeurde, moet ze iets hebben gezien.'

'Mijn lieve meisje.'

'Ik ben de enige die op de hoogte is. Als ze er niet was, komt niemand iets te weten. Er is geen enkele kans dat de politie bij haar uitkomt. Die weet niets van haar bestaan. Begrijpt u? Daarom kan ik niet langer wachten.'

'Grootvader heeft geen telefoon. Echt niet, u moet me geloven, meneer. Hij vindt de telefoon alleen maar een voorwendsel om niet meer bij elkaar op bezoek te gaan. Ik was van plan erheen te gaan zoals ik u had beloofd. Het is ver weg, in Saint-Henri. Vanaf hier moet je met bussen. Het is niet eenvoudig.'

'Ik breng u erheen, als u wilt.'

'Dat gaat niet, meneer. Ik in uw auto. Dat zou zo bekend zijn. Alles raakt hier bekend. En Redouane zou weer drukte maken.'

'Geef me het adres.'

'Nee!' antwoordde ze beslist. 'Vanmiddag om drie uur is Mourad vrij van school. Hij zal met u meegaan. Wacht u om vier uur op hem bij het eindpunt van de bus, op de Cours Joseph Thierry.'

'Dank u wel', had ik gezegd.

Ik schrok op. Loubet had me bij mijn arm gepakt zodat ik beter naar het lichaam van Guitou zou kijken. Hij had het laken tot aan de buik teruggeslagen.

'Hij is beschoten met een .38 Special. Eén kogel, van dichtbij. Dan heb je geen enkele kans. Met een goede demper erop hoor je niet meer dan het geluid van een mug. Die kerel is een echte beroeps.'

Het duizelde me. Het was niet wat ik zag, maar wat ik me voorstelde. Guitou, naakt, en de ander met een blaffer in zijn hand. Had hij de jongen aangekeken, voordat hij schoot? Omdat hij niet zomaar tijdens de vlucht was gedood, op goed geluk. Nee, ze stonden recht tegenover elkaar. Ik was in mijn leven nog niet veel mensen tegengekomen die daartoe in staat waren. Een paar in Djibouti. Militairen, para's. Overlevenden van Indo-China, van Algerije. Zelfs op de avonden dat ze ladderzat waren, spraken ze er niet over. Ze hadden hun huid gered, meer niet. Ik begreep het. Je kon doden uit jaloezie, tijdens een woede-uitbarsting, uit wanhoop. Ook dat kon ik begrijpen. Maar dit, nee.

Ik werd door haat overmand.

'Die wenkbrauwboog,' vervolgde Loubet, ernaar wijzend, 'dat is gebeurd toen hij viel.' Daarna ging hij met zijn vinger naar Guitou's nek. 'Dit is veel interessanter. De ketting die hij droeg hebben ze hem afgerukt.'

'Vanwege de waarde? Denk je dat ze nog een gouden ketting nodig hadden?'

Hij haalde zijn schouders op.

'Misschien kon hij door die ketting geïdentificeerd worden.'

'Wat zou dat die kerels kunnen schelen?'

'Tijd winnen.'

'Leg 'ns uit. Dat snap ik niet.'

'Het is maar een veronderstelling. Dat de moordenaar Guitou kent. Hocine Draoui had een schitterende gouden schakelketting om zijn pols. Die heeft hij nog steeds.'

'Die gedachte leidt tot niks.'

'Weet ik. Ik constateer, Montale. Ik maak veronderstellingen. Ik heb er wel honderd. Die leiden ook tot niks. Toch zijn ze allemaal goed.' Zijn vinger ging terug naar het lichaam van Guitou. Naar zijn schouder. 'Die blauwe plek is ouder. Twee, drie weken ongeveer. Een flinke blauwe plek. Dat identificeert hem net zo goed als een ketting, begrijp je, en dat brengt ons ook niet verder.'

Loubet bedekte het lichaam van Guitou weer en keek me toen aan. Ik wist dat ik hierna het register zou moeten tekenen. En dat dat niet het moeilijkste was.

9

Waarin onschuldige leugentjes niet bestaan

Halverwege de Rue Sainte-Françoise, voor Le Treize-Coins, was een zekere José bezig zijn auto te wassen, een Renault 21 in de kleuren van Olympique Marseille. Blauw beneden, wit boven. Met bijbehorend vlaggetje aan de achteruitkijkspiegel en een supporterssjaal op de hoedenplank. Keiharde muziek. De Gipsy Kings. 'Bamboleo', 'Djobi Djoba', 'Amor, Amor'... The best of.

Sicard de wegwerker had het tappunt in de straat voor hem opengedraaid. José kon naar believen beschikken over al het water van de stad. Van tijd tot tijd kwam hij aan de tafel van Sicard een pastis drinken, zonder zijn wagentje uit het oog te verliezen. Alsof het een museumstuk was. Maar misschien droomde hij wel van de pin-up die hij er op een uitstapje naar Cassis in mee zou nemen. Gezien de tevreden glimlach die hij tentoonspreidde dacht hij in ieder geval niet aan de belastingontvanger. En hij nam er de tijd voor.

Als je in deze buurt je auto wilde wassen, ging het altijd op deze manier. De jaren gingen voorbij en er was altijd wel een Sicard die water aanbood als je hem op pastis trakteerde. Je moest wel een echte prolurk uit Saint-Giniez zijn om naar de wasstraat te gaan.

Kwam er een andere auto, dan moest die wachten tot José klaar was. Tot en met het langzaam met een zeem wrijven over de carrosserie. In de hoop dat er niet net op dat moment een duif op kwam schijten.

Als de bestuurder uit Le Panier kwam, dronk hij op zijn gemak een glaasje met José en Sicard, pratend over het voetbalkampioenschap en, spottend natuurlijk, over de slechte resultaten van Paris

Saint-Germain. En zelfs als de Parijzenaars met afstand op kop van het klassement stonden, konden ze alleen maar slecht zijn. Als de bestuurder een 'toerist' was, vielen er na wat misplaatste claxonnades wel eens klappen. Maar dat gebeurde niet vaak. Als je niet uit Le Panier komt, ga je er niet lopen zieken. Je houdt je gedeisd en bezit je ziel in lijdzaamheid. Maar er was geen auto te bekennen en Loubet en ik konden rustig eten. Persoonlijk had ik niets tegen de Gipsy Kings.

Ange had ons op het terras gezet met een fles rosé van de Puy-Sainte-Réparade. Op het menu stonden gevulde tomaten, aardappels, courgettes en uien. Ik had honger en het smaakte heerlijk. Ik hou van eten. Maar als ik problemen heb, wordt het erger, en het wordt nog erger als ik met de dood in aanraking kom. Dan heb ik de behoefte eetwaren, groente, vlees, vis, desserts en lekkernijen, naar binnen te proppen. Me door hun smaak te laten overweldigen. Iets beters om de dood te bestrijden had ik niet gevonden. Me ertegen te beschermen. Een goede keuken en goede wijnen. Als een overlevingskunst. Tot nu toe was me dat aardig gelukt.

Loubet en ik waren zwijgzaam. We hadden zojuist een paar gemeenplaatsen uitgewisseld terwijl we wat van de worst aten. Hij was bezig zijn hypothesen te herkauwen. Ik de mijne. Cûc had me thee aangeboden, zwarte thee. 'Ik denk dat ik u kan vertrouwen', was ze begonnen. Ik had geantwoord dat het voor het ogenblik geen kwestie was van vertrouwen, maar van de waarheid. Van een waarheid die moest worden opgebiecht aan een agent die belast was met het onderzoek. De identiteit van Guitou.

'Ik ga u niet mijn hele levensverhaal vertellen', zei ze. 'Maar u zult het beter begrijpen als ik u bepaalde zaken heb verteld. Toen ik zeventien was, ben ik naar Frankrijk gekomen. Mathias was net geboren. Dat was in 1977. Mijn moeder had besloten dat het tijd was om te vertrekken. Het feit dat ik net was bevallen heeft misschien iets te maken gehad met haar beslissing. Dat weet ik niet meer.'

Ze wierp me een heimelijke blik toe, pakte vervolgens een pakje Craven 'A' en stak zenuwachtig een sigaret op. Ze staarde in de kringels van rook. Ver weg. Ze vertelde verder. Haar zinnen vielen soms in lange stiltes uiteen. Haar stem werd zachter. Woorden bleven in de lucht hangen en het leek of zij ze met de rug van haar hand verspreidde terwijl ze de sigarettenrook wegsloeg. Haar lichaam bleef roerloos. Alleen haar lange haar bewoog heen en weer op het ritme van haar hoofd, dat ze boog alsof ze naar een verloren detail zocht.

Ik luisterde aandachtig naar haar. Ik durfde niet te geloven dat ik de eerste was die ze in vertrouwen nam over haar leven. Aan het eind van haar verhaal zou er een wederdienst gevraagd worden, dat wist ik. Maar met deze onverwachte intimiteit nam ze me voor zich in. En dat werkte.

'Mijn moeder, mijn grootmoeder, mijn drie jongere zusjes, het kind en ik zijn teruggekomen. Mijn moeder had veel lef. Weet u, wij behoorden tot degenen die repatrianten genoemd werden. Mijn familie was in 1930 genaturaliseerd. Ik heb overigens twee nationaliteiten. We werden als Fransen beschouwd. Maar de aankomst in Frankrijk was weinig idyllisch. Vanuit Roissy werden we naar een tehuis voor arbeiders in Sarcelles vervoerd. Daarna vertelden ze ons dat we weg moesten en zijn we in Le Havre beland.

Daar hebben we vier jaar gewoond, in een klein tweekamerappartement. Mijn moeder heeft voor ons gezorgd tot we op eigen benen konden staan. In Le Havre heb ik Adrien ontmoet. Bij toeval. Zonder hem... Ik zit in de mode, begrijpt u. Ik ontwerp collecties en stoffen die oriëntaals geïnspireerd zijn. Het atelier en de winkel zijn aan de Cours Julien. Ik heb pas een boetiek geopend in Parijs, in de Rue de la Roquette. En binnenkort komt er ook een in Londen.'

Ze had zich opgericht toen ze dat zei.

Mode was de nieuwste hype in Marseille. De vorige gemeenteraad had een gigantische hoeveelheid geld gestopt in een Espace

Mode Méditerranée, een modecentrum aan de Canebière. Waar vroeger de winkels van Thierry gehuisvest waren. Het 'Beaubourg van de haute couture'. Als zodanig hadden de kranten het gepresenteerd. Ik was er één keer geweest, uit nieuwsgierigheid. Want ik begreep niet wat je daarbinnen kon doen. Eerlijk gezegd gebeurt er niets. 'Maar', kreeg ik te horen, 'in Parijs zouden ze een andere indruk van ons krijgen.'

Om je rot te lachen, echt waar! Ik behoorde tot het slag Marseillanen dat het een zorg zal zijn wat voor indruk ze in Parijs, of elders, van ons hebben. Een indruk verandert niets. Voor Europa zijn we nog steeds niet meer dan de eerste stad van de derde wereld. De meest begunstigde, voor degenen die enige sympathie hebben voor Marseille.

Het belangrijkste voor mij was dat er iets voor Marseille werd gedaan. Niet om Parijs te verleiden. Alles wat we gewonnen hebben, hebben we altijd tegen Parijs in gewonnen. Dat heeft de oude bourgeoisie van Marseille, de Fraissinets, de Touaches, de Paquets altijd beweerd. Die, zoals Ange me vertelde, in 1870 de expeditie van Garibaldi naar Marseille financierde om de Pruisische invasie af te slaan. Maar tegenwoordig liet deze bourgeoisie niet meer van zich horen, ondernam ze geen actie meer. In alle rust raakte ze in verval in haar prachtige villa's op de Roucas Blanc. Onverschillig voor hetgeen Europa tegen de stad beraamde.

'Aha', antwoordde ik ontwijkend.

Cûc een zakenvrouw. Dat deed afbreuk aan haar charme. Het bracht ons vooral weer wat dichter bij de werkelijkheid.

'Stelt u zich er niet te veel van voor, ik ben net begonnen. Twee jaar pas. Ik heb een goede start gehad, maar ik ben nog niet op het niveau van Madame Zazza *of* Marseille.'

Zazza kende ik. Ook zij had naam gemaakt in de modewereld. En het merk van haar handgemaakte confectiekleding was aan zijn reis over de wereld begonnen. Haar foto stond in elk blad dat over Marseille 'verhaalt' aan het brave volk van Frankrijk. Het voorbeeld van succes. Het symbool van het scheppende Zuiden. Maar misschien was ik niet objectief. Dat was mogelijk. Maar het was ook waar dat er vandaag de dag in Les Goudes maar zes beroepsvissers waren, en in L'Estaque nauwelijks meer. Dat er nog maar zelden vrachtschepen kwamen in La Joliette. Dat de kaden er nagenoeg verlaten bij lagen. Dat La Spezia in Italië en Algeciras in Spanje hun handelsverkeer hadden zien verviervoudigen. Dat alles in overweging nemend, vroeg ik me vaak af waarom een haven niet in de eerste plaats gebruikt en ontwikkeld werd als haven? Zo zag ik de culturele revolutie van Marseille. Eerst de waterkant.

Cûc verwachtte een reactie van mij. Die had ik niet. Ik wachtte. Ik was hier om inzicht te krijgen.

'Dit vertel ik allemaal,' ging ze nu zelfverzekerd door, zonder nog langer over haar woorden te struikelen, 'om u duidelijk te maken dat ik sta voor wat ik heb opgebouwd. En wat ik heb opgebouwd is voor Mathias. Mijn hele leven is voor hem.'

'Heeft hij zijn vader niet gekend?' onderbrak ik haar.

Ze was uit 't veld geslagen. Haar haren vielen weer voor haar ogen, als een scherm.

'Nee... hoezo?'

'Guitou ook niet. Op dat punt stonden ze tot vrijdagnacht gelijk. En ik vermoed dat de verhouding tussen Mathias en Adrien niet erg soepel is.'

'Waar haalt u 't recht vandaan dat te denken?'

'Omdat ik gisteren eenzelfde verhaal heb gehoord. Dat van Guitou. En van een kerel die denkt dat-ie je vader is. En van de vader die geïdealiseerd wordt. De samenzwering met de moeder...'

'Ik kan u niet volgen.'

'Nee? Het is toch simpel genoeg. Uw man wist niet dat Mathias dit weekend zijn appartement aan Guitou had geleend. Ik neem aan dat dat niet de gewoonte is. U was de enige die ervan wist. En Hocine Draoui, natuurlijk. Die in het complot zat. Die meer aan uw kant stond dan aan die van uw man…'

Ik was iets te ver gegaan. Kwaad had ze haar sigaret uitgemaakt en was ze opgestaan. Als ze me de deur uit had kunnen gooien, had ze het gedaan. Maar ze had me nodig. Ze keek me aan, met dezelfde zelfverzekerdheid als eerder. Net zo kaarsrecht. Net zo trots.

'U bent een lomperd. Maar u hebt gelijk. Met dit verschil: Hocine wilde alleen meewerken aan deze… deze samenzwering zoals u het noemt, uit genegenheid voor Mathias. Hij dacht dat het meisje in kwestie, Naïma, dat hier vaak kwam, de vriendin van Mathias was. Zijn… vriendinnetje, bedoel ik. Hij wist niet dat die andere jongen er zou zijn.'

'Wel, wel', zei ik. Haar ogen waren strak op mij gericht en ik voelde de extreme spanning in haar. 'U had me uw levensverhaal niet hoeven vertellen om alleen dat mee te delen.'

'U begrijpt er dus niets van.'

'Ik wil niets begrijpen.'

Voor de eerste keer lachte ze. En dat stond haar geweldig.

'"Ik wil niets begrijpen." U lijkt Bogart wel!'

'Dank u. Maar daarmee weet ik nog niet wat u nu denkt te gaan doen.'

'Wat zou u doen in mijn plaats?'

'Ik zou uw man bellen. En vervolgens de politie. Zoals ik u straks ook al gezegd heb. Vertel de waarheid aan uw man, verzin een aannemelijke leugen voor de politie.'

'Weet u er niet één?'

'Wel honderd. Maar ik kan niet liegen.'

Ik zag de klap niet aankomen. Ik had hem verdiend. Waarom had ik dat gezegd? Er was waarschijnlijk te veel elektriciteit tussen haar en mij. We zouden elkaar nog elektrocuteren. En dat wilde ik niet. De stroom moest worden doorgesneden.

'Het spijt me.'

'Ik geef u twee uur. Daarna staat commissaris Loubet voor de deur.'

Ik was vertrokken voor mijn afspraak met Loubet. Buiten, ver weg van haar aantrekkingskracht, kreeg ik mezelf weer in de hand. Cûc was een raadsel. Achter haar verhaal zat nog iets anders verborgen. Dat voelde ik. Je liegt niet zomaar.

Mijn blik kruiste die van Loubet. Hij zat me gade te slaan.

'Wat denk je van deze zaak?'

'Niets. Jij bent de politieman, Loubet. Jij hebt alle kaarten, ik niet.'

'Zeur niet, Montale. Jij had altijd een standpunt, zelfs al had je niets in handen. En ik weet dat je zit te piekeren.

'Zo op het oog denk ik niet dat er een verband is tussen de moord op Hocine Draoui en die op Guitou. Ze zijn niet op dezelfde manier gedood. Ik denk dat Guitou zich daar op het verkeerde moment bevond. Dat het noodzakelijk was dat ze hem doodden, maar dat het een vergissing was van hun kant.'

'Je denkt niet dat het een uit de hand gelopen inbraak was?'

'Er zijn altijd uitzonderingen. Mag ik er nog op terugkomen, chef?'

Hij lachte.

'Ik denk er hetzelfde over.'

Twee rasta's liepen over het terras, een geur van hasj achter zich aan. Een van de twee had onlangs in een film gespeeld, maar 'hij werd er niet warm of koud van' zoals ze hier zeggen. Ze liepen naar binnen en gingen aan de bar zitten. De hasjgeur prikkelde mijn reukorgaan. Ik was al jaren geleden gestopt met het roken ervan. Maar ik miste de geur. Soms probeerde ik die terug te halen door een Camel-sigaret op te steken.

'Wat weet je over Hocine Draoui?'

'Alles waardoor je zou kunnen veronderstellen dat de fundamentalisten daarheen zijn gegaan enkel en alleen om hem te liquideren. Hij was een boezemvriend van Azzedine Medjoubi, de toneelschrijver die pas geleden is vermoord. Verder is hij een aantal jaren lid geweest van de PAGS, de partij van de socialistische avant-garde. Tegenwoordig is hij een militant die actief is in de FAIS, de bond van Algerijnse artiesten, intellectuelen en wetenschappers. Zijn naam staat vermeld bij de groep mensen die een congres van de FAIS voorbereidt, volgende maand in Toulouse.

Die Draoui was volgens mij een zeer moedig man. In 1990 is hij voor de eerste keer naar Frankrijk gekomen. Hij is een jaar gebleven, maar is vaak heen en weer gereisd. Eind 1994 is hij teruggekomen, nadat hij op een politiebureau in Algiers met een dolk was bewerkt. Sinds enige tijd stond hij ergens bovenaan de lijst van mensen die uit de weg geruimd moesten worden. Zijn huis werd vierentwintig uur per dag door het leger bewaakt. Toen hij in Frankrijk kwam, heeft hij een poosje in Lille gewoond, daarna op een toeristenvisum in Parijs. Later hebben ondersteuningscomités voor Algerijnse intellectuelen in Marseille hem onder hun hoede genomen.'

'En daar heeft hij Adrien Fabre ontmoet.'

'Ze hadden elkaar al in 1990 ontmoet, tijdens een congres over Marseille.'

'Dat klopt. Daar had hij het over, in de krant.'

'Ze konden goed met elkaar overweg. Fabre strijdt al jaren voor de rechten van de mens. Dat zal wel geholpen hebben.'

'Ik wist niet dat hij een actievoerder was.'

'Alleen voor de rechten van de mens, anders niet. Van andere politieke betrokkenheid is niets bekend. Die heeft hij nooit gehad. Behalve in 1968. Hij zat bij de Beweging van 22 maart, die vooruitliep op 'mei '68'. Hij zal ongetwijfeld een paar straatstenen naar de politie hebben gegooid. Zoals elke rechtgeaarde student in die tijd.'

Ik keek hem aan. Loubet had rechten gestudeerd. Hij had ervan gedroomd advocaat te worden. Hij was politieman geworden. 'Ik nam wat het best betaalde bij de overheid', had hij op een dag geschertst. Maar ik had hem natuurlijk niet geloofd.

'Heb jij op de barricades gestaan?'

'Ik ben vooral met veel meisjes naar bed geweest', antwoordde hij lachend. 'En jij?'

'Ik ben nooit student geweest.'

'Waar was je in '68?'

'In Djibouti. Bij de marine… In ieder geval was het niets voor ons.'

'Je bedoelt voor Ugo, Manu en jou?'

'Ik bedoel dat er geen revolutie bestaat om als voorbeeld aan te wijzen. We wisten niet veel, maar dat, ja, dat wisten we wel. Onder de keien heeft nooit strand gelegen. Wel macht. Degenen die het zuiverst in de leer zijn eindigen altijd in bestuursfuncties, en daar krijgen ze de smaak te pakken. Macht corrumpeert alleen de idealisten. Wij waren straatschoffies. We hielden van gemakkelijk verdiend geld, van meisjes en auto's. We luisterden naar Coltrane, lazen poëzie. En staken zwemmend de haven over. Plezier en schone schijn. Meer vroegen we niet van het leven. We deden niemand kwaad en we voelden ons er goed bij.'

'En je bent bij de politie gegaan.'

'Ik had nauwelijks een keuze in mijn leven. Ik geloofde erin. En ik heb nergens spijt van. Maar je weet ook wel… ik had niet de juiste instelling.'

We zwegen tot Ange de koffie bracht. De twee rasta's waren op het terras komen zitten en keken hoe José zijn auto waste. Alsof het een marsmannetje was, maar toch met een greintje bewondering. De wegwerker keek hoe laat het was. 'Hela! José! Ik ben klaar met werken hier', riep hij terwijl hij zijn glas leegdronk. 'Ik moet de kraan dichtdraaien.'

'We zitten hier best', merkte Loubet op en hij strekte zijn benen.

Hij stak een cigarillo op en inhaleerde de rook met genot. Ik mocht Loubet graag. Hij was niet gemakkelijk, maar hij haalde nooit vuile streken uit. Daarbij hield hij erg van lekker eten en voor mij was dat essentieel. Ik heb geen enkel vertrouwen in mensen die weinig eten, en om het even wat. Ik brandde van verlangen hem over Cûc uit te horen. Te weten wat hij wist. Ik deed niets. Een vraag stellen aan Loubet werkte als een boemerang: je kreeg hem altijd terug.

'Je was nog niet klaar over Fabre.'

'Och ja… Hij komt uit een burgerfamilie. Hij is klein begonnen. Tegenwoordig is hij een van de meest vooraanstaande architecten van Marseille, en van de hele Côte. Met name in de Var. Groot kantoor. Gespecialiseerd in grote projecten. Particulier, maar ook voor de overheid. Veel gedeputeerden doen een beroep op hem.'

Van wat hij vervolgens over Cûc zei, werd ik niets wijzer. Wat had ik nog meer willen weten? Details, voornamelijk. Zodat ik me een beter beeld kon vormen. Een afstandelijk portret. Zonder emotionele lading. Gedurende de hele maaltijd was ze geen moment uit mijn gedachten geweest. Ik hield er niet van het gevoel te hebben dat iemand invloed op me had.

'Een mooie vrouw', verduidelijkte Loubet.

Daarna keek hij me aan met een glimlach die niets onschuldigs had. Zou hij misschien weten dat ik haar al had ontmoet?

'O ja?' antwoordde ik ontwijkend.

Hij lachte nog steeds, keek op zijn horloge en boog zich vervolgens naar me toe, onderwijl zijn cigarillo uitmakend.

'Ik wil je om een gunst vragen, Montale.'

'Vraag maar op.'

'De identiteit van Guitou, die houden we nog even voor onszelf. Een paar dagen.'

Dat verwonderde me niet. Omdat Guitou een 'vergissing' was van de moordenaars, bleef hij een van de sleutels van het onderzoek. Zodra hij eenmaal officieel was geïdentificeerd, zou er beweging in de zaak komen. Van de kant van de schurken die het gedaan hadden. Onvermijdelijk.

'En wat zeg ik tegen mijn nicht?'

'Het is jouw familie. Dat weet je zelf wel.'

'Makkelijk praten.'

Eerlijk gezegd kwam het mij ook goed uit. Sinds vanochtend duwde ik de gedachte dat ik Gélou onder ogen moest komen zo ver mogelijk van me af. Ik kon wel raden hoe ze zou reageren. Niet gemakkelijk om aan te zien. En moeilijk mee om te gaan. Zij zou op haar beurt het lichaam moeten gaan identificeren. Er zouden formaliteiten zijn. De begrafenis. Ik wist al bij voorbaat dat ze onmiddellijk in een andere wereld terecht zou komen. Een wereld vol smart. Waarin je voorgoed ouder wordt. Gélou, mijn mooie nicht.

Loubet stond op en legde zijn hand op mijn schouder. Zijn greep was ferm.

'Nog één ding, Montale. Maak hier geen persoonlijke zaak van. Ik weet hoe je je voelt. En ik ken je goed genoeg. Dus vergeet niet dat het mijn onderzoek is. Ik ben politieman, jij niet. Als je iets hoort, bel je mij. De rekening is voor mij. Ciao.'

Ik keek hem na toen hij de Rue du Petit-Puits opliep. Met vastberaden stap, het hoofd rechtop en de schouders naar achteren. Hij was het evenbeeld van deze stad.

Ik stak een sigaret op en sloot mijn ogen. Onmiddellijk voelde ik de warmte van de zon op mijn gezicht. Dat was goed. Ik geloofde alleen in deze ogenblikken van geluk. In de kruimels van de overvloed. Iets anders dan wat we her en der bij elkaar kunnen sprokkelen zullen we niet krijgen. Deze wereld bezat geen dromen meer. En geen hoop. Jongens van zestien konden onterecht en zonder reden gedood worden. In de centra, bij de uitgang van een dancing. Of bij iemand thuis. Jongens die nooit iets van de vluchtige schoonheid van de wereld zullen kennen. Noch die van de vrouwen.

Nee, van Guitou zou ik geen persoonlijke zaak maken. Het was meer dan dat. Een plotselinge woede. Een verlangen om te huilen. 'Als je op het punt staat te gaan huilen,' zei mijn moeder altijd tegen me, 'en je weet je tranen precies op tijd in te houden, zijn het de anderen die zullen huilen.' Ze had me over mijn hoofd gestreeld. Ik zal zo'n elf, twaalf jaar oud geweest zijn. Zij lag in bed, niet meer in staat te bewegen. Ze wist dat ze binnenkort zou sterven. Ik ook, geloof ik. Maar ik had de betekenis van haar woorden niet begrepen. Ik was te jong. De dood, het lijden, het verdriet waren geen realiteit. Een gedeelte van mijn leven heb ik doorgebracht met huilen, een ander gedeelte met weigeren te huilen. En ik heb me over de hele lijn laten verneuken. Door het verdriet, het lijden. De dood.

Chourmo door geboorte, had ik in de straten van Le Panier en op de kaden van La Joliette geleerd wat vriendschap en trouw was. En de voldoening van een gegeven woord op de Digue du Large, kijkend naar een vrachtschip dat het ruime sop koos. Basale waarden. Dingen die niet zijn uit te leggen. Als iemand in de stront zat, behoorden we allemaal tot dezelfde familie. Zo simpel was dat. Er waren te veel moeders die zich ongerust maakten, die leden in deze geschiedenis. Te veel jongeren ook, triest, ten einde raad, reeds verloren. En Guitou was dood.

Loubet zou het begrijpen. Ik kon geen buitenstaander blijven. Hij had me trouwens niets laten beloven. Alleen een advies gegeven. Er ongetwijfeld van overtuigd dat ik me er niets van aan zou trekken. In de hoop dat ik mijn neus in zaken zou steken waar hij dat niet kon. Het kwam me goed uit om dat te geloven, want het was precies wat ik van plan was te gaan doen. Me ermee bemoeien. Om trouw te zijn aan mijn jeugd. Voordat ik definitief oud zou zijn. Want we worden allemaal oud, door onze onver- schilligheid, onze trouweloosheid, onze lafheid. En uit wanhoop dat allemaal te weten.

Toen ik opstond zei ik tegen Ange: 'We worden allemaal oud.' Hij gaf geen commentaar.

10

Waarin het moeilijk is om in het toeval te geloven

Ik had nog twee uur voordat ik Mourad zou ontmoeten. Ik wist wat me te doen stond: proberen Pavie te vinden. Het briefje dat ze Serge geschreven had, zat me niet lekker. Blijkbaar was het leven voor haar nog steeds een hel. Nu Serge dood was, liep ik het risico dat ze zich aan mij vast zou gaan klampen. Maar ik kon haar niet in de steek laten. Ik had in Arno en Pavie geloofd.

Ik besloot mijn geluk te gaan beproeven bij het laatste huisadres dat ik van haar had. Rue des Mauvestis, aan de andere kant van Le Panier. Ik hoopte dat zij misschien enig licht zou kunnen werpen op de activiteiten van Serge. Als ze wist waar ze hem kon bereiken, moesten ze nog steeds contact met elkaar gehad hebben.

Le Panier leek op een enorm bouwterrein. De renovatie was in volle gang. Iedereen kon hier voor een appel en ei een huis kopen en het bovendien volledig opknappen met een speciale subsidie van de gemeente. Huizen werden afgebroken, zelfs hele straten aan één kant, om mooie pleintjes aan te leggen en zodoende wat licht door te laten dringen in deze wijk die altijd in de schaduw van zijn smalle straatjes heeft gelegen. Geel en oker begonnen te domineren. Italiaans Marseille. Met dezelfde geuren, hetzelfde gelach, dezelfde luide stemmen als in de straten van Napels, Palermo of Rome. En met dezelfde gelatenheid ten aanzien van het leven. Le Panier bleef Le Panier. Je geschiedenis kun je niet veranderen. Net zomin als die van de stad. Door de eeuwen heen zijn hier mensen aanbeland zonder een cent op zak. Het was de wijk van de bannelingen. Immigranten, slachtoffers van vervolging, daklozen en zeelieden. Een wijk van de armen. Net als Les Grands-Carmes, achter de Rue d'Aix. Of de Cours Belsunce en de straatjes die geleidelijk aan oplopen naar het Gare Saint-Charles.

Met de renovatie wilde men de slechte reputatie wegnemen die aan deze straatjes kleefde. Maar de Marseillanen kwamen hier niet wandelen. Zelfs degenen niet die er geboren waren. Zodra ze een paar centen te makken hadden, verdwenen ze naar 'de andere kant' van Le Vieux-Port. Naar Endoume en Vauban. Naar Castellane, Baille, Lodi. Of nog verder zelfs, naar Saint-Tronc, Sainte-Marguerite, Le Cabor, La Valbarelle. En als ze het zo nu en dan waagden de Canebière weer over te steken, was dat om te gaan winkelen in het Centre Bourse. Verder gingen ze niet. Nog verder was het hun stad niet meer.

In deze straatjes, waar Gélou 'het mooiste meisje van de wijk' was, was ik opgegroeid. Met Manu en Ugo. En Lole, die, hoewel een stuk jonger dan wij, al snel de prinses van onze dromen werd. Mijn hart behoorde aan die kant van Marseille. In 'die ketel, waarin de meest verbazingwekkende puree van het bestaan suddert', zoals Gabriel Audisio, de vriend van Brauquier, het verwoordde. En er zou niets veranderen. Ik behoorde tot de ballingen. Driekwart van de mensen in deze stad konden hetzelfde zeggen. Maar dat deden ze niet. Niet vaak genoeg naar mijn smaak. Toch, dat was Marseillaan zijn. Weten dat je daar niet toevallig geboren bent.

'Als je vriendelijk bent,' legde mijn vader me eens uit, 'heb je niets te verliezen, waarheen je ook gaat. Je kunt er alleen maar bij winnen.' Hij had er, een gelukkig toeval, Marseille bij gewonnen. En wij wandelden langs de haven, onbekommerd. Te midden van anderen die het over Yokohama hadden, Shanghai of Diego Suarez. Mijn moeder gaf hem een arm en hij hield mij bij de hand. Ik droeg nog een korte broek en op mijn hoofd stond een visserspet. Dat was begin jaren zestig. Een gelukkige tijd. Flanerend langs de kaden kwam iedereen elkaar daar tegen. Met een pistache-ijsje. Of een zakje gezouten pinda's of amandelen. Of, toppunt van geluk, een puntzak jujubes.

Ook later, toen het leven zo moeilijk werd dat hij zijn prachtige Dauphine moest verkopen, bleef hij bij zijn mening. Hoe vaak heb ik niet aan hem getwijfeld? Aan zijn immigrantenmoraal. Bekrompen, zonder ambitie, dacht ik. Veel later heb ik *De Gebroeders Karamazov* gelezen. Tegen het eind van de roman zegt Aljosja tegen Krasotkin: 'In de toekomst zul je ongetwijfeld erg ongelukkig worden. Maar wees dankbaar voor het leven in zijn geheel'. Woorden die in mijn hart weerklonken met de stembuiging van mijn vader. Maar het was te laat om hem te bedanken.

Ik had mijn handen om het hek geklemd dat rond de bouwput stond, voor La Vieille-Charité. Waar eens de Rue des Pistoles en de Rue Rodillat waren, gaapte een enorm gat. Men had er een ondergrondse parkeergarage gepland, maar zoals altijd wanneer er in de buurt van Le Vieux-Port werd gegraven, was de aannemer op resten van het oude Phocis gestuit. Je was hier in het hart van de versterkte stad. Op elk van de heuvels hadden de Grieken drie tempels gebouwd. Op de Moulins, de Carmen en de Saint-Laurent. Met een theater naast de laatste tempel en een marktplein op de plek waar nu de Place de Lenche is.

Dat beweerde Hocine Draoui tenminste in de samenvatting van zijn lezing op het congres over Marseille, dat *Le Provençal* naast het interview met Adrien Fabre had afgedrukt. Draoui baseerde zich op oude geschriften, met name van Strabon, een Griekse geograaf. Want het merendeel van de overblijfselen van deze monumenten was nooit ontdekt. Maar, gaf de krant als commentaar, het blootleggen van de opgravingen aan de Place Jules Verne, vlak bij Le Vieux-Port, leek zijn beweringen te bevestigen. Vanaf daar tot aan La Vieille Charité was het een verrassende reis door de tijd van bijna duizend jaar. Hij onderstreepte de uitzonderlijke invloed van Massilia en zette vraagtekens bij de opvatting dat na de verovering door Caesar de stad ten onder zou zijn gegaan.

De bouw van de parkeergarage was met onmiddellijke ingang

opgeschort. Dat veroorzaakte natuurlijk veel tandengeknars bij de maatschappij die de werkzaamheden moest uitvoeren. In het centrum van de stad was het ook al gebeurd. In het Centre Bourse werd lang en hard onderhandeld. Het was voor de eerste maal dat de stadsmuren van Massilia aan de oppervlakte kwamen. Toch zou de vieze betonnen bunker er komen, in ruil voor het behoud van een 'Tuin van resten'. Op de Place Général de Gaulle, vlak bij Le Vieux-Port, kon niets of niemand de aanleg van de parkeergarage tegenhouden. Hier, voor La Vieille Charité, had het kapitaal een overeenkomst moeten sluiten.

Vier jonge archeologen, drie jongens en een meisje, waren druk in de weer in de kuil. Zonder veel enthousiasme. Een aantal oude stenen waren ontdaan van de geelachtige grond, evenals de vestingmuur van de stad van onze oorsprong. In feite hadden ze geen schop of pikhouweel. Ze hielden zich bezig met het maken van een plattegrond, het positioneren van elke steen. Ik wilde mijn mooie gestippelde overhemd er wel onder verwedden dat ook hier het beton de grote overwinnaar zou zijn. Zodra de opmetingen klaar waren, zouden ze, net als elders, hun aanwezigheid 'dateren' met een blikje bier of cola. Alles zou verloren gaan, behalve de herinnering. De Marseillanen zouden er tevreden mee zijn. Ze weten wat er onder hun voeten ligt, en de geschiedenis van hun stad dragen ze mee in hun hart. Dat is hun geheim, dat geen toerist ooit van ze af kan pakken.

Totdat ze bij mij kwam wonen, had ook Lole hier gewoond. Aan de kant van de Rue des Pistoles die niet was afgebroken. De voorgevel van haar huis zag er nog net zo vervallen uit als toen, tot aan de eerste etage bedekt met graffiti. De flat leek verlaten. Alle luiken waren gesloten. Toen ik naar die ramen keek, viel mijn blik op het bord dat het bouwbedrijf had geplaatst. In het bijzonder op een naam. Die van de architect. Adrien Fabre.

Toeval, zei ik bij mezelf.

Maar ik geloof niet in toeval. Ook niet in een samenloop van omstandigheden. In geen van dat soort zaken. Als dingen gebeuren, is er altijd een betekenis, een reden. Waar konden de architect van de parkeergarage en de liefhebber van het Marseillaans erfgoed over praten? vroeg ik me af toen ik de Rue du Petit Puits opliep. Konden ze wel zo goed met elkaar overweg als Fabre beweerde?

De kraan met vragen stond open. De laatste was onvermijdelijk: zou het kunnen zijn dat Fabre Hocine Draoui had gedood, en daarna Guitou, alleen maar omdat die hem had kunnen identificeren? Dat zou kunnen kloppen. En bevestigde mijn gevoel over Fabre, die niet geweten zou hebben dat de jongen in zijn huis was. Toch, ook al kende ik hem niet, kon ik me niet voorstellen dat hij eerst Hocine doodde en vervolgens Guitou. Dat klopte weer niet. Het moest al moeilijk genoeg zijn om de trekker van een pistool één keer over te halen, om een tweede maal iemand dood te schieten, van vlakbij, en nog maar een jongen bovendien, was een andere zaak. Een zaak van moordenaars. Echte moordenaars.

In ieder geval moesten ze absoluut met meer zijn geweest om het huis te kunnen plunderen. Dat was duidelijk. Fabre had alleen de deur maar open hoeven doen voor de anderen. Dat was al beter. Maar hij had een waterdicht alibi, dat door Cûc en Mathias werd bevestigd. Ze waren samen in Sanary. Met een goede auto kon je het traject natuurlijk in nog geen twee uur afleggen, 's nachts. Stel dat het zo was gegaan, waarom zou Fabre het gedaan hebben? Dat was een goeie vraag. Die ik me hem nog niet zo één, twee drie zag stellen. Noch een andere, overigens. Voor het ogenblik.

Pavies naam stond nog steeds op een van de brievenbussen. De flat was net zo bouwvallig als die waar Lole had gewoond. De muren waren afgebladderd en het stonk naar kattenpis. Op de eerste verdieping klopte ik op de deur. Geen antwoord. Ik klopte nog een keer terwijl ik riep: 'Pavie!'

Ik draaide de knop om. De deur ging open. Het rook er naar

wierook. Van buiten viel geen kiertje licht naar binnen. Het was pikkedonker.

'Pavie', zei ik wat zachter.

Ik vond het lichtknopje, maar er ging geen lamp aan. Met mijn aansteker maakte ik licht. Op tafel ontdekte ik een kaars die ik aanstak en voor me hield. Ik voelde me gerustgesteld. Pavie was er niet. Even had ik het ergste gedacht. In de eenkamerwoning stonden een stuk of tien kaarsen verspreid. Het bed, dat op de grond lag, was opgemaakt. In de gootsteen noch op de kleine tafel bij het raam stond vuile vaat. Het was zelfs erg schoon. Dat stelde me helemaal gerust. Het ging misschien niet goed met Pavie, maar ze leek zich staande te houden. Orde en netheid waren een goed teken bij een voormalige drugsverslaafde.

Dat waren alleen maar woorden, dat wist ik. Goede bedoelingen. Als je verslaafd was geweest, had je vaak momenten waarop je je beroerd voelde. Bijna nog erger dan 'ervoor'. Toen Pavie Arno had ontmoet, was ze voor de eerste keer afgekickt. Ze wilde Arno hebben. Maandenlang had ze hem nagelopen. Overal waar hij heen ging, verscheen zij. Zelfs in Le Balto kon hij niet meer rustig een pilsje drinken. Op een avond zaten ze met een hele groep bij elkaar. Zij hing als een klit aan hem. Hij had zijn glas leeggedronken en tegen haar gezegd: 'Zelfs met een kapotje om ga ik niet met een meid naar bed die onder de dope zit.'

'Help me.'

Dat was het enige wat ze had gezegd. Er bestond niemand anders op aarde dan zij twee. De anderen telden niet meer.

'Wil je dat?' vroeg hij.

'Ik wil jou. Dat wil ik.'

'Oké.'

Hij pakte haar hand en nam haar mee de bar uit. Hij bracht haar naar zijn huis, achter de autosloop van Saadna, en sloot haar op. Een maand. Twee maanden. Hij bekommerde zich alleen om haar, verwaarloosde verder alles. Zelfs zijn brommers. Hij week geen centimeter van haar zijde. Elke dag nam hij haar mee naar de kreken van de Côte Bleue. Carry, Carro, Ensues, La Redonne. Hij dwong haar van de ene kreek naar de andere te lopen, te zwemmen. Hij hield van zijn Pavie. Zoals nog nooit iemand van haar gehouden had.

Naderhand was ze ingestort. Na zijn dood. Want het leven leverde alleen maar lage streken.

Serge en ik hadden Pavie weer gevonden in Le Balto. Voor een café. Al twee weken waren we er niet in geslaagd haar te vinden. Een jongen had ons een tip gegeven: 'Ze doet 't met iedereen die zin heeft, in de kelders. Voor honderd piek.' Nauwelijks de prijs van een slechte trip.

Die dag zat ze min of meer op ons te wachten in Le Balto. Als laatste hoop. Een allerlaatste opleving voor de duik in het diepe. In twee weken tijd was ze minstens twintig jaar ouder geworden. Futloos zat ze aan de tafel tv te kijken. Ingevallen wangen, een doodse blik. Haren die sluik langs haar hoofd hingen. Vuile kleren.

'Wat ben je aan 't doen?' vroeg ik schaapachtig.

'Dat zie je, ik kijk tv. Ik zit op 't nieuws te wachten. Ze zeggen dat de paus dood is.'

'We hebben je overal gezocht', zei Serge.

'O. Tja. Mag ik jouw suiker?' vroeg ze, toen Rico, de baas, Serge een kop koffie bracht. 'Jullie zijn niet erg snugger, als ik zo vrij mag zijn. Vooral jij niet, agentje. Iedereen kan hier verdwijnen zonder dat jullie iemand terug kunnen vinden. Iedereen, hoor je. Vertel mij maar 'ns waarom ze ons zouen zoeken. Maar dat kun je niet.'

'Hou je mond!' beval ik.

'Als je een broodje voor me bestelt. Sinds gister heb ik niks gegeten, weet je. Voor mij is 't anders dan voor jullie. D'r is niemand die me eten geeft. Jullie krijgen te vreten van de staat. Als wij d'r niet waren met onze stommiteiten, dan zouen jullie creperen van de honger.' Het broodje kwam en ze hield haar mond. Serge ging in de aanval.

'We hebben twee oplossingen voor je, Pavie. Of je gaat vrijwillig terug naar de psychiatrische afdeling van het Edouard Toulouse-ziekenhuis, of Fabio en ik laten je opnemen. Om medische redenen. Dat liedje ken je. Er is altijd wel een reden te vinden.'

We hadden er een aantal dagen over gediscussieerd. Ik liep er niet warm voor. Maar tegenover de argumenten van Serge had ik niets beters kunnen bedenken. 'De psychiatrische afdeling heeft al tientallen jaren gediend als rusthuis voor armlastige ouderen. Mee eens? Nou, tegenwoordig is het de enige plek om zwerfjongeren op te vangen. Alcoholisten, drugsverslaafden, aidslijders... Het is het enige veilige tehuis, bedoel ik. Volg je me?'

Natuurlijk volgde ik hem. En begreep nog beter waar onze grenzen lagen. Zelfs hij en ik bij elkaar opgeteld waren Arno niet. Wij bezaten niet genoeg liefde. Noch beschikbaarheid. Er waren duizenden Pavies en wij waren slechts ambtenaren voor kleine vergrijpen.

Ik had amen gezegd tegen de pastoor.

'Ik kwam Lily nog tegen', ging Pavie verder, met volle mond. 'Ze krijgt een baby en ze gaat trouwen. Ze is hartstikke blij.' Haar ogen schitterden even, zoals vroeger. Het leek wel of zij de toekomstige moeder was. 'Haar vriend is een kanjer. Hij heeft een GTI. Hij is knap. Hij heeft een snor. Hij lijkt op...'

Ze begon te snikken.

'Stil maar, stil maar', suste Serge en hij legde zijn arm om haar schouders. 'Wij zijn bij je.'

'Oké, ik doe 't', mompelde ze. 'Anders sla ik helemaal door. En dat zou Arno vast niet gewild hebben.'

Ja, het waren maar woorden. Altijd en nog steeds.

Sindsdien was ze de P.A. in- en uitgegaan. Zodra ze met een ongure kop in Le Balto verscheen, belde Rico ons en kwamen wij opdagen. Dat hadden we met haar afgesproken. En zij had dat in haar hoofd geprent. De reddingsboei. Ik wist dat het niet de oplossing was. Maar oplossingen hadden we niet. Alleen die.

Het probleem voor ons uitschuiven, naar de inrichting. Steeds opnieuw.

Het was iets meer dan een jaar geleden dat ik Pavie voor het laatst gezien had. Ze werkte op de afdeling groente en fruit van het Géant Casino in La Valentine, een buitenwijk in oost. Het leek wat beter met haar te gaan. Ze zag er goed uit. Ik stelde haar voor de volgende avond iets te gaan drinken. Verheugd had ze direct toegestemd. Drie uur heb ik op haar zitten wachten. Ze is niet gekomen. Als ze er geen zin in heeft om jouw kop te zien, zei ik tegen mezelf, dan is het oké. Maar ik ben niet naar de supermarkt teruggegaan om dat te controleren. Lole nam mijn dagen in beslag, en mijn nachten.

Met een kaars in de hand doorzocht ik alle hoeken en gaten van de kamer. Ik voelde iemand achter mij en draaide me om.

'Wat doe je hier?'

Een grote zwarte man stond in de omlijsting van de deur. Type uitsmijter in een nachtclub. Nauwelijks twintig. Ik wilde antwoorden dat ik licht had gezien en naar binnen was gegaan. Maar ik was er niet zeker van dat hij van geintjes hield.

'Ik kwam voor Pavie.'

'En wie ben jij dan wel?'

'Een vriend van haar. Fabio.'

'Nooit van gehoord.'

'Ook een vriend van Serge.'

Hij ontspande. Misschien had ik kans op twee benen over de drempel te stappen.

'De politieman.'

'Ik hoopte haar te zien', zei ik zonder erop in te gaan. Voor veel mensen zou ik tot het eind van mijn leven politieman blijven.

'Zeg je naam nog 'ns.'

'Fabio. Fabio Montale.'

'Montale, dat was het. Zo noemt ze je altijd. De politieman, of Montale. Ik ben Randy, haar buurman. Ik woon hier recht boven.'

Hij reikte me zijn hand. Ik legde de mijne in een bankschroef. Vijf vingers werden fijngeknepen.

Ik legde Randy snel uit dat ik Pavie moest spreken. Vanwege Serge. Hij had wat problemen, verduidelijkte ik, maar zonder op de details in te gaan.

'Ik weet niet waar ze is, man. Ze is vannacht niet thuisgekomen. 's Avonds komt ze boven bij ons. Ik woon samen met mijn ouders, twee broers en mijn vriendin. We hebben de hele etage voor onszelf. Er wonen geen anderen in de flat. Pavie, en mevrouw Guttierez, op de begane grond. Maar die gaat nooit weg. Bang dat ze haar eruit zetten. Ze wil hier doodgaan, zegt ze. Wij doen de boodschappen voor haar. Pavie komt altijd even gedag zeggen, zelfs als ze niet blijft eten. Dat ze thuis is.'

'Gebeurt 't vaak dat ze niet thuis komt?'

'Al een hele tijd niet meer.'

'Hoe gaat 't met haar?'

Randy keek me aan. Hij leek me te schatten.

'Ze doet haar best, begrijp je, man. We helpen haar zo goed we kunnen. Maar… Een paar dagen geleden is ze weer teruggevallen, als je daarom hier bent. Gestopt met werken en alles. Mijn vriendin Rose heeft laatst bij haar geslapen en een beetje schoongemaakt. Dat was geen overbodige luxe.'

'Ik zie 't.'

En vervolgens vielen in mijn hoofd de stukjes weer op hun plaats. Als onderzoeker was ik nog steeds geen cent waard. Blindelings, mijn intuïtie volgend, stortte ik me ergens in, maar zonder ooit de tijd te nemen om na te denken. In mijn haast had ik een paar perioden overgeslagen. De chronologie, het tijdschema. Van die dingen. Het abc van de politie.

'Heb je telefoon?'

'Nee. Er is er een op de hoek van de straat. Een cel, bedoel ik. Daar hoef je geen geld in te gooien. Je pakt de hoorn en je kunt bellen. Zelfs naar de States!'

'Bedankt Randy. Ik kom nog wel 'ns langs.'

'En als Pavie terugkomt?'

'Zeg haar dat ze hier blijft. Of beter nog, bij jullie.'

Maar als ik me niet vergiste, was dit hier de laatste plek waar ze heen zou gaan. Zelfs niet als ze zich helemaal had platgespoten. De nabijheid van de dood verlengt de levensverwachting.

II

Waarin niets moois te beleven valt

Mourad verbrak de stilte.

'Ik hoop dat m'n zus er is.'

Eén zinnetje. Kort en bondig.

Ik had net de Rue de Lyon verlaten om via de kortste weg door de noordelijke wijken naar Saint-Henri te gaan, waar zijn grootvader woonde. Saint-Henri ligt vlak voor L'Estaque. Twintig jaar geleden nog een piepklein dorpje, vanwaar je over de voorhaven in noord en het Bassin Mirabeau uitkeek.

Lichtelijk zenuwachtig mopperde ik 'ik ook'. Het was een beetje te onrustig in mijn hoofd. Eén grote warboel! Vanaf het moment dat hij in de auto zat, had Mourad zijn kiezen op elkaar gehouden. Ik had hem vragen gesteld. Over Naïma. Over Guitou. Zijn antwoorden bleven beperkt tot 'ja' en 'nee'. En een hele reeks ''kweenies'. Ik dacht eerst dat hij zat te mokken. Maar hij was alleen maar ongerust. Dat kon ik begrijpen. Dat was ikzelf ook.

'Dat hoop ik ook, ja,' zei ik nogmaals, wat rustiger dit keer, 'ik hoop dat ze er is.'

Hij wierp me een schuinse blik toe. Als om te zeggen: 'Oké, we zitten op dezelfde golflengte.' Daar hoop je op, maar je weet het nooit zeker. En dat werkt op je zenuwen, die onzekerheid. Hij was echt een prima jongen, deze Mourad.

Ik zette een bandje op van Lili Boniche. Een Algerijnse zanger uit de jaren dertig. Iemand die genres mengde. De hele Maghreb had gedanst op zijn rumba's, zijn paso dobles en zijn tango's. Op de markt van Saint-Lazare had ik een partij platen van hem op de kop getikt. Lole en ik gingen daar 's zondags graag heen, zo om een uur of elf. Daarna gingen we een aperitief drinken in een bar

in L'Estaque en we eindigden bij Larrieu, achter een bord schaal-
dieren.

Die zondag had ze een mooie lange rok gevonden, rood met
witte stippen. Een zigeunerrok. 's Avonds moest ik aan een fla-
mencosessie geloven. Op Los Chunguitos. *Apasionadamente*. Een
album waar de vonken vanaf vlogen. Net als van het slot van de
avond.

Lili Boniche was ons blijven vergezellen totdat de slaap ons
overmande. Op de derde plaat ontdekten we 'Ana Fil Houb', een
Arabische uitvoering van 'Mon histoire, c'est l'histoire d'un
amour' (Mijn verhaal is het verhaal van een liefde)! Als ik floot
kwam die melodie me onmiddellijk in gedachten. Die, en 'Be-
same mucho'. Liedjes die mijn moeder altijd zong. Ik had er al
diverse uitvoeringen van. Deze was net zo mooi als de versie van
de Mexicaan Tish Hinojosa. En honderd keer beter dan die van
Gloria Lasso. De plaat kraste aan alle kanten. Puur geluk.

Onder het fluiten dacht ik terug aan wat Rico me had verteld,
de baas van Le Balto. Als ik bepaalde dingen zo duidelijk onder
woorden had gebracht, was me dat op een paar klappen komen te
staan. De hele week al was Pavie iedere middag naar Le Balto
gekomen. Ze bestelde een pilsje en zat te kieskauwen op een
broodje ham. Volgens Rico stond haar gezicht op zeven dagen
slecht weer. Dus had hij Serge gebeld. Bij Saadna. Maar Serge was
de volgende dag niet gekomen. En de dag erna ook niet.

'Waarom heb je míj niet gebeld?' had ik gevraagd.

'Omdat ik niet weet waar ik je kan bereiken, Fabio. Je staat niet
in het telefoonboek.'

Ik had een geheim nummer genomen. Tegenover één vriend
die naar je op zoek was, konden er met Minitel wel vijftig miljoen
idioten bij je binnenvallen. Ik was op mijn rust gesteld en de
vrienden die ik nog had wisten mijn telefoonnummer. Ik had
alleen niet aan noodgevallen gedacht.

Serge was gisteren komen opdagen. Vanwege de brief van
Pavie. Dat was wel zeker.

'Hoe laat?'

'Om half drie ongeveer. Hij zag er zorgelijk uit. Hij was niet erg spraakzaam. Niet in zijn gewone doen, zal ik maar zeggen. Ze bestelden koffie. Ze bleven, hoelang? Een kwartiertje, twintig minuten. Ze spraken zachtjes, maar Serge zag eruit alsof hij Pavie de les las. Ze zat met gebogen hoofd, alsof ze een klein kind was. Daarna zag ik hem diep zuchten. Alsof hij uitgeput was. Hij stond op, pakte Pavie bij de hand en ze zijn vertrokken.'

En daar zat 'm de kneep. Geen moment had ik aan de auto van Serge gedacht. Want hoe was hij anders naar La Bigotte gekomen? Alleen immigranten gingen daar met de bus heen. En dat was nog niet eens zeker. Ik wist op dat moment niet meer of er wel een bus naar boven reed, of dat je de helling zelf op mocht lopen!

'Had hij zijn ouwe Ford Fiesta nog steeds?'

'Zeker weten.'

Ik kon me niet herinneren dat ik hem op de parkeerplaats had zien staan. Maar ik herinnerde me niet veel. Behalve de hand die een wapen vasthield. En de schoten. En Serge die viel, zonder afscheid te nemen van het leven.

Zelfs zonder Pavie gedag te zeggen.

Want ze moest in de auto gezeten hebben. Vlak bij. Vlak bij mij ook. Pavie moest alles gezien hebben. Ze waren samen uit Le Balto vertrokken. Richting La Bigotte, waar Serge iemand zou ontmoeten. Hij zou haar waarschijnlijk wel beloofd hebben haar naar de P.A. te brengen. Erna. En hij had haar in de auto achtergelaten.

Ze had op hem gewacht. Kalm. Gerustgesteld dat hij er eindelijk was. Zoals gewoonlijk. Om haar naar het ziekenhuis te vergezellen. Om haar nogmaals te helpen een stap naar de toekomst te zetten. Nog weer een stap. De goede, misschien. Natuurlijk was het de goede! Deze keer zou ze eruit komen. Daar moest ze in geloven. Ja, in de auto geloofde ze er heilig in. En daarna zou ze het leven weer oppakken. Vrienden. Het werk. De liefde. Een liefde die haar zou genezen van Arno. En van alle slechtheid van de wereld. Iemand met een knap gezicht, een mooie auto en ook een beetje poen. Die haar een fantastisch mooie baby zou geven.

Erna, er was geen erna meer geweest.

Serge was dood. En Pavie was 'm gesmeerd. Lopend? Met de auto? Nee, voor zover ik wist had ze geen rijbewijs. Misschien inmiddels wel. God nog an toe, zou die verdomde auto daar nog steeds staan? En waar was Pavie?

De stem van Mourad maakte een einde aan mijn vragen. De klank van zijn stem verbaasde me. Triest.

'Vroeger luisterde mijn vader daar ook naar. Mijn moeder vond het prachtig.'

'Hoezo? Luistert hij er nu niet meer naar, dan?'

'Redouane zegt dat het zondig is.'

'De zanger? Lili Boniche?'

'Nee, de muziek. Dat muziek te maken heeft met alcohol, sigaretten, meisjes. Dat soort dingen.'

'Maar luister jij wel naar rap?'

'Niet als hij er is. Hij…

O, goede God, heb mededogen,
laat mij bij mijn geliefden zijn
en mijn verdriet vergeten…

Lili Boniche zong nu 'Alger, Alger'. Mourad zweeg weer.

Ik reed om de kerk van Saint-Henri heen.

'Hier naar rechts', zei Mourad. 'Daarna de eerste straat links.'

Zijn grootvader woonde in de Impasse des Roses. Er stonden hier alleen maar kleine huizen van één of twee verdiepingen hoog. Alle naar de zee gekeerd. Ik zette de motor af.

'Zeg, je hebt zeker niet toevallig een ouwe Ford Fiesta op de parkeerplaats zien staan? Een blauwe. Een vuil-blauwe.'

'Ik geloof van niet. Hoezo?'

'Doet er niet toe. Dat komt later wel.'

Mourad belde één keer, twee keer, drie keer. De deur werd niet opengedaan.

'Hij is misschien even weg', merkte ik op.

'Hij gaat maar twee keer per week weg. Naar de markt.'

Ongerust keek hij me aan.

'Ken je de buren?'

Hij haalde zijn schouders op.

'Hij wel, geloof ik. Ik...'

Ik liep de straat in naar het ernaast gelegen huis. Ik belde een paar keer snel achter elkaar. Niet de deur ging open, maar het raam. Achter de vensterspijlen verscheen het hoofd van een vrouw. Een groot hoofd vol krulspelden.

'Wat is er aan de hand?'

'Dag mevrouw', zei ik naar het raam lopend. 'Ik kwam meneer Hamoudi opzoeken. Zijn kleinzoon is bij me. Maar hij doet niet open.'

'Dat is vreemd. Tussen de middag hebben we nog een praatje staan maken in de tuin. En daarna doet hij altijd een dutje. Dus hij moet er eigenlijk wel zijn.'

'Zou hij misschien ziek zijn?'

'Nee, nee... Hij maakt het uitstekend. Een moment, dan doe ik even voor u open.'

Een paar tellen later liet ze ons binnen. Om haar krulspelden te verbergen had ze een sjaal om haar hoofd gebonden. Ze was enorm. Ze liep langzaam, hijgend alsof ze zojuist zes trappen was opgerend.

'Ik ben voorzichtig met opendoen. Met al die drugs en die Arabieren overal, word je zelfs thuis nog overvallen.'

'U hebt groot gelijk', antwoordde ik zonder mijn lachen in te houden. 'Je kunt niet voorzichtig genoeg zijn.'

We volgden haar naar de tuin. De hare en die van de grootvader waren van elkaar gescheiden door een muurtje van nauwelijks een meter hoog.

'Hallo! meneer Hamoudi!' schreeuwde ze. 'Meneer Hamoudi, er is bezoek voor u!'

'Mag ik langs deze kant gaan?'

'Ja natuurlijk, ga uw gang, ga uw gang. O! Heilige Moeder Maria! Er zal toch niks met 'm gebeurd zijn?'

'Wacht op mij', zei ik tegen Mourad.

Ik stapte moeiteloos over de afscheiding heen. De tuin zag er precies hetzelfde uit, en net zo goed onderhouden. Ik was nog maar nauwelijks op de trap, toen Mourad al bij me was. Hij was als eerste in de kamer.

Grootvader Hamoudi lag op de grond. Zijn hoofd onder het bloed. Hij was flink toegetakeld. Toen ze weggingen hadden de schoften hem zijn militaire orde in zijn mond gepropt. Ik haalde de medaille eruit en pakte zijn pols. Hij ademde nog. Hij was alleen buiten westen. K.O. Een wonder. Maar misschien hadden zijn aanvallers hem niet willen vermoorden.

'Doe de deur open voor die mevrouw', zei ik tegen Mourad. Hij zat geknield bij zijn grootvader. 'En bel je moeder. Zeg dat ze snel hierheen moet komen. Met een taxi.' Hij verroerde zich niet. Hij was verkrampt. 'Mourad!'

Langzaam stond hij op.

'Gaat hij dood?'

'Nee. Vooruit! Opschieten!'

De buurvrouw arriveerde. Ze was dik, maar ze verplaatste zich snel.

'Heilige Maria!' stootte ze met een enorme zucht uit.

'Heeft u niets gehoord?' Ze schudde haar hoofd. 'Geen enkele kreet?'

Weer schudde ze haar hoofd. Het leek wel alsof ze haar tong was verloren. Handenwringend stond ze daar. Ik pakte de pols van de oude man nog een keer en voelde die aan alle kanten. Toen zag ik in de hoek van het vertrek een bedbank staan. Ik tilde hem op. Hij woog nauwelijks meer dan een zak verdorde bladeren. Ik legde hem neer en schoof een kussen onder zijn hoofd.

'Zoek 'ns een teiltje en een washand. En ijsklontjes. En kijk of u iets warms kunt maken. Koffie of thee of zoiets.'

Toen Mourad terugkwam, maakte ik het gezicht van zijn grootvader schoon. Hij had een bloedneus gehad. Zijn bovenlip was gespleten. Zijn gezicht zat onder de blauwe plekken. Behalve zijn neus misschien had hij niets gebroken. Blijkbaar hadden ze hem alleen in zijn gezicht geslagen.

'Mijn moeder komt eraan.'

Hij ging naast zijn grootvader zitten en pakte zijn hand.

'Het valt wel mee', stelde ik hem gerust. 'Het had erger kunnen zijn.'

'Naïma's schooltas staat in de gang', stamelde hij zwak.

Toen begon hij te snikken.

Tering, dacht ik bij mezelf.

Ik wilde maar één ding: dat de grootvader bijkwam en zijn verhaal zou doen. Een dergelijke knokpartij leek niet op een daad van brute criminaliteit. Dit was het werk van beroeps. De grootvader had Naïma in huis genomen. Naïma had vrijdagnacht met Guitou doorgebracht. En Guitou was dood. Hocine Draoui ook. Naïma moest iets gezien hebben, dat was zeker. Ze was in gevaar. Waar ze ook was.

Geen zorgen voor de grootvader. De dokter, die ik had laten roepen, bevestigde dat hij niets had gebroken. Ook zijn neus niet. Hij had alleen wat rust nodig. Hij schreef zijn recept en adviseerde de moeder van Mourad aangifte te doen. Ja natuurlijk, had ze gezegd, dat zou ze doen. Marinette, de buurvrouw, stelde voor met haar mee te gaan. 'Want het ging toch alle perken te buiten om mensen in hun eigen huis te komen vermoorden.' Maar dit keer maakte ze geen toespeling op al die Arabieren die mensen vermoorden. Dat kwam niet te pas. En ze was een best mens.

Terwijl de grootvader zijn thee dronk, sloeg ik een biertje naar binnen dat Marinette me had aangeboden. Snel. Om mijn gedachten op de juiste temperatuur te brengen. Marinette ging weer naar haar eigen huis. Mochten we haar nodig hebben, dan was ze daar.

Ik trok een stoel bij het bed.

'Denkt u dat u een beetje kunt praten?' vroeg ik de grootvader.

Hij knikte van ja. Zijn lippen waren gezwollen. Op sommige plaatsen kleurde zijn gezicht violet, bloedrood. De man die hem had geslagen, droeg een grote zegelring aan zijn rechterhand, vertelde hij. Alleen met die hand had hij geslagen.

Het gezicht van de grootvader kwam me vertrouwd voor. Een uitgemergeld gezicht. Hoge jukbeenderen. Dikke lippen. Gekruld, grijzend haar. Zo had mijn vader eruit kunnen zien als hij nog geleefd had. Op foto's had ik gezien dat hij op een Tunesiër leek toen hij jong was. 'We komen uit dezelfde buik', zei hij. 'Mediterraans. Dus zijn we allemaal een beetje Arabier', antwoordde hij toen we hem ermee plaagden.

'Hebben ze Naïma meegenomen?'

Hij schudde zijn hoofd.

'Ze waren bezig me te slaan toen ze thuiskwam uit school. Ze waren verrast. Ze gaf een schreeuw en ik heb haar weg zien gaan. Een van hen ging haar achterna. De ander sloeg me keihard op mijn neus. Ik voelde hoe ik flauwviel.'

In deze straatjes had een auto geen enkele kans tegen een jonge meid die te voet wegrende. Ze had weten te ontkomen. Voor hoelang? En waar kon ze heen zijn gegaan? Dat was een ander verhaal.

'Waren ze met z'n tweeën?'

'Ja, hier wel tenminste. Eén hield me vast op mijn stoel. De ander stelde me vragen. Die met de zegelring. Hij had me mijn medaille in mijn mond gestopt. Als ik schreeuwde, zou hij die door m'n strot duwen, zei hij. Maar ik heb niet geschreeuwd. Ik heb niets gezegd. Ik schaamde me, meneer. Om hen. Om de wereld. Ik denk dat ik lang genoeg heb geleefd.'

'Zeg dat niet', jammerde Mourad.

'God wil me weer bij zich nemen. Er valt tegenwoordig niets moois meer te beleven in de wereld.'

'Wat wilden die mannen van u weten?'

'Of Naïma iedere avond naar huis kwam. Op welke school ze zat. Of ik wist waar ze vrijdagavond was. Of ik wel eens over een zekere Guitou had horen praten... Hoe dan ook, ik wist nergens iets van. Behalve dat ze hier bij mij woont, weet ik zelfs niet waar haar school staat.'

Dat bevestigde mijn vrees.

'Heeft ze u niets verteld?'

De oude man schudde zijn hoofd.

'Toen ze zaterdag thuiskwam...'

'Hoe laat was dat?'

'Om zeven uur ongeveer. Ik was net op. Ik was verbaasd, want ze had me gewaarschuwd dat ze zondagavond pas terug zou komen. Haar haren waren niet gekamd. Ze had een verwilderde blik in haar ogen. Ontwijkend. Ze heeft zich boven in haar kamer opgesloten. De hele dag is ze er niet vanaf gekomen. 's Avonds heb ik op haar deur geklopt dat ze moest komen eten. Ze weigerde. "Ik voel me niet erg lekker." gaf ze als verklaring. Later kwam ze naar beneden. Om te gaan telefoneren. Ik vroeg wat er aan de hand was. "O, laat me toch. Alstublieft!" kreeg ik als antwoord. Een kwartier later kwam ze terug. Zonder een woord verdween ze naar boven.

De volgende dag is ze laat opgestaan. Ze kwam beneden ontbijten en was beter gehumeurd. Ze heeft haar excuses aangeboden voor de avond ervoor. Ze zei dat ze verdriet had om een vriend. Een jongen van wie ze veel hield. Maar dat het over was. Alles ging nu goed. En ze gaf me een lieve kus op mijn voorhoofd. Ik geloofde er natuurlijk geen woord van. Aan haar ogen kon je zien dat het helemaal niet goed ging. Dat ze niet de waarheid vertelde. Ik wilde haar niet onder druk zetten, begrijpt u. Er was iets ernstigs aan de hand, dat voelde ik wel. Ik dacht dat het liefdesverdriet was. Een vriendje. Verdriet dat bij haar leeftijd hoort. Ik zei tegen haar: "Als je wilt kun je met me praten, goed?" Ze had een klein lachje op haar gezicht, weet u. Zo verdrietig. "Je bent lief, grootvader. Maar ik heb geen zin om erover te praten."

Ze stond op het punt te gaan huilen. Ze omhelsde me nog een keer en daarna verdween ze weer naar haar kamer.

's Avonds kwam ze naar beneden om te gaan telefoneren. Het duurde veel langer dan de avond ervoor. Erg lang zelfs, want ik maakte me ongerust dat ze maar niet terugkwam. Ik ben zelfs het trottoir opgelopen om te wachten tot ze er was. Ze deed of ze wat at en daarna ging ze naar bed. Dat was 't, maandag is ze naar school gegaan en...'

'Ze gaat niet meer naar school', onderbrak Mourad hem.

We staarden hem alle drie aan.

'Niet meer naar school!' schreeuwde zijn moeder bijna.

'Ze heeft geen zin meer. Ze is te verdrietig, zei ze tegen me.'

'Wanneer heb je haar gezien?'

'Maandag. Toen de school uitging. Ze stond me op te wachten. We zouden 's avonds samen naar een concert gaan. We wilden Akhénaton zien. De zanger van IAM. Hij zou iets solo doen.'

'Wat heeft ze gezegd?'

'Niks, niks... Wat ik u vorige keer verteld heb. Dat het uit was tussen haar en Guitou. Dat hij weg was. En dat ze verdrietig was.'

'En ze wilde niet meer naar het concert?'

'Ze moest een vriend van Guitou spreken. Het was dringend. Vanwege Guitou en zo. Daarom dacht ik dat het misschien wel niet helemaal over was tussen die twee. Dat ze die Guitou niet wilde opgeven.'

'En ze was niet naar school geweest?'

'Nee. Ze zei dat ze een paar dagen niet zou gaan. Om wat er gebeurd was. Dat haar hoofd er echt niet naar stond, om naar de docenten te luisteren.'

'Die andere vriend, ken je die?'

Hij haalde zijn schouders op. Het kon alleen Mathias maar zijn. Ik stelde me het ergste voor. Dat ze Adrien Fabre had gezien, bijvoorbeeld. En dat ze alles aan Mathias had verteld. In wat voor staat moesten die twee dan nu verkeren! Wat hadden ze vervolgens gedaan? Met wie hadden ze gesproken? Met Cûc?

Ik wendde me tot de grootvader.

'Doet u de deur altijd zomaar open als er gebeld wordt?'

'Nee. Ik kijk eerst door het raam. Zoals iedereen hier.'

'Waarom hebt u dan voor ze opengedaan?'

'Dat weet ik niet.'

Ik stond op. Ik zou best nog een biertje lusten. Maar Marinette was er niet meer. De grootvader moest zoiets vermoeden.

'Er staat bier in de koelkast. Ik drink het zelf, ziet u. Af en toe één. In de tuin. Dat is lekker. Mourad, haal eens een biertje voor meneer.'

'Laat maar', zei ik. 'Ik vind het wel.'

Ik wilde mijn benen strekken. In de keuken dronk ik rechtstreeks uit de fles. Een grote teug. Dat ontspande me enigszins. Daarna pakte ik een glas, schonk het vol en ging terug naar de kamer. Ik ging weer naast het bed zitten. Ik keek ze alle drie aan. Niemand had zich verroerd.

'Luister. Naïma is in gevaar. In doodsgevaar. De mensen die hier waren zijn tot alles in staat. Guitou was nog geen zeventien. Begrijpen jullie? Dus vraag ik het nog een keer, waarom heeft u voor die lui opengedaan?'

'Redouane…' begon de grootvader.

'Het is mijn schuld', onderbrak Mourads moeder hem.

Ze keek me recht in mijn gezicht aan. Prachtige ogen had ze. Waarin alle leed van de wereld verscholen lag, in plaats van dat trotse lichtje dat schittert als moeders over hun kinderen praten.

'Uw schuld?'

'Ik heb alles aan Redouane verteld. Na uw bezoek, de laatste keer. Hij wist dat u geweest was. Hij weet altijd alles wat er gebeurt. Het lijkt wel of we altijd in de gaten worden gehouden. Hij wilde weten wie u was en wat u kwam doen. Of het te maken had met die andere man, die 's middags naar hem gevraagd had, en…'

Ik was er bijna.

'Welke andere man, mevrouw?'

'Die ze uit de weg geruimd hebben. Een vriend van u, schijnt. Hij was op zoek naar Redouane.'

Stoppen of verder gaan? vroeg ik me af.

In mijn hoofd stond er 'Game over' op het scherm. Wat had ik laatst ook alweer tegen Fonfon gezegd? 'Zolang je inzet, leef je'. Ik deed nog een zet.

Om te zien wat er gebeurde.

12

Waarin spookschepen passeren in de nacht

Alle drie keken ze me zwijgend aan. Mijn blik ging van de een naar de ander.

Waar kon Naïma zijn? En Pavie?

Beiden hadden iemand zien sterven, in het echt, zonder scherm ertussen, en waren aan de haal. Verdwenen. Gevlogen.

De grootvader sloot zijn ogen. De kalmerende middelen zouden spoedig hun werk gaan doen. Hij vocht tegen de slaap. Toch was hij degene die als eerste een poging deed weer te gaan praten. Uit noodzaak, en om eindelijk te kunnen slapen.

'Ik dacht dat degene die door het raam met me sprak een vriend van Redouane was. Hij kwam voor Naïma. Ik zei dat ze nog niet thuis was. Hij vroeg of hij bij mij op haar mocht wachten, want hij had geen haast. Hij zag er niet uit als… Hij maakte een goede indruk. Goed gekleed, hij droeg een pak met een das. Dus heb ik opengedaan.'

'Heeft Redouane dat soort vrienden?'

'Hij heeft me eens een bezoek gebracht met twee personen die ook zo goed gekleed waren. Ouder dan hij. De een had meen ik een autohandel, de ander een winkel in de buurt van de Place d'Aix. Ze knielden voor me neer en kusten mijn hand. Ze wilden dat ik deelnam aan een religieuze bijeenkomst om onze jongeren toe te spreken. Dat was een idee van Redouane, zeiden ze. Naar mij zouden ze luisteren, als ik over het geloof sprak. Ik had voor Frankrijk gevochten. Ik was een held. Dus ik zou de jongeren uit kunnen leggen dat hun heil niet van Frankrijk kwam. Dat Frankrijk hun alle respect ontnam. Met de drugs, de alcohol en al die dingen… En zelfs die muziek waar ze tegenwoordig allemaal naar luisterden…'

'Rap', verduidelijkte Mourad.

'Ja, ik vind die muziek trouwens veel te schreeuwerig. Houdt u ervan?'

'Het heeft niet mijn voorkeur. Maar het is net als met jeans, het is een deel van henzelf.'

'Het hoort bij de leeftijd, dat is zo… In mijn tijd…'

'Hij,' wees Mourad naar mij, 'hij luistert naar ouwe Arabische dingen. Hoe heet die zanger ook weer?'

'Lili Boniche.'

'O!' De grootvader glimlachte en mijmerde weg. Naar een tijd ongetwijfeld waarin het leven nog goed was. Zijn blik keerde naar me terug. 'Wat zei ik ook weer? O ja. Volgens de vrienden van Redouane moesten onze kinderen gered worden. Het was hoog tijd dat onze jongeren terugkeerden tot God. Dat ze onze waarden weer leerden. De traditie. Respect. Daarvoor deden ze een beroep op me.'

'We mogen Redouane niet verwijten dat hij zich tot God gekeerd heeft', onderbrak de moeder van Mourad. 'Dat is de weg die hij moet gaan.' Ze keek me aan: 'Hij heeft vroeger veel domme dingen gedaan. Dus… Het is beter dat hij gebeden zegt, dan dat hij omgaat met jongens die kwaad in de zin hebben.'

'Dat bedoel ik niet, dat weet je best', antwoordde de grootvader haar. 'Uitwassen moeten worden bestreden. Te veel alcohol, of te veel religie, dat komt op hetzelfde neer. Daar word je ziek van. En juist degenen die de ergste dingen hebben uitgehaald, willen anderen hun opvattingen opleggen! Over het leven. Ik zeg dat niet om Redouane. Hoewel… de laatste tijd…'

Nadat hij diep adem had gehaald, ging hij verder: 'In ons land zou hij je dochter vermoorden. Zo gaat het daar tegenwoordig. Dat heb ik in de krant gelezen. Als ze zingen worden ze verkracht. Als ze gelukkig zijn. Ik zeg niet dat Redouane dat soort dingen zou doen, maar de anderen… Dat heeft niets met de islam te maken. En Naïma is toch een lieve meid. Net als hij een goeie jongen is', en hij wees naar Mourad. 'Ik heb me nooit tegen God gekeerd.

Maar ik zeg dat je je leven niet door religie moet laten leiden, maar door je hart.' Hij richtte zijn blik op mij. 'Dat heb ik die heren verteld. En toen hij vanmorgen kwam, heb ik dat nog eens herhaald tegen Redouane.'

'Toen u straks bij me bent geweest, heb ik u niet de waarheid verteld', sprak de moeder van Mourad weer. 'Redouane heeft 's avonds tegen me gezegd dat ik me niet met die dingen moest bemoeien. Dat de opvoeding van zijn zuster een zaak van mannen was. Van hem. Stelt u zich voor, mijn dochter...'

'Hij heeft haar bedreigd', zei Mourad.

'Ik was vooral bang voor Naïma. Redouane is als een gek vertrokken, heel vroeg. Hij wilde haar naar huis terughalen. Die geschiedenis met die jongeman was de druppel die de emmer deed overlopen. Hij zei dat het nu welletjes was. Dat hij zich voor zijn zuster schaamde. Dat ze een fikse afranseling verdiende. O! Ik weet het niet meer...'

Ze nam haar hoofd in haar handen. Overmand. Verscheurd tussen haar rol als moeder en haar opvoeding die gehoorzaamheid aan mannen vereiste.

'En wat is er gebeurd toen Redouane hier was?' vroeg ik de grootvader.

'Niets. Naïma heeft die nacht niet hier geslapen. Ik was erg ongerust. Het was voor het eerst dat ze dat deed: me niets vertellen en geen bericht achterlaten. Vrijdag wist ik dat ze het weekend bij vrienden zou doorbrengen. Ze had me zelfs een telefoonnummer gegeven waar ik haar kon bereiken, mocht er iets zijn. Ik heb altijd vertrouwen in haar gehad.'

'Waar is ze heen gegaan? Hebt u enig idee?'

Zelf had ik wel een idee, maar ik wilde het van iemand anders horen.

'Vanochtend heeft ze me gebeld. Dat ik me geen zorgen hoefde te maken. Ze was in Aix gebleven. Bij de familie van een oude schoolvriend, geloof ik. Iemand met wie ze op vakantie was geweest.'

'Mathias? Zegt dat u iets?'

'Die naam zou het kunnen zijn.'

'Mathias!' riep Mourad uit. 'Die is hartstikke aardig. Een Vietnamees.'

'Een Vietnamees?' vroeg Mourads moeder.

Ze kon de situatie niet meer overzien. Het leven van haar kinderen ging aan haar voorbij. Van Redouane, Naïma. Van Mourad ongetwijfeld ook.

'Van zijn moederskant', preciseerde Mourad.

'Ken je hem?' vroeg ik.

'Een beetje. Mijn zuster en hij zijn een tijdje samen uitgegaan. Ik ging met ze mee naar de bioscoop.'

'Steeds weer diezelfde geschiedenis', sprak de grootvader weer. 'Dat ze zorgen had. En dat ze daarom niet in haar gewone doen was. Ik had het moeten begrijpen.' Hij bleef even in gedachten zitten. 'Ik kon het niet weten. Dit drama. Waarom... waarom hebben ze die jongeman gedood?'

'Dat weet ik niet. Naïma is de enige die ons kan vertellen wat er gebeurd is.'

'Wat is het leven toch een ellende.'

'En hoe ging het met Redouane, vanmorgen?'

'Ik zei tegen hem dat Naïma vroeger was vertrokken. Hij geloofde me natuurlijk niet. Hij had hoe dan ook niets geloofd. Behalve wat hij wilde geloven. Of horen. Hij wilde de slaapkamer van zijn zuster in. Om er zeker van te zijn dat ze er werkelijk niet was. Of te kijken of ze hier werkelijk had geslapen. Maar dat mocht hij niet van mij. Toen begon hij tegen me tekeer te gaan. Ik herinnerde hem eraan dat de islam leert respect te hebben voor ouders en ouderen. Dat is regel één. "Ik heb geen enkel respect voor je", beet hij me toe. "Je bent een goddeloze! Nog erger dan de Fransen!" Ik nam mijn stok en hield hem die voor. "Ik ben nog best in staat je een afranseling te geven", schreeuwde ik. En ik heb hem de deur uit gejaagd.'

'En ondanks dit alles heeft u toch opengedaan voor die man.'

'Ik dacht, als ik met hem praat, dan kan hij Redouane een beetje tot rede brengen.'

'Had u ze al eens samen gezien?'

'Nee.'

'Was hij een Algerijn?'

'Nee. Met zijn donkere zonnebril leek hij op een Tunesiër. Ik koesterde geen argwaan, dus...'

'Was hij geen Arabier?'

'Dat weet ik niet. Maar hij sprak geen Arabisch.'

'Mijn vader was een Italiaan en men hield hem voor een Tunesiër toen hij jong was.'

'Ja, misschien was hij een Italiaan. Maar dan uit het zuiden, bij Napels vandaan. Of Siciliaan. Dat zou kunnen.'

'Hoe zag hij eruit?'

'Hij was ongeveer van uw leeftijd. Knappe man. Iets kleiner dan u en steviger. Niet dik, maar breder. Grijzende slapen. Een peper-en-zoutkleurige snor... En... hij droeg die grote zegelring, van goud.'

'Hij zou dus een Italiaan kunnen zijn', zei ik lachend. 'Of een Corsicaan.'

'Nee, geen Corsicaan. Die ander wel. Die me op m'n nek sprong toen ik opendeed. Ik zag alleen de revolver die hij op mijn keel zette. Hij duwde me achteruit en ik viel. Die had wel een Corsicaans accent, ja. Dat vergeet ik niet.'

Hij was aan het eind van zijn krachten.

'Ik zal u nu laten slapen. Misschien kom ik nog terug om u nog meer vragen te stellen. Als het nodig is. Maakt u zich niet ongerust. Het komt wel goed.'

Hij toonde een tevreden glimlach. Meer vroeg hij nu niet. Een beetje troost. En de verzekering dat voor Naïma alles in orde zou komen. Mourad boog zich over hem heen en kuste hem op zijn voorhoofd.

'Ik blijf bij je.'

Uiteindelijk was het Mourads moeder die bleef om voor de grootvader te zorgen. Ze hoopte natuurlijk dat Naïma thuis zou komen. Maar ze had vooral geen zin om Redouane tegenover zich te vinden. 'Ze is een beetje bang', vertrouwde Mourad me op de terugweg toe.

'Hij is gek geworden. Als hij thuis is dwingt hij m'n moeder een sluier te dragen. En aan tafel moet ze hem met neergeslagen ogen bedienen. Mijn vader houdt z'n mond. Hij zegt dat 't wel over zal gaan.'

'Sinds wanneer is hij zo?'

'Sinds iets meer dan een jaar. Vanaf dat hij uit de bak is gekomen.'

'Hoelang heeft hij gezeten?'

'Twee jaar. Hij heeft een winkel in geluidsapparatuur overvallen, in Les Chartreux. Met twee vrienden van 'm. Ze waren compleet geflipt.'

'En jij?'

Hij keek me recht in de ogen.

'Ik zit in het team van Anselme, als 't je interesseert. Basketbal. We roken niet, we drinken niet. Dat is de regel. Niemand van het team. Anders smijt Anselme ons eruit. Ik ben vaak bij hem thuis. Eten, slapen. Cool.'

Hij verzonk in zwijgzaamheid. De noordelijke wijken met hun duizenden verlichte ramen leken op boten. Verdwaalde schepen. Spookschepen. Het was het slechtste tijdstip. Waarop men huiswaarts keerde. Waarop men in de blokken beton wist dat je ver van alles verwijderd was. En vergeten.

Mijn gedachten liepen door elkaar. Alles wat ik zojuist gehoord had, moest ik verwerken, maar daar was ik niet toe in staat. Wat me het meest zorgen baarde waren die twee mannen die achter Naïma aan zaten. Die de grootvader in elkaar hadden geslagen. Waren zij de moordenaars van Hocine en Guitou? Die de vorige avond jacht op me hadden gemaakt? Een Corsicaan. De chauffeur van de Safrane? Balducci? Nee, onmogelijk. Hoe hadden ze kunnen weten dat ik ook op zoek was naar Naïma? En zo snel? Me identificeren en al die dingen. Ondenkbaar. Die mannen van gisteravond konden alleen met Serge te maken hebben. Dat was duidelijk. De politie had me meegenomen. Zij hadden me gevolgd. Ik was daar. Ik kon een vriend zijn van Serge. Zijn medeplichtige in weet ik wat. Zoals Pertin hoopte. Logisch dus dat ze me om zeep wilden helpen. Of gewoon wilden weten wat ik in mijn maag had. Tja.

In Notre-Dame Limite remde ik zo hard dat het Mourad uit zijn overpeinzingen haalde. Ik had een telefooncel ontwaard.

'Ben over twee minuten terug.'

Toen de telefoon voor de tweede keer overging, nam Marinette op.

'Het spijt me dat ik u nogmaals moet storen', verontschuldigde ik me, nadat ik had gezegd wie ik was. 'Maar hebt u vanmiddag toevallig een auto gezien die anders dan anders was?'

'Die van de aanvallers van meneer Hamoudi?'

Ze ging recht op haar doel af. Net als in de achterstandswijken ging in deze buurten niets onopgemerkt voorbij. Zeker een vreemde auto niet.

'Ik niet, nee. Ik was mijn haar aan het watergolven, dus dan ga ik de straat niet op. Maar mijn man Emile wel. Ik had hem alles verteld, ziet u. Nou, hij zei dat hij een grote auto had gezien toen hij wegging. Om drie uur ongeveer. Hij reed de straat af. Emile was op weg naar Pascal. Dat is het café op de hoek. Hij heeft er de hele middag zitten klaverjassen. Dan is-ie bezig, de ziel. En denk maar dat-ie die auto gezien heeft! Dat soort wagens zie je niet elke dag. En al helemaal niet in onze buurt! Zukke dingen zie je alleen maar op tv.'

'Was het een zwarte auto?'

'Ogenblikje. Emile! Was 't een zwarte auto?' schreeuwde ze naar haar man.

'Jaah! Een zwarte Safrane', hoorde ik hem antwoorden. 'En zeg tegen die meneer dat-ie niet van hier was. Hij kwam uit de Var.'

'Hij was zwart.'

'Ik heb het gehoord.'

Ik had het gehoord, ja. En de koude rillingen liepen over mijn rug.

'Bedankt, Marinette.'

En werktuiglijk legde ik neer.

K.O.

Ik begreep er niets van, maar het was zeker dat het dezelfde mannen waren. Sinds wanneer zaten die schoften achter me aan? Goeie vraag. Als ik daar een antwoord op had, was ik een stuk wijzer. Maar ik had het antwoord niet. Ik had ze naar de Hamoudi's geleid, dat was zeker. Gisteren. Voor of na mijn bezoek aan het politiebureau. Dat ze het er 's avonds bij hadden laten zitten was niet omdat ik een slimmere tegenstander was. Nee, ze hadden terecht ingeschat dat ik niet verder dan Chez Félix zou komen. En… Verdomme! Wisten ze ook waar ik woonde? Die vraag schoof ik snel terzijde. Van het antwoord zou ik het wel eens op mijn zenuwen kunnen krijgen.

Goed, we beginnen opnieuw, zei ik tegen mezelf. Vanochtend waren ze in La Bigotte opgedoken en ze hadden gewacht tot er iemand in actie kwam. Dat was Redouane. Hij ging naar zijn grootvader. Hoe wisten ze dat hij het was? Simpel. Je stopt een willekeurig kind dat daar rondhangt honderd piek toe en klaar is Kees.

'We gaan snel bij jullie huis langs', zei ik tegen Mourad. 'Je pakt wat spullen in voor een paar dagen en ik breng je weer terug naar je grootvader.'

'Wat is er aan de hand?'

'Niets. Ik heb liever dat je niet hier slaapt, dat is alles.'

'En Redouane?'

'Je laat een briefje achter. Het zou beter zijn als hij hetzelfde deed.'

'Kan ik niet naar Anselme gaan?

'Wat je wilt. Maar bel Marinette op. Zodat je moeder weet waar je bent.'

148

'Denkt u dat u mijn zuster zult vinden?'

'Ik hoop van wel, ja.'

'Maar u bent er niet zeker van, hè?'

Waar kon ik zeker van zijn? Nergens van. Ik was op zoek gegaan naar Guitou zoals je een dagje naar de markt ging. Fluitend. Zonder haast. Her en der rondkijkend. De enige reden om hem snel te vinden was de angst van Gélou. Niet om een eind te maken aan de liefdesgeschiedenis van de twee kinderen. Guitou was dood. Van dichtbij neergeschoten door moordenaars. Ondertussen was een oude vriend om zeep geholpen door andere moordenaars. En twee meiden waren aan de haal. De ene in net zo groot gevaar als de andere.

Daar bestond geen twijfel over. Net als die andere jongen. Mathias. Ik moest hem vinden. Om ook hem in veiligheid te brengen.

'Ik kom met je mee', zei ik tegen Mourad, toen we in La Bigote waren aangekomen. 'Ik moet een paar telefoontjes plegen.'

'Ik begon me al ongerust te maken', zei Honorine. 'Je hebt de hele dag niet gebeld.'

'Ik weet 't, Honorine. Ik weet 't. Maar...'

'Je kunt 't me gerust vertellen. Ik heb de krant gelezen. 't Is toch ook bar ook!'

'Zeg dat wel!'

'Hoe is 't toch mogelijk dat er zulke verschrikkelijke dingen gebeuren?'

'Waar heb je de krant gelezen?' vroeg ik, om haar vraag niet te hoeven beantwoorden.

'Bij Fonfon. Ik ging naar hem toe om hem uit te nodigen, voor zondag. Om poutargue te komen eten. Dat weet je toch nog wel, hè? Hij zei tegen me dat ik het niet over Guitou moest hebben. Dat jij moest doen wat je goed dacht. Zeg, je weet toch wel wat je doet, hè?'

Eerlijk gezegd wist ik dat niet al te best meer.

'Ik ben bij de politie geweest, Honorine', zei ik om haar gerust te stellen. 'Heeft Gélou de krant ook gelezen?'

'Nee, zeker niet. Tussen de middag heb ik zelfs het regionale nieuws niet aangezet.'

'Is ze erg ongerust?'

'Dat is te zeggen…'

'Geef haar even, Honorine. En wacht niet op me. Ik weet niet hoe laat ik thuis kom.'

'Ik heb al gegeten. Maar Gélou is er niet meer.'

'Is er niet meer! Is ze weer naar huis?'

'Nee, nee. Ik bedoel, ze is niet meer bij jou thuis. Maar ze is nog steeds in Marseille. Die… vriend van haar heeft vanmiddag gebeld.'

'Alexandre.'

'Precies, ja. Alex noemt ze hem. Hij was terug in Gap. Thuis. Hij had het briefje gelezen dat op het bed van de jongen lag. Hij heeft geen moment geaarzeld, heeft zijn auto gepakt en is naar Marseille gereden. Ze hebben elkaar in de stad getroffen. Om een uur of vijf moet dat geweest zijn. Ze zijn in een hotel. Ze vroeg me je te zeggen waar je haar kunt bereiken. Hotel Alizé. Dat is aan de Vieux-Port, is 't niet?'

'Klopt. Net voorbij hotel New York.'

In elke krant zou Gélou over de dood van Guitou kunnen lezen. Zoals ik had gedaan. Van Fabres met een zoon die Mathias heette konden er geen massa's zijn. En nog minder Fabres bij wie een jongen van zestien-en-half was doodgeschoten.

De aanwezigheid van Alexandre veranderde nogal het een en ander. Ik mocht denken wat ik wilde van de beste man, maar hij was degene van wie Gélou hield. Bij wie ze wilde blijven. Ze waren al tien jaar samen. Hij had haar geholpen bij de opvoeding van Patrice en Marc. En, ondanks alles, van Guitou. Zij hadden hun eigen leven, en het feit dat zij racistisch waren, gaf mij niet het recht om dat allemaal te negeren. Gélou verliet zich op deze man, en dat moest ik ook doen.

Ze moesten het weten, van Guitou.

Tenminste, waarschijnlijk.

'Ik bel je nog, Honorine. Groeten.'

'Zeg?'

'Wat?'

'Gaat 't goed met je?'

'Ja, prima. Waarom?'

'Omdat ik je ken. Ik hoor best aan je stem dat je uit je doen bent.'

'Ik ben een beetje gespannen, dat klopt ja. Maar maak je geen zorgen.'

'Ik maak me wel zorgen. Vooral als je praat zoals nu.'

'Tot ziens.'

Dat verdomde mens! Ik aanbad haar. Als ik op een dag dood ben, weet ik zeker dat ik haar in mijn graf het meest zal missen. Het omgekeerde geval was waarschijnlijker, maar daar wilde ik liever niet aan denken.

Loubet was nog op het bureau. De Fabres hadden bekend te hebben gelogen over Guitou. Nu spraken ze de waarheid. Ze wisten niets van de aanwezigheid van die jongeman in hun huis. Mathias, hun zoon, had hem uitgenodigd en hem de sleutel gegeven. Voordat ze vrijdag naar Sanary vertrokken. Deze zomer hadden ze elkaar leren kennen. Ze konden het goed met elkaar vinden en hadden hun telefoonnummers uitgewisseld...

'En toen ze thuiskwamen was Mathias niet bij hen, maar in Aix. En ze wilden hem niet van streek brengen met dit drama... Allemaal geleuter. Maar we gaan vooruit.'

'Denk je dat het niet waar is?'

'Die uitdrukking "nu spreken we de waarheid" brengt me altijd aan het twijfelen. Als mensen eenmaal liegen, betekent het dat er een addertje onder het gras zit. Of zij hebben me niet alles verteld, of Mathias houdt nog iets verborgen.'

'Waarom denk je dat?'

'Omdat jouw Guitou niet alleen in het appartement was.'

'O', deed ik onschuldig.

'We vonden een condoom tussen de lakens. En dat was niet uit de Middeleeuwen. De jongen was met een meisje samen. Als hij is weggelopen, was dat misschien om haar te ontmoeten. Die dingen zou Mathias moeten weten. Ik denk dat hij me dat zal vertellen als ik hem morgen zie. Even tussen ons, een jongen die tegenover een politieman zit, houdt zijn gebluf niet lang vol. En ik zou graag weten wie het meisje is. Want zij zal er wel het een en ander over te vertellen hebben, denk je ook niet?'

'Tja, ja…'

'Stel je voor, Montale. Ze liggen allebei in bed. Zie jij het meisje 's ochtends naar huis gaan? Om een uur of twee, drie? Alleen? Ik niet.'

'Misschien had ze een brommer.'

'Och man, doe niet zo onnozel!'

'Nee, je hebt gelijk.'

'Het kan zijn dat…' ging hij verder.

Ik liet hem niet uitspreken. En ik voelde dat ik nu een echte stomme zet ging doen.

'Misschien dat ze daar nog ergens verstopt zat. Bedoel je dat?'

'Iets dergelijks, ja.'

'Dat is een beetje ver gezocht, vind ik. Die kerels maaien Draoui neer. Vervolgens een kind. Ze moeten zich ervan vergewist hebben dat er verder niemand was.'

'Je mag dan een kenner van de misdaad zijn, Montale, maar er zijn altijd avonden dat er wordt geblunderd. Ik denk dat dit zo'n avond was. Ze dachten op hun gemak Hocine Draoui om te brengen. En dan stuiten ze op een onverwachte hindernis. Guitou. Wat deed hij daar in zijn nakie op de gang, kom daar maar eens achter. Het geluid, waarschijnlijk. Hij was bang. En toen is alles uit de hand gelopen.'

'Ehm', deed ik, alsof ik nadacht. 'Wil je dat ik mijn nicht een paar vragen stel over Guitou? En over een eventueel vriendinnetje in Marseille? Een moeder weet dat soort dingen.'

'Weet je, Montale, het verbaast me dat je dat niet allang gedaan hebt. In jouw plaats zou ik daarmee begonnen zijn. Als een knaap wegloopt, zit er meestal een meisje achter. Of een goede vriend. Dat weet je toch? Of ben je vergeten dat je diender bent geweest?'

Ik antwoordde met een stilzwijgen. Hij ging verder: 'Ik begrijp nog altijd niet welk spoor je hebt gevolgd om Guitou te vinden.'

Montale in de rol van dorpsgek!

Dat is het probleem wanneer je liegt. Of je raapt al je moed bij elkaar en je vertelt de waarheid. Of je volhardt tot je een oplossing hebt gevonden. Mijn oplossing was Naïma en Mathias in veiligheid brengen. Naar een schuilplaats. Ik had al een plek in gedachten. Totdat er duidelijkheid was in deze zaak. In Loubet had ik wel vertrouwen, maar niet in de hele politiemacht. Dienders en de onderwereld hadden maar al te vaak gesjoemeld samen. En wat er ook beweerd mag worden, de telefoonlijn tussen die twee functioneert nog steeds.

'Wil jij Gélou ondervragen?' vond ik als antwoord om me uit de nesten te werken.

'Nee, nee. Doe jij dat maar. Maar hou de antwoorden niet voor jezelf. Het zou me tijd besparen.'

'Oké', zei ik serieus.

Toen kwam het gezicht van Guitou me voor de geest. Zijn engelengezicht. Als een rode flits in mijn ogen. Zijn bloed. Door zijn dood voelde ik me besmeurd. Hoe kon ik nu mijn ogen sluiten zonder zijn lichaam te zien? Zijn lichaam in het mortuarium. Wat me kwelde was niet het liegen of de waarheid spreken tegen Loubet. Het waren de moordenaars. Die twee beesten. Ik wilde ze in mijn handen krijgen. Degene die Guitou had gedood tegenover me hebben. Oog in oog. Ik had genoeg haat in me om als eerste het pistool te trekken.

Aan iets anders dacht ik niet.

Doden.

Chourmo!, Montale, *Chourmo!*

Vooruit maar, zo is het leven!

'Zo! Ben je er nog?'

'Ik dacht na.'

'Niet doen, Montale. Dat brengt je op verkeerde ideeën. Deze zaak stinkt aan alle kanten als je het mij vraagt. Vergeet niet dat Hocine Draoui niet voor niets is vermoord.'

'Daar dacht ik net aan.'

'Ik blijf bij wat ik zei. Niet nadenken. Goed. Ben je thuis als ik je nodig mocht hebben?'

'Ik ga nergens heen. Behalve uit vissen, zoals je weet.'

13

Waarin we allemaal gedroomd hebben
dat we als prinsen leefden

Mourad stond klaar. Rugzak om, schooltas in zijn hand. Stug. Ik
hing op.

'Was dat Dubbelkop?'

'Nee, waarom?'

'Maar je praatte met iemand van de politie.'

'Je weet vast wel dat ik politieman ben geweest. Het zijn niet
allemaal Dubbelkoppen.'

'Die heb ik dan nooit ontmoet.'

'Toch bestaan ze.'

Hij keek me strak aan. Zoals hij al meerdere malen had gedaan.
Hij zocht een reden om me te vertrouwen. Dat was niet eenvoudig. Die blikken kende ik wel. De meeste kinderen die ik in de
probleemwijken was tegengekomen, wisten niet wat een volwassene was. Een echte.

Hun vaders waren in hun ogen geslagenen, vanwege de crisis,
de werkloosheid, het racisme. Losers. Zonder enig gezag. Mannen
die hoofd en schouders lieten hangen. Die weigerden een discussie aan te gaan. Die geen woord hielden. Zelfs niet als het om
een briefje van vijftig ging als het weekend werd.

De kinderen zochten de straat op. Aan hun lot overgelaten. Ver
weg van de vader. Zonder god of gebod. Met als enig richtsnoer
niet zo te worden als hun vader.

'Zullen we gaan?'

'Ik moet nog één ding doen', antwoordde ik. 'Daarvoor ben ik
mee naar boven gekomen. Niet alleen om te bellen.'

Op mijn beurt keek ik Mourad aan. Hij zette zijn schooltas

neer. Zijn ogen stroomden vol tranen. Hij had begrepen wat ik wilde.

Toen ik de grootvader over Redouane had horen praten, was het ongemerkt op zijn plek gevallen in mijn hoofd. En had ik me herinnerd wat Anselme me had toevertrouwd. Redouane was al eens gezien met de man die de bmw bestuurde. De bmw van waaruit de kogels waren afgevuurd. En Serge kwam bij de Hamoudi's vandaan.

'Is dat zijn slaapkamer?' vroeg ik.

'Nee, die is van mijn ouders. Zijn kamer is aan het eind.'

'Ik moet het doen, Mourad. Er zijn dingen die ik moet weten.'

'Waarom?'

'Omdat Serge mijn vriend was', antwoordde ik terwijl ik de deur opendeed. 'Ik hou er niet van dat de mensen om wie ik geef zomaar neergeknald worden.'

Hij bleef kaarsrecht staan, weerbarstig.

'Mijn moeder mag niet naar binnen. Zelfs niet om het bed op te maken. Niemand mag erin.'

De slaapkamer was erg klein. Een bureautje met een oude typemachine, een Japy. Erop lagen, zorgvuldig gerangschikt, diverse publicaties. Nummers van *Al Ra'id*, van de *Musulman* – een maandblad dat werd uitgegeven door de vereniging van islamitische studenten in Frankrijk – en een werkje van Ahmed Deedat, *Hoe Salman Rushdie het Westen heeft misleid*. Een sofa uit de jaren zestig en een eenpersoonsbed, dat niet was opgemaakt. Een kast die openstond, met een paar overhemden en spijkerbroeken aan hangertjes. Een nachtkastje met een exemplaar van de koran.

Ik ging op bed zitten, bladerde in de koran en dacht na. Een in vieren gevouwen vel papier lag als boekenlegger bij een bladzijde. Op de eerste regel stond te lezen: 'Elk volk heeft zijn einde en als zijn einde nadert kan het dat niet zomaar uitstellen of bespoedigen'. Mooi programma, dacht ik. Vervolgens vouwde ik het vel papier open. Een pamflet. Een pamflet van het Front National.

Allemachtig! Gelukkig dat ik zat! Dat was wel het laatste wat ik hier verwachtte te vinden.

In de tekst werd een verklaring weergegeven van het Front National, verschenen in *Minute-la-France* (nr. 1552). 'Dankzij het FIS gaan de Algerijnen steeds meer op Arabieren lijken en steeds minder op Fransen. Het FIS is voor het recht des bloeds. Wij ook! Het FIS is tegen integratie van zijn immigranten in de Franse maatschappij. WIJ OOK!' En tot slot: 'De overwinning van het FIS schept een onverhoopt risico om een Iran voor de deur te krijgen.'

Waarom bewaarde Redouane dit pamflet in de koran? Hoe was hij eraan gekomen? Ik kon me niet voorstellen dat de militanten van extreem rechts er de brievenbussen in de probleemwijken mee volstopten. Maar daar kon ik me in vergissen. Het verlies van de communisten bij de verkiezingen in deze buurten maakte de weg vrij voor alle vormen van demagogie. De activisten van het Front National hadden er een overmaat van, zelfs voor de immigranten, zo leek het.

'Wil je 't lezen?' vroeg ik aan Mourad, die naast me was komen zitten.

'Ik heb over je schouder meegelezen.'

Ik vouwde het pamflet weer op en legde het op dezelfde bladzijde terug in de koran. In de lade van het nachtkastje, vier briefjes van vijfhonderd, een pakje condooms, een balpen, twee pasfoto's. Ik deed de la dicht. Toen zag ik in een hoek van de kamer opgerolde bidkleedjes liggen. Ik rolde ze uit. Daar kwamen nog meer pamfletten uit te voorschijn. Een stuk of honderd. Van deze was de titel in het Arabisch. De Franse tekst was kort: 'Laat zien dat je geen zaagsel in je hoofd hebt! Werp een steen, laat een bom ontploffen, leg een mijn, kaap een vliegtuig!'

Het was uiteraard niet ondertekend.

Ik had er genoeg van. Voor nu.

'Kom. Het is welletjes, we gaan.'

Mourad verroerde zich niet. Hij liet zijn rechterhand achter de matras glijden, onder de sofa. Hij haalde hem weer te voorschijn.

In zijn hand hield hij een blauwe plastic zak. Een opgerolde vuilniszak.

'Wil je dit niet zien, dan?'

In de zak zat een pistool met een lange loop, en een tiental bijbehorende kogels.

'Barst!'

Ik weet niet hoeveel tijd er verstreek. Waarschijnlijk niet meer dan een minuut. Maar die minuut leek wel eeuwen te duren. Eeuwen van voor de prehistorie zelfs. Van voor de big bang. Waar niets dan duisternis heerste, dreiging, angst. Op de bovenetage brak onenigheid uit. De vrouw had een schelle stem. Die van de man was schraperig, vermoeid. Echo's van het leven in achterstandswijken.

Mourad verbrak de stilte. Terneergeslagen.

'Het is bijna iedere avond hetzelfde liedje. Hij is al heel lang werkloos. Ligt alleen maar te slapen. Of hij drinkt. Dan begint zij te schreeuwen.' Daarna keek hij naar mij. 'Je denkt toch niet echt dat hij hem heeft doodgeschoten?'

'Ik denk niets, Mourad. Maar jij hebt je twijfels, geloof ik? Jij denkt dat het mogelijk is.'

'Nee, dat heb ik niet gezegd! Dat kan ik gewoon niet geloven. Mijn broer, die dat doet. Maar… Wat ik bedoel, is dat ik bang ben om hem. Dat hij ergens bij betrokken raakt wat hij niet kan overzien, en dat hij op een keer, nou… dat hij zo'n ding op een keer zal gebruiken.'

'Ik denk dat hij al ergens bij betrokken is. En goed ook.'

Het pistool lag tussen ons in op het bed. Wapens hebben me altijd afkeer ingeboezemd. Zelfs toen ik politieman was. Ik aarzelde altijd om mijn dienstwapen te pakken. Ik wist dat je de trekker maar hoefde over te halen, dat de dood aan het uiteinde van een vinger lag. Eén schot kon fataal zijn voor de ander. Eén kogel voor Guitou. Drie voor Serge. Als je er één hebt afgeschoten, kun je er ook drie afschieten. En opnieuw beginnen. Doden.

'Daarom ga ik uit school altijd controleren of het er nog ligt, snap je. Zolang 't nog hier ligt kan hij geen gekke dingen doen, denk ik altijd. Heb jij wel eens iemand gedood?'

'Nog nooit. Zelfs geen konijn. Nog nooit op iemand geschoten ook. Alleen bij de training schoot ik op een schijf, en op de kermis. En die schijven zaten vol! Als schutter stond ik goed aangeschreven.'

'Niet als politieman?'

'Nee, niet als politieman. Ik zou nooit op iemand hebben kunnen schieten. Zelfs niet op een of ander stuk uitvaagsel. Nou, dat misschien wel. Op zijn benen. Mijn teamgenoten wisten dat. Mijn chefs ook, natuurlijk. Van de rest weet ik het niet. Ik heb nooit mijn leven hoeven redden. Door te doden, bedoel ik.'

Dat wil niet zeggen dat ik geen zin had om te doden. Maar dat zei ik niet tegen Mourad. Het was al erg genoeg te weten dat ik die waanzin af en toe in me had. Want verdomme nog an toe, degene die Guitou had vermoord, met één kogel, op zo'n manier dat hij geen enkele kans had, wilde ik maar al te graag afmaken. Niet dat het ook maar iets zou oplossen. Er zouden weer andere moordenaars komen. Steeds weer. Maar het zou mijn hart opluchten. Misschien.

'Je moest dat ding maar meenemen', stelde Mourad voor. 'Jij weet hoe je er vanaf moet komen. En ik zou me beter voelen als ik wist dat 't er niet meer was.'

'Oké.'

Ik rolde het wapen in het plastic. Mourad stond op en begon met kleine passen rond te lopen, met zijn handen in zijn zakken.

'Anselme zei dat Redouane niet slecht is. Maar dat hij gevaarlijk kan worden. Dat hij het doet omdat hij niets meer heeft om zich aan vast te houden. Hij is gezakt voor het mbo, en daarna heeft hij wat kleine baantjes gehad. Een baan bij het elektriciteitsbedrijf is... Hoe heet dat ook weer?'

'Ongewis.'

'Ja, precies, ongewis. Daar kom je niet ver mee.'

'Dat klopt.'

'Daarna ging hij fruit verkopen, in de Rue Longue. Daar bracht hij ook de *L13* rond. Die gratis krant, weet je wel? Alleen maar dat soort dingen. En tussen twee baantjes door hing-ie rond in het trappenhuis, roken, luisteren naar rapmuziek. Hij kleedde zich hetzelfde als MC Solaar! Daar is-ie begonnen met zijn stomme gedrag. En met steeds meer te spuiten. Toen mijn moeder hem in het begin in de gevangenis ging opzoeken, beval hij haar shit voor 'm mee te brengen! In de bezoekruimte! En ze heeft 't nog gedaan ook, moet je je voorstellen! Als ze 't niet zou doen, zei hij, zouen we d'r allemaal aangaan als hij eruit kwam.'

'Wil je niet zitten?'

'Nee, ik sta liever.' Hij wierp een blik naar me. 'Het is moeilijk om die dingen over Redouane te vertellen. Hij is m'n broer, en ik hou van 'm. Toen hij net werkte en wat geld had verdiend, ging hij het samen met ons verpatsen. Hij nam ons mee naar de bioscoop, Naïma en mij. Naar Le Capitole, op de Canebière, weet je wel. Hij kocht popcorn voor ons. En we gingen met een taxi naar huis! Als prinsen.'

Hij knipte met zijn vingers toen hij dat zei. Glimlachte. En het moet ook geweldig geweest zijn, die momenten van toen. De drie kinderen op stap op de Canebière. De grote en de kleine jongen, en het meisje tussen hen in. Trots op hun zusje, dat sprak vanzelf.

Leven als prinsen, daar hadden we van gedroomd, Manu, Ugo en ik. Beu als we het waren ons af te beulen voor drie keer niks en nog wat per uur, terwijl die kerel aan de andere kant over jouw rug zijn zakken vulde. 'We zijn geen hoeren', zei Ugo. 'We laten ons niet naaien door die rotzakken.' Bij Manu was het de afronding van het uurloon tot op de centime die hem tot razernij bracht. De centimes waren het been van de ham om op te knagen. En ik was als zij, ik wilde de kleur van de ham zien.

Hoeveel apothekers en benzinestations hadden we overvallen? Ik wist het niet meer. Een hele lijst. We wisten van wanten. Eerst in Marseille, vervolgens in het departement. We probeerden geen records te breken. We wilden alleen maar genoeg hebben om twee, drie weken rustig van te leven. En dan begonnen we weer. Vanwege de lol zodat we probleemloos met geld konden smijten. Indruk konden maken. Goed gekleed en alles. We lieten ons zelfs maatpakken aanmeten. Bij Cirillo. Een Italiaanse kleermaker aan de Avenue Foch. De keuze van de stof, het model. Het passen, de afwerking. Met de vouw van de broek die precies op de, uiteraard Italiaanse, schoenen viel. Klasse!

Ik herinner me nog een middag dat we besloten naar San Remo te gaan. We moesten inkopen doen, kleren en schoenen. José, een bevriende garagehouder, die gek was van raceauto's, leende ons een coupé Alpine. Leren stoelen en houten dashboard. Een meesterwerk. Drie dagen zijn we er gebleven. We hadden onszelf groot slem cadeau gedaan. Hotel, meisjes, restaurants, nachtclubs, en in de vroege ochtend, een maximale hoeveelheid fiches in het casino.

Het echte leven. La belle époque.

Tegenwoordig was het niet meer hetzelfde. Het was bijna een topprestatie om duizend piek uit een supermarkt te jatten zonder drie dagen later gepakt te worden. Daardoor had de drugsmarkt tot bloei kunnen komen. Die bood meer zekerheid. En het kon vet opbrengen. Dealer worden was een must.

Twee jaren geleden hadden we iemand gesnapt, Bachir heette hij. Zijn droom was een bar te beginnen met de verkoop van heroïne. 'Voor acht-, negenhonderd franc koop ik een grammetje', vertelde hij ons. 'Ik versnij het en bij verkoop brengt 't bijna tienduizend franc op. Soms verdiende ik vierduizend franc per dag…'

Al snel was hij de bar vergeten en ging hij, zoals hij het noemde, voor een 'slimme jongen' werken. Een grote dealer, en niets minder. Op fifty-fifty basis. Hij liep alle risico's. Met de pakjes rondsjouwen, wachten. Op een avond weigerde hij de opbrengst in te leveren, een chantagepoging om zeventig-dertig te krijgen. Trots op zichzelf ging hij de volgende dag iets drinken in de Bar des Platanes, in Le Merlan. Er was een man binnengekomen die hem twee kogels in zijn benen had geschoten. Een in elk. Daar hadden we hem toen opgepikt. Hij stond geregistreerd en het lukte om hem met tweeënhalf jaar op te zadelen. Maar over zijn leveranciers had hij niets losgelaten. 'Ik kom uit die wereld', had hij gezegd. 'Ik kan geen klacht indienen. Maar ik kan je mijn levensverhaal vertellen als je wilt…' Dat wilde ik niet. Zijn verhaal kende ik al.

Mourad ging door met praten. Het leven van Redouane leek op dat van Bachir en van vele anderen.

'Nadat Redouane aan de drugs was gegaan, nam hij ons niet meer mee naar de bioscoop. Hij gaf ons gewoon het geld. "Hier, koop er maar voor wat je wilt." Vijfhonderd, duizend piek. Ik heb er een keer Reebocks voor gekocht. Geweldig was dat. Maar in mijn hart vond ik er eigenlijk niet zo veel aan. Op de dag dat Redouane de bak inging heb ik ze weggegooid.'

Waar lag dat toch aan, dacht ik bij mezelf, dat kinderen uit hetzelfde gezin verschillende kanten opgingen? Van de meisjes begreep ik het. Hun wens om te slagen in het leven was hun manier om hun vrijheid te verkrijgen. Onafhankelijk te worden. Om uit vrije wil hun man te kiezen. Op een dag de noordelijke wijken te verlaten. Hun moeder hielp ze daarbij. Maar de jongens? Wanneer was de kloof tussen Redouane en Mourad ontstaan? Hoe? Waarom? Het leven zat vol met dergelijke vragen waar geen antwoord op was. Precies daar waar geen antwoorden bestonden, sloop soms een klein geluk binnen. Als een lange neus tegen de statistieken.

'Wat is er gebeurd dat hij veranderd is?'

'De gevangenis. In het begin wilde hij de baas spelen. Hij vocht. Hij zei: "Je moet een man zijn. Als je geen man bent, kun je 't vergeten. Dan lopen ze over je heen. 't Zijn niks anders dan honden hier." Daarna heeft hij Saïd ontmoet. Iemand die gevangenissen bezoekt.'

Ik had over Saïd gehoord. Een vroegere bajesklant die predikant was geworden. Islamitisch prediker van de Tabligh, een van oorsprong Pakistaanse beweging die voornamelijk in de arme buitenwijken rekruteert.

'Ik ken 'm.'

'Nou, vanaf die dag wilde hij ons niet meer zien. Hij heeft ons een geschifte brief gestuurd. Een soort...' Hij dacht na, zoekend naar de meest nauwkeurige woorden. ' "Saïd is als een engel die op mij is neergedaald." en: "Zijn stem is zoet als honing, en wijs, als ware zij van de profeet." Saïd had het licht in hem ontstoken, dát was wat mijn broer ons schreef. Hij begon Arabisch te leren en de koran te bestuderen. En in de gevangenis heeft hij met niemand meer gevochten.

Toen hij eruit kwam, met strafvermindering wegens goed gedrag, was hij veranderd. Hij dronk niet meer, en rookte niet meer. Hij had een baardje laten staan en wie niet naar de moskee ging, weigerde hij te groeten. Zijn dagen bracht hij door met lezen in de koran. Hij reciteerde hardop, alsof hij de verzen van buiten leerde. Tegen Naïma had hij het over kuisheid, over waardigheid. Als we bij grootvader op bezoek gingen, maakte hij een onderdanige buiging en zei hij geheiligde leuzen. Dat maakte grootvader aan het lachen, want die gaat al heel lang niet meer naar de moskee. Weet je, hij probeerde zelfs zijn accent kwijt te raken... Niemand herkende hem in de wijk.

Daarna kwamen allerlei types hem opzoeken. Mannen met baarden, in djellaba, met grote auto's. 's Middags ging hij met ze mee en 's avonds laat kwam hij terug. Toen kwamen er ook andere mannen, die een witte abaya droegen en een tulband. Op een ochtend heeft hij z'n spullen gepakt en is hij 'm gesmeerd. Om onderwijs te volgen in de leer van Mohammed, zei hij tegen mijn vader en moeder. Mij vertelde hij in vertrouwen, en dat herinner ik me nog letterlijk, "dat hij op zoek ging naar een wapen om ons land te bevrijden". "Als ik terugkom", voegde hij er aan toe, "neem ik je met me mee."

Hij is meer dan drie maanden weggeweest. Toen hij terugkwam, was hij nog meer veranderd, maar hij betrok me nergens bij. Hij zei alleen dat ik dit niet moest doen en dat niet. En daarna ook: "Ik moet niks meer van Frankrijk hebben, Mourad. Het is allemaal gespuis. Knoop dat in je oren! Over een poosje zul je trots zijn op je broer, wacht maar af. Hij gaat dingen doen waarover gepraat zal worden. Grote dingen. *Insjallah.*"'

Ik kon me wel voorstellen waar Redouane geweest was.

Tussen alle paperassen van Serge zat een dik dossier over de 'pelgrimstochten' die de Tabligh – maar dat was niet de enige – organiseerde voor haar nieuwe rekruten. Naar Pakistan met name, maar ook naar Saudi-Arabië, Syrië, Egypte... Met bezoek aan de islamitische centra, bestudering van de koran, en, het meest essentiële, inwijding in de gewapende strijd. Dat gebeurde in Afghanistan.

'Weet je waar hij die drie maanden geweest is?'

'In Bosnië.'

'In Bosnië!'

'Met Merhamet, een humanitaire organisatie. Redouane had zich aangesloten bij de islamitische organisatie in Frankrijk. Binnen die organisatie verdedigen ze de Bosniërs. Dat zijn moslims, zie je. Ze voeren oorlog om die te redden van de Serviërs en ook van de Kroaten. Dat legde Redouane me uit. In het begin... Want later zei hij bijna geen woord meer tegen me. Ik was toch maar een klein opdondertje. Meer heb ik nooit geweten. Niet van de mensen die hem kwamen opzoeken, niet wat hij met zijn dagen deed. Niet van het geld dat hij iedere week mee naar huis bracht. Alles wat ik weet, is dat hij op een dag samen met anderen met dealers ging knokken in het Plan d'Aou. Heroïnedealers. Geen hasj of zo. Vrienden van me hebben 't gezien. Daarom weet ik 't.'

We hoorden de buitendeur opengaan, gevolgd door stemmen. Mourad was als eerste in de eetkamer. Om de doorgang naar de gang te versperren.

'Aan de kant, jochie, ik heb haast!'

Ik kwam de slaapkamer uit, de plastic zak in mijn hand. Achter Redouane stond nog een jongeling.

'Shit! Wegwezen!' schreeuwde Redouane.

Ze achterna rennen had geen enkele zin gehad.

Mourad beefde van top tot teen.

'Die ander was Nacer. Hij bestuurde de BMW. Niet alleen volgens Anselme. Dat weet iedereen. We hebben hem hier zien rondrijen met die auto.'

En hij begon te huilen als een kind. Ik liep naar hem toe en drukte hem tegen me aan. Hij reikte tot mijn borst. Zijn snikken verhevigden.

'Stil maar', zei ik. ''t Komt wel goed.'

Alleen was er te veel rotzooi in deze wereld.

14

Waarin niet gezegd is dat het elders beter is

Ik had alle besef van tijd verloren. Mijn gedachten liepen kriskras door elkaar. Mourad had ik afgezet voor het gebouw waar Anselme woonde. Hij had de plastic zak met het wapen in het handschoenenkastje gelegd en 'Aju' gezegd. Hij had zich zelfs niet meer omgedraaid om zijn hand op te steken. Het was wel duidelijk dat hij het er moeilijk mee had. Anselme zou wel met hem praten. Hem weer moed inspreken. Al met al had ik liever dat hij bij Anselme was dan bij zijn grootvader.

Voordat ik La Bigotte verliet, had ik op het parkeerterrein rondgelopen op zoek naar Serges auto. Zonder veel hoop. Ik werd niet teleurgesteld, hij stond er niet. Waarschijnlijk was Pavie ermee weggereden. Hopelijk had ze inderdaad haar rijbewijs en had ze er geen domme dingen mee uitgehaald. IJdele hoop, steeds weer. Net als te denken dat ze nu in veiligheid was. Bij Randy bijvoorbeeld. Niet dat ik dat werkelijk geloofde, maar het maakte dat ik in mijn auto kon stappen om naar het centrum te rijden.

Art Pepper speelde nu 'More for Less'. Een kleinood. Jazz zorgde er altijd voor dat ik de stukjes aan elkaar kon lijmen. Dat gold voor gevoelens. Het hart. Maar dit was echt een heel ander verhaal. Er waren te veel stukjes. En te veel invalshoeken, te veel sporen. Te veel herinneringen ook die naar de oppervlakte kwamen. Ik had serieus een glas drank nodig. Of twee.

Ik reed langs de kaden, langs het Bassin de la Grande Joliette, tot aan de Quai de la Tourette en reed toen om de heuvel van het kerkplein van de Saint-Laurent heen. Daar lag Le Vieux-Port, omgeven door licht. Onveranderlijk en magnifiek.

Drie versregels van Brauquier schoten me te binnen:

De zee
Half in slaap, sloot me in haar armen
Als verwelkomde ze een verdwaalde vis...

Voor hotel Alizé minderde ik vaart. Dat was mijn plaats van bestemming. Maar ik had niet de moed te stoppen. Gélou te zien. Alex te ontmoeten. Dat ging op dit moment mijn krachten te boven. Ik vond wel duizend voorwendsels om de auto niet uit te gaan. Ten eerste was er geen plaats om te parkeren. Ten tweede zouden ze wel ergens zijn gaan eten. Dat soort dingen. Ik nam me voor straks te bellen.

Het woord van een dronkelap! Ik zat al aan mijn derde whisky. Mijn oude Renault had me blindelings naar La Plaine, zoals La Place Jean-Jaurès werd genoemd, gereden. Naar Les Maraîchers van Hassan, waar je altijd welkom bent. Een jongerencafé, een van de gezelligste van de buurt. Van Marseille misschien wel. Het was jaren geleden dat ik hier was geweest. Nog voordat de cafés, de restaurants en de eerste- en tweedehandsmodezaakjes in de straatjes van de Plaine tot aan de Cours Julien tot één onafgebroken rij aaneengesmeed waren. De buurt was enigszins trendy tegenwoordig. Maar alles was relatief. Er werd niet in Lacoste geparadeerd en tot de ochtend toe kon er pastis worden gedronken.

Een paar maanden geleden was het café van Hassan 's nachts in brand gestoken. Omdat hij het goedkoopste bier van Marseille schonk, werd er gezegd. Misschien was het waar. Misschien niet. Er wordt zoveel gezegd, tegenwoordig. In deze stad moet een verhaal met andere verhalen gevoed worden. Mysterieuzer. Geheimzinniger. Anders viel het onder de gewone nieuwtjes en was het geen snars waard.

Hassan had zijn café weer opgeknapt. Geschilderd en dat soort zaken. Daarna, of er niets was gebeurd, had hij onverstoorbaar de foto weer opgehangen waar Brel, Brassens en Ferré samen opstonden. Aan dezelfde tafel. Die foto was een symbool voor Hassan. En een referentiepunt. Bij hem kreeg je geen muzak te horen. Muziek had alleen maar zin als het een ziel had. Toen ik binnen was zong Ferré juist:

O Marseille, het lijkt alsof de zee heeft gehuild
Om jouw woorden die elkaar op straat omarmden
Maar die niet langer die kracht bezitten op te stijgen
Naar de lippen van jouw volk dat gekleed gaat in mistroostigheid
O Marseille...

Ik had een plaats gevonden tussen een groep jongeren die ik vaag kende. Stamgasten. Mathieu, Véronique, Sébastien, Karine, Cédric. Toen ik ging zitten had ik een rondje gegeven en de rondjes bleven elkaar opvolgen. Nu speelde Sonny Rollins 'Without a Song'. Met Jim Hall op gitaar. Het stond op *The Bridge*, zijn mooiste album.

Het deed me ontzettend goed hier te zijn, in een normale wereld. Met jongeren die zich op hun gemak voelden. Onbezorgd gelach te horen. Gesprekken die vrolijk rondzwalkten op de alcoholdampen.

'Ja hé, je moet je doelgroepen niet door elkaar halen', schreeuwde Mathieu. 'Wat wil je nou, de Parijzenaars naaien! De staat wordt genaaid. Wie zijn dat, de Parijzenaars? Degenen die er het meest onder te lijden hebben, anders niet. Omdat ze naast de staat leven. Wij zitten ver weg, dus komen we er automatisch beter vanaf.'

Het andere Marseille. In zijn herinnering een tikkeltje anarchistisch. Tijdens de Commune van 1871, het revolutionair-socialistisch bewind in Parijs, had hier achtenveertig uur lang de zwarte vlag op de prefectuur gewapperd. Over vijf minuten zullen ze het ineens weer over Bob Marley hebben. Jamaicanen. Ze zullen elkaar uitleggen dat het automatisch makkelijker is anderen te begrijpen, als je twee culturen hebt. De wereld. Daar konden ze de hele nacht over praten.

Ik stond op en baande me een weg naar de tapkast om bij de

telefoon te komen. Bij het eerste belgerinkel nam ze op, alsof ze op een telefoontje zat te wachten.

'Montale hier. Maak ik u wakker?'

'Nee', antwoordde Cûc. 'Ik dacht wel dat u vroeg of laat zou bellen.'

'Is uw man daar?'

'Hij is voor zaken naar Fréjus. Morgen is hij er weer. Hoezo?'

'Ik wil hem iets vragen.'

'Misschien kan ik u helpen?'

'Dat zou me verbazen.'

'Vraag toch maar.'

'Heeft hij Hocine vermoord?'

Ze hing op.

Ik draaide het nummer opnieuw. Ze nam onmiddellijk op.

'Dat is geen antwoord', zei ik.

Hassan zette een glas whisky voor me neer. Ik bedankte hem met een knipoogje.

'Dat was geen vraag.'

'Dan stel ik een andere. Waar kan ik Mathias bereiken?'

'Waarom?

'Beantwoordt u een vraag altijd met een tegenvraag?'

'Ik ben niet verplicht u antwoord te geven.'

'Naïma moet bij hem zijn', schreeuwde ik.

Het café was afgeladen vol. Om mij heen werden ellebogen gebruikt om door de menigte te komen. B.B. King verzadigde de versterkers met 'Rock My Baby' en iedereen brulde met hem mee.

'En wat dan nog?'

'En wat dan nog! Hou op met eromheen te draaien! U weet wat er aan de hand is. Ze is in gevaar. En uw zoon ook. Is dat duidelijk? Is dat duidelijk?' herhaalde ik, schreeuwend deze keer.

'Waar bent u?'

'In een café.'

'Dat hoor ik, ja. Maar waar?'

'In Les Maraîchers. Op La Plaine.'

'Ik weet waar 't is. Blijf daar, ik kom eraan.'

Ze hing op.

'Alles oké?' vroeg Hassan.

'Dat weet ik niet.'

Hij schonk me nog eens in en we klonken. Ik zocht de tafel met mijn jonge vrienden weer op.

'Je loopt voor', zei Sébastien.

'Zo gaat dat met oudjes.'

Cûc baande zich een weg naar mijn tafel. De blikken werden op haar gericht. Ze droeg een strakke zwarte spijkerbroek en een eveneens strak, zwart T-shirt onder een spijkerjack. Ik hoorde hoe Sébastien 'Allemachtig! Wat een stuk!' verzuchtte. Het was geen handige zet haar hier te laten komen, maar ik was niet meer in staat wat dan ook nog te beoordelen. Behalve haar. Haar schoonheid. Zelfs Jane March verbleekte bij haar.

Als bij toverslag vond ze een stoel die vrij was en ging tegenover mij zitten. De jongeren trokken zich onmiddellijk terug op de achtergrond. Ze overlegden met elkaar of ze niet 'ergens anders' zouden gaan kijken. Bij Intermédiaire hier vlakbij, waar Doc Robert, een bluesman, zou komen? Of bij Cargo, een nieuwe tent in de Rue Grignan. Jazz, met het Mola-Bopa kwartet. Daarmee konden ze ook uren zoet brengen. Met het bespreken van de plekken waar ze de avond zouden beëindigen, zonder van hun plaats te komen.

'Wat wil je drinken?'

'Hetzelfde als jij.'

Ik gaf Hassan een teken.

'Heb je gegeten?'

Ze schudde haar hoofd.

'Wat geknabbeld om acht uur.'

'We drinken wat, en daarna neem ik je mee uit eten. Ik heb honger.'

Ze haalde haar schouders op en stopte vervolgens haar haar

achter haar oren. Het dodelijke gebaar. Met heel haar gezicht,
onbedekt nu, keerde ze zich naar mij. Op haar lippen, die onopvallend waren bijgewerkt, verscheen een glimlach. Haar ogen
boorden zich in de mijne. Als een roofdier dat weet dat het zijn
prooi zal krijgen, zo leek Cûc zich te gedragen. Op die uiterste
grens waarop de mens zich hult in dierlijke schoonheid. Zodra ik
dat had gezien, wist ik het.

Nu was het te laat.

'Proost', zei ik.

Want ik wist niet wat ik anders moest zeggen.

Cûc vertelde graag over zichzelf, en gedurende de gehele maaltijd deed ze dat dan ook. Ik had haar meegenomen naar Loury, op
de Place Thiars, vlak bij de haven. Je kunt er goed eten, met alle lof
voor de gids van Gault & Millau. En je vindt er de beste kelder
met Provençaalse wijnen. Ik koos een Château-Sainte-Rosseline.
Waarschijnlijk de allerbeste rode wijn van de Provence. De meest
sensuele ook.

'Mijn moeder stamt uit een voorname familie. De geletterde
elite. Mijn vader was ingenieur. Hij werkte voor de Amerikanen.
In 1954, na de splitsing van het land, zijn ze uit het noorden
vertrokken. Het vertrek betekende een ontworteling voor hem.
Daarna is hij nooit meer gelukkig geweest. De kloof tussen hem
en mijn moeder werd dieper. Hij sloot zich steeds meer in zichzelf
op. Ze hadden elkaar nooit moeten leren kennen…

Ze kwamen niet uit dezelfde wereld. In Saigon ontvingen we
alleen vrienden van mijn moeder. We spraken alleen over wat er
uit Amerika kwam, of uit Frankrijk. In die periode wist iedereen
al dat de oorlog verloren was, maar… Het was gek, maar we
voelden het niet als oorlog. Later wel, met het grote offensief van
de communisten. Ik bedoel, er was wel de atmosfeer van oorlog,
maar er was geen oorlog. We leefden alleen in een voortdurende
staat van verdrukking. Veel bezoeken, nachtelijke huiszoekingen.'

'Is je vader daar gebleven?'

'Hij zou zich bij ons voegen. Dat had hij gezegd. Of hij het wilde, weet ik niet. Hij is gearresteerd. We hoorden dat hij in het kamp van Lolg-Giao geïnterneerd was, zestig kilometer bij Saigon vandaan. Maar we hebben niets meer van hem gehoord. Nog meer vragen?' vroeg ze, terwijl ze haar glas leegdronk.

'Die zouden wel eens minder discreet kunnen zijn.'

Ze lachte. Toen maakte ze weer dat gebaar, waarmee ze haar haren achter haar oren duwde. Iedere keer bezweek mijn verdedigingsmechanisme. Ik voelde me overgeleverd aan dat gebaar. Ik wachtte erop, ik verlangde ernaar.

'Ik heb nooit van André gehouden, als dat het is wat je wilt weten. Maar ik heb alles aan hem te danken. Toen ik hem leerde kennen, was hij vol enthousiasme, vol liefde. Door hem kon ik ontsnappen. Hij heeft me in veiligheid gebracht en me geholpen mijn studie af te maken. Ineens had ik weer hoop, dankzij hem. Voor mij, voor Mathias. Ik geloofde in een later.'

'En in de terugkomst van Mathias' vader?'

Een woedende flits schoot door haar ogen. Maar de donder bleef achter. Ze zweeg, vervolgde toen op een ernstiger toon: 'De vader van Mathias was een vriend van mijn moeder. Docent Frans. Hij liet me Hugo lezen, Balzac en daarna Céline. Ik voelde me op mijn gemak met hem. Meer dan met de meisjes van het lyceum, die zich naar mijn smaak te veel met romantiek bezig hielden. Ik was vijftien en een half. Ik was nogal eenzelvig, en tegelijkertijd kordaat...

Op een avond heb ik hem uitgedaagd. Ik had champagne gedronken. Twee glazen of zo. We vierden zijn vijfendertigste verjaardag. Ik vroeg of hij mijn moeders minnaar was. Hij gaf me een draai om mijn oren. De eerste klap van mijn leven. Ik ben bovenop hem gesprongen. Hij nam me in zijn armen... Hij was mijn eerste liefde. De enige man die ik heb liefgehad. Die me heeft bezeten. Begrijp je het?' vroeg ze, zich naar mij over buigend. 'Hij heeft me ontmaagd en een kind in mijn buik geplant. Mathias, dat was zijn voornaam.'

'Was?'

'Hij moest het schooljaar afmaken in Saigon. Hij is op straat doodgestoken. De directeur van het lyceum vertelde ons later dat hij op weg was naar de ambassade om te proberen nieuws over ons te krijgen.'

Cûc had mijn knie tussen de hare vastgeklemd, en ik voelde hoe haar warmte mij overspoelde. Haar elektriciteit. Geladen met emoties, met spijt. Met verlangen. Haar ogen waren verzonken in de mijne.

Ik vulde onze glazen en hief het mijne naar haar op. Er was nog een vraag die ik haar moest stellen. Onvermijdelijk.

'Waarom heeft je man Hocine laten vermoorden? Waarom was hij daar? Wie zijn de moordenaars? Waar heeft hij ze leren kennen?'

Ik wist dat dat min of meer de waarheid was. De hele avond had ik het om en om gedraaid in mijn hoofd. Whisky na whisky. En alles klopte. Naïma had Adrien Fabre die nacht gezien, ik weet niet hoe. Maar ze had hem gezien. Ze kende hem, want ze was verschillende keren bij de Fabres thuis geweest. Om Mathias op te zoeken, haar ex-vriendje. En ze had hem alles over die verschrikkelijke gebeurtenis verteld. Aan hem, die niet van die 'vader' hield van wie zijn moeder zelfs niet hield.

'Als we eens naar jouw huis gingen, om daarover te praten.'

'Eén ding nog, Cûc…'

'Ja', zei ze zonder aarzelen. 'Ja, ik wist het toen je langskwam. Mathias had gebeld.' Ze legde haar hand op de mijne. 'Waar ze nu zijn, zijn ze veilig, allebei. Echt. Geloof me.'

Ik kon niet anders dan haar geloven. En hopen dat het waar was.

Ze was met een taxi gekomen, dus nam ik haar mee in mijn rammelkast. Ze leverde geen enkel commentaar, noch op de buitenkant, noch op de binnenkant van het vehikel. Ik geloof dat het binnen naar verschaalde tabak, zweet en vis rook. Ik deed het raampje open en zette een bandje op van Lightnin' Hopkins, mijn lievelingsblueszanger. 'Your own fault, baby, to treat me the way you do'. En daar gingen we. Zoals in '14. Zoals in '40. En zoals bij alle stompzinnigheden waar de mens toe in staat is.

Ik ging over de Corniche. Om het volle zicht te hebben op de baai van Marseille, en die als een kerstslinger te volgen. Ik voelde de behoefte me ervan te overtuigen dat het bestond. Me ervan te overtuigen ook, dat Marseille een lotsbestemming is. De mijne. En van al degenen die er wonen, die er niet meer weggaan. Dat was geen kwestie van geschiedenis of traditie, van geografie of wortels, van herinnering of geloof. Nee, dat was gewoon zo.

We waren van híer, alsof alles van tevoren bepaald was. En omdat we, ondanks alles, niet zeker weten of het elders niet slechter is.

'Waar denk je aan?'

'Dat het ergens anders vast en zeker slechter is. En ik weet niet of de zee er mooier is.'

Haar hand, die vanaf dat we reden langs mijn dij heen en weer gleed, pauzeerde bij mijn kruis. Haar vingers brandden.

'Wat ik van andere plaatsen weet, is om misselijk van te worden. Vorige week heb ik gehoord dat vierduizend Vietnamese bootvluchtelingen in opstand zijn gekomen. In een vluchtelingenkamp in Sungai Besi, in Maleisië. Ik weet niet hoeveel doden er zijn gevallen... Maar wat doet het ertoe, nietwaar?'

Ze haalde haar hand weg om sigaretten aan te steken. Ze gaf er een aan mij.

'Dank je.'

'Collectief bestaat de dood niet. Hoe meer doden, hoe minder het telt. Te veel doden, dat is net als het elders. Het is te ver weg, het is niet werkelijk. Alleen de individuele dood is werkelijk. Die je persoonlijk raakt. Rechtstreeks. Die je in onze ogen ziet, of in de ogen van een ander.'

Ze verzonk in stilte. Ze had gelijk. Daarom kon er geen sprake van zijn de dood van Guitou te laten passeren. Nee, dat kon ik niet. En Gélou ook niet. Net zomin als Cûc. Ik begreep wat ze voelde. Ze had Guitou gezien toen ze thuiskwam. Zijn engelengezicht. Mooi, zoals Mathias zijn moest. Zoals alle kinderen op die leeftijd. Wie ze ook zijn, onverschillig van welk ras. Maakt niet uit waarvandaan.

Cûc had naar de dood in zijn ogen gekeken. Ik ook, in het mortuarium. De verdorvenheid van de wereld was ons naar de keel gesprongen. Eén onrechtvaardige dood, één enkele, zoals deze, die volkomen zinloos was, en alle gruweldaden van deze aarde schreeuwen het op hun beurt uit. Nee, ik kon Guitou niet overlaten aan de winst en verliesrekening van deze verrotte wereld. En de moeders voor eeuwig met hun tranen laten zitten.

Dus *chourmo!*, of ik wilde of niet.

Aangekomen bij La Pointe-Rouge, ging ik rechtsaf de Avenue Odessa op, langs de nieuwe jachthaven. Daarna sloeg ik linksaf, de Boulevard Amphitrite op, en nogmaals links zodat ik op de Avenue de Montredon kwam. Richting centrum.

'Wat ben je aan 't doen?' vroeg ze.

'Een simpele controle', antwoordde ik, een blik werpend in mijn achteruitkijkspiegel.

Maar niemand leek ons te volgen. Ik bleef echter voorzichtig tot aan de Avenue Goumiers, reed door de doolhof aan straatjes van La Vieille-Chapelle en kwam weer terug op de Avenue de la Madrague de Montredon.

'Je woont aan het eind van de wereld', merkte ze op toen ik de smalle weg opreed die naar Les Goudes leidt.

'Dat is bij mij. Het einde van de wereld.'

Ze legde haar hoofd op mijn schouder. Vietnam kende ik niet, maar al zijn geuren kwamen mij tegemoet. Zodra er ergens begeerte is, dacht ik, zijn er verschillende geuren. Alle even aangenaam. Een simpele rechtvaardiging voor alles wat zou kunnen gebeuren.

En rechtvaardiging had ik nodig. Ik had verzuimd Gélou te bellen. En zelfs vergeten dat ik met schietgerei in mijn handschoenenkastje rondreed.

Toen ik met twee glazen en de fles whisky terugkwam, keek Cûc me aan. Naakt. Nauwelijks verlicht door het kleine blauwe lampje dat ik bij binnenkomst had aangedaan.

Ze had een perfect lichaam. Ze deed een paar stappen in mijn richting. Ze leek aangewezen voor een liefdesbestemming. Uit elk van haar bewegingen sprak een ingehouden wellust. Stil, intens. Bijna ondraaglijk in mijn ogen.

Ik zette de glazen neer, maar hield de fles vast. Ik moest echt een glas drank hebben. Ze stond vijftig centimeter bij me vandaan. Ik kon mijn ogen niet van haar afhouden. Gehypnotiseerd. Haar blik was volstrekt onverschillig. Geen spier in haar gezicht bewoog. Een goddelijk masker. Mat, glad. Net als haar huid, zo egaal, zo zacht dat zij tegelijkertijd liefkozing en agressie opriep.

Ik zette de fles aan mijn mond en nam een slok. Een grote slok. Daarna probeerde ik langs haar heen te kijken. Achter haar, naar de zee. De open zee. De horizon. Zoekend naar de Planier, die me de juiste koers zou hebben kunnen wijzen.

Maar ik was alleen met mezelf.

En met Cûc aan mijn voeten.

Ze zat geknield voor me en volgde met haar hand de lijn van mijn geslacht. Met één vinger gleed ze langs de lengte. Daarna maakte ze langzaam één voor één de knopen van mijn broek los. De top van mijn lid sprong uit mijn slip. Mijn broek gleed op mijn voeten. Ik voelde Cûcs haren op mijn dijen, vervolgens haar tong. Ze pakte mijn billen tussen haar handen. Met kracht plantte ze haar vingernagels erin.

Ik wilde schreeuwen.

Ik nam nog een grote slok. Mijn hoofd tolde. In de holte van mijn maag brandde de alcohol. Een straaltje sperma parelde aan het uiteinde van mijn geslacht. Ze stond op het punt hem in haar mond te nemen, warm en vochtig, net als haar tong, en haar tong…

'Met Hocine, ook…'

Haar nagels verdwenen uit mijn billen. Heel haar lichaam werd krachteloos. Het mijne begon te beven. Dat ik die woorden had kunnen stamelen. De inspanning ze uit te spreken. Ik dronk nog meer. Twee grote teugen. Daarna bewoog ik. Mijn been. Cûcs lichaam, plotseling slap geworden, strekte zich uit op de tegels. Ik trok mijn broek op.

Ik hoorde haar zachtjes huilen. Ik liep om haar heen en pakte haar spullen. Haar geschrei werd luider toen ik naast haar hurkte. Ze wiegde heen en weer van het snikken. Je zou bijna denken dat het een rups in stervensnood was.

'Hier, kleed je aan, alsjeblieft.'

Ik zei het met tedere stem.

Maar zonder haar aan te raken. Alle begeerte die ik voor haar voelde, was nog aanwezig. Die was niet verdwenen.

15

Waarin ook gemis tot het geluk behoort

De dag brak aan, toen ik Cûc naar de dichtstbijzijnde taxistand-plaats bracht, die overigens niet echt dichtbij was. We moesten helemaal terug naar La Vieille-Chapelle om een auto te vinden.

We hadden gereden zonder een woord met elkaar te wisselen, rokend. Ik hield van dit donkere uur, vlak voor het aanbreken van de dag. Het was een moment van puurheid, dat niemand toebehoorde. Het was onbruikbaar.

Cûc keerde haar gezicht naar me toe. Haar ogen hadden nog steeds die gitzwarte schittering waar ik onmiddellijk voor door de knieën was gegaan. Ze hadden bijna niets van hun glans verloren door de vermoeidheid en het verdriet. Maar bevrijd van de leugen was vooral de onverschilligheid eruit verdwenen. Het was een menselijke blik. Met zijn wonden, zijn pijn. Met hoop ook.

Toen we, een goeie twee uur geleden alweer, aan het praten waren, had ik aan één stuk door gedronken. De fles whisky was inmiddels verleden tijd. Halverwege een zin hield Cûc op om me te vragen: 'Waarom drink je zoveel?'

'Ik ben bang', antwoordde ik, zonder verdere uitleg.

'Ik ben ook bang.'

'Het is niet dezelfde angst. Hoe ouder je wordt, hoe groter het aantal onherstelbare daden wordt die je kunt begaan. Ik vermijd ze, zoals met jou. Maar die zijn niet het ergste. Er zijn andere, waar je niet omheen kunt. Als je ze 's ochtends ontloopt, kun je niet meer in de spiegel kijken.'

'En dat maakt je moe?'

'Ja, inderdaad. Iedere dag een beetje meer.'

Ze bleef stil. In gedachten verzonken. Daarna vroeg ze: 'En Guitou wreken is er een van?'

'Iemand doden is een onherstelbare daad. Ik denk dat ik er niet omheen kan het zwijn te doden dat het heeft gedaan.'

Moedeloos had ik de woorden uitgesproken. Cûc had haar hand op de mijne gelegd om te delen in die moedeloosheid.

Ik parkeerde achter de enige taxi op de standplaats. Een chauffeur die zijn dag begon. Cûc drukte haar lippen op de mijne. Een heimelijke kus. De laatste. De enige. Want we wisten dat wat niet vervuld had kunnen worden, nooit vervuld zou worden. Gemis behoort ook tot het geluk.

Zonder zich om te draaien zag ik haar de taxi instappen. Zoals Mourad. De taxi reed weg, verwijderde zich, en toen ik de achterlichten niet meer kon zien, keerde ik en reed naar huis.

Eindelijk slapen.

Iemand schudde me zachtjes bij mijn schouders heen en weer.

'Fabio... Fabio... Hé! Hé!...' Die stem kende ik. Die was me vertrouwd. De stem van mijn vader. Maar ik had geen zin om op te staan en naar school te gaan. Nee. Ik was trouwens ziek. Ik had koorts. Dat was het, ja. Minstens negenendertig. Mijn lichaam gloeide. Ontbijt op bed wilde ik. En daarna in *Tarzan* lezen. Ik wist zeker dat het woensdag was. Het nieuwe nummer van *De avonturen van Tarzan* moest uit zijn. Mijn moeder zou het voor me gaan kopen. Ze zou niet kunnen weigeren, want ik was ziek.

'Fabio.'

Dat was niet de stem van mijn vader. Maar de intonatie was hetzelfde. Zacht. Ik voelde een hand op mijn hoofd. Man, dat voelde goed! Ik probeerde me te bewegen. Een arm. De rechter, geloof ik. Zwaar. Als een boomstam. Shit! Ik lag beklemd onder een boom. Nee. Ik had een ongeluk gehad. Mijn geest werd wakker. Een auto-ongeluk. Toen ik thuiskwam. Dat was het. Ik had geen armen meer. En misschien ook geen benen.

'Nee', brulde ik, me omdraaiend.

'Nou zeg, je hoeft niet zo tekeer te gaan', zei Fonfon. 'Ik heb je nauwelijks aangeraakt.'

Ik bevoelde mezelf aan alle kanten. Ik leek nog helemaal heel te zijn. En aangekleed. Ik opende mijn ogen.

Fonfon. Honorine. Mijn kamer. Ik lachte.

'Je hebt me verdorie de stuipen op het lijf gejaagd, jij. Ik dacht dat er iets met je was gebeurd. Een beroerte of zo. Of iets anders. Dus toen ben ik Fonfon gaan halen.'

'Als ik moet sterven, zal ik 's avonds van tevoren een briefje op tafel leggen. Dan hoef je niet te schrikken.'

'Mooie boel,' mopperde Fonfon tegen Honorine, 'hij is amper wakker of hij steekt alweer de draak met ons! Ik sta hier verdorie m'n tijd te verdoen met die flauwekul. Daar ben ik te oud voor, hoor!'

'O, Fonfon. Rustig nou maar. Het is net kermis in mijn hoofd. Heb je een kop koffie voor me meegebracht?'

'Wel nou nog mooier! Een croissantje, een luxebroodje. Op een blaadje voor meneer.'

'Nou, dat had ik reuze tof gevonden.'

'Ga toch op 't dak zitten!'

'De koffie is bijna klaar', zei Honorine. 'Hij staat op het vuur.'

'Ik kom eruit.'

Het was een uitzonderlijk mooie dag. Geen wolken. Geen wind. Ideaal om te gaan vissen, als je tijd had. Ik keek naar mijn boot. Hij voelde zich net zo treurig als ik dat we vandaag nog niet de zee op konden gaan. Fonfon had mijn blik gevolgd.

'Heb je zondag tijd om de vis op te gaan zoeken? Of moet ik ze bestellen?'

'Bestel de schelpdieren maar. De vis is mijn pakkie-an. Dus schop 't niet in de war.'

Hij lachte, dronk daarna zijn koffie op.

'Goed dan, ik ga terug. Anders worden de klanten ongeduldig. Bedankt voor de koffie, Honorine.' Vaderlijk richtte hij zich tot mij: 'Kom even langs voor je weggaat.'

Het was goed dat ik Fonfon en Honorine in de buurt had. Met hen was er altijd de belofte van een volgende dag. Een later. Als je een bepaalde leeftijd voorbij was, leek het wel of je het eeuwige leven had. Je maakt plannen voor morgen. Vervolgens voor overmorgen. Voor de eerstvolgende zondag, dan de zondag daarop. En de dagen gaan voort. Gewonnen op de dood.

'Zal ik nog een koppie koffie voor je zetten?'

'Graag, Honorine. Je bent een engel.'

En ze verdween naar de keuken. Ik hoorde haar druk bezig zijn. De asbakken legen, de glazen afwassen. De flessen weggooien. Zoals zij in de weer was, zou ze zelfs de lakens verschonen.

Ik stak een sigaret op. Een vieze smaak, zoals altijd met de eerste. Maar ik wilde de geur ruiken. Ik wist nog niet precies op welke planeet ik was. Ik had het gevoel dat ik tegen de stroom in zwom. Zoiets.

Van de hemel tot aan de zee was er een eindeloze schakering van blauwe kleuren. Voor de toeristen, die uit het noorden, het oosten of het westen komen, is blauw altijd blauw. Pas later, als je even de moeite neemt naar de lucht en de zee te kijken, met je ogen het landschap te strelen, pas dan ontdek je de grijsblauwen, de donkerblauwen en het ultramarijn, de peperblauwen, de lavendelblauwen. Of het aubergineblauw, 's avonds als het onweert. De groenblauwen van de golven. Het koperblauw van de ondergaande zon, de avond voor de mistral opsteekt. Of het zo bleke blauw dat het wit wordt.

'O! Sliep je?'

'Ik dacht na, Honorine. Ik dacht na.'

'Nou, dat heeft niet veel zin met dat hoofd van je. "Je kunt beter nergens aan denken, dan de zaken half doornemen", zei mijn goede moeder altijd.'

Daar viel niets tegenin te brengen.

Honorine ging zitten, zette haar stoel dicht bij me, trok haar rok recht en keek toe hoe ik mijn koffie dronk. Ik zette het kopje neer.

'Goed, dat is niet alles. Gélou heeft twee keer gebeld. Om acht uur, en daarna om kwart over negen. Ik zei dat je sliep. Nou, dat was zo. En dat ik je niet gelijk ging wakker maken. Dat je laat was gaan slapen.'

Ze keek me aan met haar guitige oogjes.

'Hoe laat is 't?'

'Bijna tien uur.'

'Eigenlijk kun je niet zeggen dat ik naar bed ben gegaan. Is ze ongerust?'

'Wel, dat is 't niet…' Ze stopte, en probeerde een boos gezicht te trekken. 'Het is niet goed dat je haar niet gebeld hebt. Natuurlijk is ze ongerust, een moeder! Ze is expres in het New York blijven eten, voor het geval je zou komen. Er lag een boodschap voor je in het hotel. Soms snap ik niets van je, hoor.'

'Niet kwaad worden, Honorine. Ik zal haar bellen.'

'Ja, want die… die Alex van d'r, die wil dat ze teruggaat naar Gap. Hij zegt dat-ie dat gedoe met Guitou wel samen met jou uitzoekt. Dat 't geen zin heeft dat ze in Marseille blijft plakken.'

'Tja', zei ik nadenkend. 'Misschien weet hij het, heeft hij de krant gelezen. En wil hij haar ontzien. Ik weet 't niet. Ik ken die man niet.'

Ze keek me lang aan. Er werd wat afgezwoegd in dat hoofd. Tot besluit trok ze nog eens aan haar rok.

'Zeg, denk je dat 't een goeie man is? Voor haar, bedoel ik.'

'Ze zijn al tien jaar samen, Honorine. Hij heeft de kinderen opgevoed…'

'Een goeie man, voor mij…' Ze dacht na. 'Goed, hij heeft gebeld, da's waar. Maar… misschien ben ik ouderwets, maar toch, ik weet 't niet hoor, hij had toch hier kunnen komen? Zich voorstellen? Dat zeg ik heus niet om mij. Maar tegenover jou. We weten niet eens hoe ie eruit ziet.'

'Hij kwam uit Gap, Honorine. En dan thuiskomen na een paar dagen van afwezigheid en de verdwijning van Guitou ontdekken… Hij vond het natuurlijk het belangrijkste om Gélou terug te zien. De rest…'

'Hm', deed ze, niet overtuigd. 'Toch is het raar…'

'Je ziet overal spoken. En die zijn er al genoeg, dacht je niet? En verder…' Ik zocht naar argumenten. 'Hij wil samen met mij uitzoeken wat we moeten doen, zei hij toch? Nou dan. En wat zegt Gélou ervan?'

'Ze wil niet naar huis. Ze is bang, het arme kind. Helemaal uit haar doen. Ze zegt dat ze er helemaal draaierig van wordt in haar hoofd. Ik denk dat ze het ergste begint te vrezen.'

'Dat ergste van haar zal nog ver bezijden de werkelijkheid blijken te zijn.'

'Daarom heeft ze gebeld. Om er met jou over te praten. Om te weten, begrijp je. Ze wil dat je haar geruststelt. Als jij tegen haar zegt dat ze naar huis moet gaan, nou, dan doet ze dat… Je kunt de waarheid niet lang voor haar verborgen houden.'

'Dat weet ik.'

De telefoon rinkelde.

'Als je 't over de duvel hebt…' zei Honorine.

Maar het was Gélou niet.

'Loubet hier.'

Zijn stem beloofde niet veel goeds.

'Hé! Heb je nieuws?'

'Waar was je vannacht tussen twaalf en vier uur?'

'Hoezo?'

'Montale, ik ben degene die de vragen stelt. En het is in je eigen belang om één, te antwoorden, en twee, me niet te beduvelen. Dat zou echt beter voor je zijn. Ik luister.'

'Thuis.'

'Alleen?'

'Wat is er aan de hand, Loubet?'

'Geef antwoord, Montale. Alleen?'

'Nee. Met een vrouw.'

'Je weet hoe ze heet, hoop ik?'

'Dat kan ik niet zeggen, Loubet. Ze is getrouwd en…'

'Bedenk dat van tevoren, als je een vrouw wilt versieren. Daarna is het te laat, imbeciel!'

'Loubet, verdomme! wat voor stuk speel je? De negende?'

'Luister goed, Montale. Ik kan je een misdrijf in je maag splitsen. Jou, en niemand anders. Snap je? Zeg maar waar je opgehaald wil worden. Met sirenes en de hele rimram. Vertel me haar naam. En of er getuigen zijn die jullie samen hebben gezien. Ervoor, erna. Ik kijk of het klopt, hang op en jij meldt je binnen het eerstvolgende kwartier. Ben ik duidelijk?'

'De vrouw van Adrien Fabre. Cûc.'

En ik vertelde hem de details. De avond. De plaatsen. En de nacht. Nou ja, min of meer. De rest mocht hij zelf bedenken.

'Uitstekend', zei hij. Zijn stem klonk minder hard. 'De verklaring van Cûc komt overeen met de jouwe. We hoeven alleen de taxi nog na te gaan. En dan is het in orde. Vooruit, kom hierheen. Adrien Fabre is vannacht doodgeschoten, op de Boulevard des Dames. Tussen twee en vier uur. Drie kogels in zijn hoofd.'

Het werd tijd dat ik uit mijn coma kwam.

Kom er maar eens achter waarom er van die dagen zijn waarop alles verkeerd loopt. Op Le Rond-Point du Prado, waar David – een replica van Michelangelo – in al zijn naaktheid tegenover de zee staat, was zojuist een ongeluk gebeurd. We werden omgeleid via de Avenue du Prado en het centrum. Op de kruising Prado-Michelet stond het stil tot aan La Place Castellane. Ik ging naar rechts, over de Boulevard Rabatau en vervolgens, uit kwaaiigheid, over de Rocade du Jarret. Zo kon je weer bij de haven komen: door om het centrum heen te rijden. Deze rondweg die over een kleine waterloop ligt die op de riolering is aangesloten, is een van de lelijkste verkeersaders van Marseille.

Toen ik Les Chartreux voorbij was en het bord 'Malpassé-Le Rose-Le Merlan' zag, kreeg ik ineens een ingeving waar Pavie zou kunnen zijn.

Ik aarzelde geen seconde. Zonder mijn richtingaanwijzer aan te doen. Achter mij werd geclaxonneerd. Loubet moest maar wachten, dacht ik bij mezelf. Alleen daar had ze met de auto naartoe kunnen gaan. Naar Arno. Naar dat krot waar ze gelukkig was geweest. Rechtstreeks in de klauwen van Saadna. Daar had ik verdomme eerder aan moeten denken. Wat een onnozele hals was ik ook.

Ik nam de kortste weg, dwars door Saint-Jerôme met zijn kleine villa's, waar veel Armeniërs woonden. Ik reed langs de faculteit natuurwetenschappen en techniek en kwam uit op de Traverse des Pâquerettes. Precies boven de autosloop van Saadna. Net als de vorige keer.

Ik parkeerde in de Rue du Muret, langs het Canal de Provence en liet me vervolgens naar beneden glijden tot bij Arno. Nog lager, bij de sloop, hoorde ik de transistor van Saadna brullen. Het stonk naar rubber. Zwarte rook steeg op naar de hemel. Die knurft verbrandde nog steeds zijn ouwe banden. Er waren petities geweest, maar daar had hij maling aan, onze Saadna. En dan te bedenken dat zelfs de politie bang voor hem was.

De deur van Arno's huis stond open. Een korte blik bevestigde mijn vrees. Lakens en dekens lagen in een kluwen door elkaar. Op de grond slingerden verschillende naalden. Waarom was ze verdomme niet naar Le Panier teruggegaan? Naar de familie van Randy. Die hadden wel geweten…

Zo onopvallend mogelijk liep ik in de richting van de autosloop. Geen Pavie te bekennen. Ik zag hoe Saadna nog meer banden in de blikken stopte waar hij ze in verbrandde. Daarna verdween hij. Ik deed nog een paar stappen om te proberen hem te verrassen. Achter mij hoorde ik zijn stiletto klikken.

'Ik voelde dat je hier was, klootzak! Lopen', zei hij, met het lemmet in mijn rug prikkend.

We gingen zijn huis binnen. Hij pakte zijn jachtgeweer en stopte er een patroon in. Daarna sloot hij de deur.

'Waar is ze?'

'Wie?'

'Pavie.'

Hij begon hard te lachen. Een alcoholstank van hier tot gunder.

'Had je ook zin om 'r te pakken? Dat verbaast me niks. Onder al die poeha van je ben je gewoon een ploert. Net als die vriend van je. Serge. Maar die zou Pavie niet aangeraakt hebben. Die lustte geen poesjes. Die had liever jongenskontjes.'

'Nog even en ik sla dat smoelwerk van je in elkaar, Saadna.'

'Denk dat maar niet', zei hij, met zijn geweer zwaaiend. 'Ga daar maar zitten.' Hij wees me een oude leren stoel van een lelijke kastanjebruine kleur, plakkerig. Je zakte erin weg als in een hoop stront. Bijna tot op de grond. Lastig om eruit te komen. 'Dat wist je niet, hè, Montale? Dat je vriend Serge de ergste soort flikker was die er bestaat. Een jongetjesneuker.'

Hij trok een stoel bij en ging zitten, op flinke afstand bij mij vandaan. Naast een formicatafel, waarop een fles rode wijn en een kleverig glas stonden. Hij schonk zijn glas vol.

'Wat is dat voor smeerlapperij waar je 't over hebt?'

'Ha! ha! Ik ben goed op de hoogte. Ik weet dingen. Wat dacht je? Dat-ie de buurt was uitgestuurd omdat jullie samen sjoemelden? De diender en de pastoor. M'n reet, ja!' Hij had dikke pret. Een lach met zwarte tanden. 'Er zijn klachten geweest. Van de ouders van de kleine José Esparagas bijvoorbeeld.'

Ik kon het niet geloven. José Esparagas was een schriel ventje. Enige zoon, moeder ongehuwd. Op school kreeg hij er van langs. Van iedereen. Altijd het mikpunt. Hij liet zich in elkaar timmeren. En afpersen vooral. Honderd piek hier, honderd piek daar. De dag dat ze hem vroegen duizend piek mee te brengen, probeerde hij zelfmoord te plegen. Het kind kon niet meer. De twee jongens die hem het geld lieten ophoesten, had ik in de bak gestopt. Serge had zich ermee bemoeid en het was hem gelukt José op een andere school te krijgen. Een paar maanden lang was Serge 's avonds naar hen toegegaan om José te helpen zijn achterstand op school in te halen. José had zijn diploma gehaald.

'Praatjes. Maar nou weet ik nog steeds niet waar Pavie is.'

Hij schonk zich een glas rode wijn in en dronk het in één keer leeg.

'Jij loopt ook achter die kleine sloerie aan, da's waar ook. Jullie hebben mekaar net gemist, pas geleden. Jij ging weg, zij kwam. Je treft 't niet, hè? Maar ik was er wel. Ik ben er altijd. Wie me zoekt, die vindt me. Altijd tot uw dienst. Een gedienstig type, dat ben ik. Hulpvaardig.'

'Maak 't kort.'

'Je zal 't niet geloven. Ze heeft je gezien toen je naar Serge toe rende, toen ze hem neergeknald hebben. Maar toen de politie kwam, kreeg ze de zenuwen. Dus is ze 'm snel gesmeerd. Ze was helemaal van de kaart. Ze bleef maar rondrijen in die auto. Daarna is ze hierheen gekomen. Ze wist zeker dat je zou komen. Dat je absoluut zou bedenken dat ze hier was. Ik heb haar laten praten. Daar had ik lol in. Maar toen ze je voor Zorro hield, kreeg ik er schoon genoeg van. Dus toen heb ik 't gezegd. Dat je net weg was. Dat je er als een haas vandoor was gegaan, vanwege dit.' Hij liet het geweer zien. 'En dat je niet van plan was terug te komen. Als je haar kop had gezien!

Met hangende armen stond ze voor me, die brave Pavie. Voor mij. En niet verwaand, zoals toen ze met Arno was. Dat je haar kont kon zien, maar d'r niet aan mocht komen. Maar nou wou ze best, hoor. Als ik een shot voor d'r had. Ik ben een dienstbaar type, zei ik al. Eén telefoontje was genoeg. Geld heb ik zat. Dus kon ik 'r van dope voorzien zoveel ze wou.'

'Waar is ze', schreeuwde ik, want de angst vloog me naar de keel.

Hij goot nog een glas achterover.

'Ik heb 'r maar twee keer geneukt. Dat kostte wel wat. Maar 't was het toch waard. Ze is wel een beetje verlopen. Omdat ze zich laat naaien, snap je… Maar mooie tieten en een lief klein kontje. Dat had je wel lekker gevonden, denk ik zo. Je bent net zo'n ouwe smeerlap als ik. Rijen maar, ouwe jongen! zei ik tegen mezelf toen ik haar aan m'n paal reeg.'

Weer begon hij te schateren. Ik werd overmand door haatgevoelens. Aan alle kanten. Ik steunde op mijn voeten om bij de eerste gelegenheid op te kunnen springen.

'Verroer je niet, Montale', zei hij. 'Je bent een smeerlap zei ik al, dus ik hou je in de gaten. Als je ook maar een vin verroert, krijg je d'r een. Liefst in je ballen.'

'Waar is ze?' vroeg ik weer, zo rustig mogelijk.

'Je zult 't niet geloven, maar die trut was zo ontzettend ver-slaafd, dat ze een shot gezet heeft die 'r de zevende hemel in heeft geschoten. Ze moet gezweefd hebben als nooit eerder in dat verrotte leven van d'r. Wat een trut, nee echt! Ze had hier alles. Kost, inwoning. Alle mogelijke trips, op kosten van het huis. En mij steeds voor 't naaiwerk.'

'Ze verdroeg jou niet, stinkend stuk onderkruipsel. Zelfs knet-terstoned weet je waar de zwijnen zijn. Wat heb je met 'r gedaan, Saadna? Vertel op, godsodeju!'

Hij lachte. Een nerveuze lach, dit keer. Hij schonk een glas zurige wijn in en dronk het op. Naar buiten starend. Daarna wees hij met zijn hoofd naar het raam. We zagen de rook opstijgen, zwart, vettig. Ik kreeg een brok in mijn keel.

'Nee', zei ik zwak.

'Ja, wat had je dan gewild? Begraven op 't land? En d'r iedere avond een bosje bloemen brengen? Het was maar een slet hoor, die Pavie. Net goed genoeg om genaaid te worden. Ook een leven, niet?'

Ik sloot mijn ogen.

Pavie.

Ik brulde als een gek. De woede eruit gooiend die me had overspoeld. Alsof een gloeiend stuk ijzer zich in mijn hart boorde. Alle verschrikkelijke beelden die in mijn hoofd waren opgeslagen, trokken aan mijn ogen voorbij. De massagraven van Auschwitz. Van Hiroshima. Van Rwanda. Van Bosnië. Een doodskreet. De schreeuw van al het fascisme ter wereld.

Genoeg om het uit te kotsen.

En met gebogen hoofd sprong ik overeind.

Saadna wist niet wat hem overkwam. Als een cycloon kwam ik

bovenop hem terecht. De stoel viel om, en hij erbij. Het geweer glipte uit zijn handen. Ik pakte het bij de loop, tilde het op en sloeg met alle kracht die ik in me had op zijn knie.

Die ik hoorde breken. En dat luchtte me op.

Saadna schreeuwde zelfs niet. Hij was flauwgevallen.

16

Waarin we de koude as van de ellende
op onze weg vinden

Ik bracht Saadna bij met een emmer water.

'Rotzak', schold hij.

Maar hij was niet in staat iets te doen. Ik greep hem bij zijn nek en trok hem naar de stoel. Hij drukte zijn rug tegen een van de armleuningen. Hij stonk naar stront. Waarschijnlijk had hij in zijn broek gescheten. Met twee handen pakte ik het geweer op, bij de loop.

'Die manke poot van je stelde nog niks voor, Saadna. Je andere knie gaat er ook aan. Je zal nooit meer kunnen lopen. En ik denk dat ik ook je ellebogen gelijk maar zal breken. Veel meer dan 'n wrak zal d'r niet van je overblijven. Je zal alleen nog maar willen creperen.'

'Ik heb iets voor je.'

'Daar ben je te laat mee.'

'Iets wat ik in de auto van Serge heb gevonden. Toen ik 'm uit elkaar aan 't halen was.'

'Vertel op.'

'Als je niet meer slaat.'

Ik was niet in staat met evenveel geweld en haat op hem in te slaan als daarnet. Ik voelde me leeg. Alsof ik een levend lijk was. Er circuleerde niets meer in mijn lichaam. Behalve kots in plaats van bloed. Mijn hoofd tolde.

'Vertel op, en dan zien we wel verder.'

Zelfs mijn stem was de mijne niet meer.

Hij keek me aan en dacht dat hij me had weten te strikken.

Voor hem was het leven een en al trucs en gesjoemel. Hij lachte.

'Aan het reservewiel zat een schrift vastgetapet. In plastic. Mankeerde niks aan. Met een heleboel dingen erin geschreven die ik niet allemaal gelezen heb. Want het interesseert me geen zak wat die Arabieren uitvreten. De islam en zo. Voor mijn part kunnen ze allemaal doodvallen! Maar er zijn lijsten met namen en adressen. Van de ene wijk na de andere. Een soort netwerk, om zo te zeggen. Valse papieren. Poen. Dope. Wapens. Ik geef jou 't schrift en jij dondert hier op. Je vergeet alles. Vergeet mij. Zodat we niks meer met mekaar te maken hebben.'

Ik had dus gelijk gehad toen ik vermoedde dat er een boekje met aantekeningen was. Ik had geen idee wat hij uitspookte, maar ik kende Serge en hij was een nauwgezet mens. Wanneer we samenwerkten noteerde hij alles, elke dag weer.

'Nog praatjes ook! Of je vertelt me waar ik dat verdomde schrift kan vinden of ik ram je in elkaar.'

'Dat kan je geeneens, Montale, daar geloof ik geen bal van. Jij bent zo iemand die alleen kloten heeft als-ie stijf staat van de haatgevoelens. Maar koelbloedig iets uitvoeren, kun je niet. Hier, sla dan...'

Hij stak zijn been uit. Ik ontweek zijn blik.

'Waar is dat schrift?'

'Zweer 't. Op je ouwelui.'

'Wie zegt dat dat schrift me interesseert?'

'Kom op, zeg! Het is een compleet telefoonboek. Lees 't en doe er daarna mee wat je wil. Vreet 't op of verkoop 't. Ik zeg je, met dat schrift heb je ze allemaal in je zak. Met één bladzij al kun je ze laten dokken!'

'Waar is 't? Ik zweer dat ik daarna oprot.'

'Heb je een peuk?

Ik stak een sigaret aan en stopte die tussen zijn lippen. Hij keek me aan. Natuurlijk kon hij me niet helemaal vertrouwen. En ik wist niet zeker of ik hem niet in dat vat met banden wilde smijten.

'Nou?'

'In de la van de tafel.'

Het was een dik schrift. De bladzijden waren volgeschreven met het kleine en gedrongen handschrift van Serge. Ik las een willekeurige regel: 'De militanten maken tot op de bodem gebruik van het terrein van het welzijnswerk, dat de gemeente heeft veronachtzaamd. Zij lopen te koop met humanitaire doelen, zoals recreatie, bijlessen, of Arabische les...' En, een stukje verder: 'De doelstelling van deze agitatoren overstijgt ruimschoots de strijd tegen het drugsgebruik. Het past in het kader van een toekomstige stadsguerrilla.'

'Wat vind je d'r van?' vroeg Saadna.

Het tweede gedeelte van het schrift leek op een register. De eerste bladzijde begon met de volgende opmerking: 'De noordelijke wijken lopen over van jonge naffers die voor kamikaze willen spelen. Degenen door wie ze gemanipuleerd worden, zijn bekend bij de politie (zie Abdelkader). Boven hen staan anderen. Heel veel anderen.'

Eén naam slechts voor La Bigotte. Die van Redouane. Hier stond op schrift wat Mourad me had verteld. Met meer details. Alles wat Redouane niet aan zijn broer had verteld.

De twee voorsprekers van Redouane in de noordelijke wijken waren Nacer en een zekere Hamel. Volgens de beschrijving waren beide geharde militanten. Sinds 1993. Daarvoor zaten ze bij de ordedienst van de Islamitische Jongerenbeweging. Hamel was zelfs verantwoordelijk geweest voor de veiligheid bij de grote manifestatie ter ondersteuning van Bosnië, in La Plaine-Saint-Denis.

Een fragment uit het artikel van *Le Nouvel Observateur* refereerde aan die bijeenkomst: 'Op de tribune zit de cultureel attaché van de Iraanse ambassade en een Algerijn, Rachid Ben Aïssa geheten, intellectueel verwant aan de Algerijnse Broederschap in Frankrijk. In de jaren tachtig heeft hij talrijke conferenties geleid in het Iranees Islamitisch Centrum in de Rue Jean-Bart in Parijs. Hier zijn de meeste leden gerekruteerd van het terroristennetwerk dat geleid wordt door Fouad Ali Salah, die tot de aanslagen van 1986 in Parijs heeft aangezet.'

Voordat hij met 'de zevende internationale brigade van moslimbroeders' naar Sarajevo vertrok, had Redouane deelgenomen aan overlevingscursussen, aan de voet van de Mont Ventoux.

Ene Rachid (Rachid Ben Aïssa?, had Serge zich afgevraagd) houdt zich bezig met de organisatie en de huisvesting, in de vakantiehuisjes van het dorp Bédoin, aan de voet van de Mont Ventoux. 'Als men deze cursussen eenmaal heeft doorlopen,' lichtte hij toe, 'kun je niet meer terug. De rebellen worden bedreigd. Met foto's om het verhaal kracht bij te zetten, wordt het lot ter sprake gebracht dat voor verraders in Algerije is weggelegd. Foto's van mannen, bloedend als een rund.' Volgens hem volgden deze 'commandocursussen' elkaar op in een tempo van één per trimester.

'Een zekere Arroum heeft de jonge rekruten naar Bosnië vergezeld. Deze Arroum werd goed beschermd. Als lid van de Mowafaq Foundation, waarvan het hoofdkantoor zich in Zagreb bevindt, was hij voor elke missie naar Bosnië geaccrediteerd door het Hoge Commissariaat voor de vluchtelingen van de Verenigde Naties.' In de kantlijn had Serge geschreven: 'Arroum, gearresteerd op 28 maart.'

De gegevens over Redouane werden afgesloten met de conclusie: 'Heeft sinds zijn terugkeer alleen deelgenomen aan acties gericht tegen heroïnedealers. Nog niet betrouwbaar genoeg, zo lijkt het. Moet in het oog gehouden worden. Heeft geen enkel oriëntatiepunt meer. Staat onder strenge leiding van Nacer en Hamel. Harde jongens. Kan gevaarlijk worden.'

'Waar was Serge mee bezig? Een onderzoek?'

Saadna lachte honend.

'Had zich omgeschoold. Met een beetje dwang, maar... Hij werkte voor de RID, een regionale afdeling van de veiligheidsdienst.'

'Serge?!'

'Toen ze 'm de zak hebben gegeven, kreeg hij de RID op zijn

dak. Met een dik dossier vol getuigenissen van ouders. Klachten. Waarin stond dat hij jongetjes pakte.'

De smiechten, dacht ik. Zo gingen ze altijd te werk. Om in een netwerk te infiltreren, maakte niet uit wat voor een, waren ze tot alles in staat. Met name in het spelen met mensen. Boetvaardige boeven. Illegale Algerijnen...

'En toen?'

'Wat en toen? Ik weet niet of 't waar is, dat verhaal over die kinderen. Wat vaststaat is dat toen ze 's ochtends bij 'm binnenvielen met 't dossier en alles, hij in zijn nest lag met een andere poot. Die nog geen twintig was! Misschien nog geeneens meerderjarig, verdomme. Stel je voor, Montale! Het is walgelijk! Goed voor de bajes, was-ie. En vertel me niet dat-ie zich in Les Baumettes als 't ware iedere avond had kunnen laten naaien.'

Ik stond op en nam opnieuw het geweer in mijn handen.

'Nog zo'n opmerking en ik sla die andere knie van je aan gort.'

'Wat zal ik er nog van zeggen?' zei hij, zijn schouders ophalend. 'Gezien waar hij nu is.'

'Precies. Hoe weet je dat allemaal?'

'Van Dubbelkop. Wij kunnen best met mekaar overweg, hij en ik.'

'Heb jij 'm verteld dat Serge bij jou zat?'

Hij knikte.

'Niet iedereen was er even gelukkig mee dat Serge in de stront roerde. Dubbelkop zit niet achter die kerels aan die in het schrift staan. Die vegen de boel schoon, zegt-ie. De dealers en zo. Dat ruimt op. Dan gaan de statistieken naar beneden. En dat is alleen maar gunstig voor hem. Als die baarden eenmaal de baas zijn in Algerije, is 'r nog tijd genoeg om al dat bruine spul op de boot te zetten. Terug naar huis.'

'Wat weet die imbeciel ervan?'

'Zo denkt hij erover. En d'r zit wel wat in, vind ik.'

Ik zag het pamflet van het Front National, in de koran van Redouane, weer voor me.

'Ik snap 't.'

'D'r werd gezegd dat er 'n verklikster in de wijken rondliep. Dubbelkop vroeg me om 'm te tippen. Dat was niet zo moeilijk. Ze zat onder m'n neus…'

Een lol dat hij had!

Dubbelkop moet echt gedacht hebben dat ik niet goed snik was, op het bureau. Wat hem ongerust zal hebben gemaakt, is dat hij mij daar aantrof, in La Bigotte. Dat stond niet op het programma. Daar zou wel eens wat achter kunnen zitten, zal hij gedacht hebben. Serge en ik een team, net als vroeger.

Ineens begreep ik waarom ze geen ophef hadden gemaakt over de dood van Serge. Geen publiciteit voor een gozer van de inlichtingendienst die overhoop was geschoten. Geen opschudding.

'Heb je 't er met iemand over gehad, over 't schrift?'

'Ik heb pijn.'

Ik ging voor hem op mijn hurken zitten. Niet al te dichtbij. Niet omdat ik bang was dat hij bovenop me zou springen, maar vanwege de weerzinwekkende stank die van hem afkwam. Hij sloot zijn ogen. Natuurlijk begon het zeer te doen. Zachtjes drukte ik met de kolf tegen zijn gebroken knie. Van pijn opende hij zijn ogen. Ik zag de haat in zijn ogen voorbijtrekken.

'Wie heb je 't verteld, vuile smeerlap?'

'Alleen aan Dubbelkop, dat-ie de jackpot kon binnenhalen. Ene Boudjema Ressaf. Een kerel die in 1992 Frankrijk is uitgezet. Een militant van de Gewapende Islamitische Groep. Serge had hem opgespoord. In het Plan d'Aou. Dat staat in het schrift. Waar hij woont en alles.'

'Heb je hem van 't schrift verteld?'

Hij boog zijn hoofd.

'Ik heb 't verteld, ja.'

'Hij heeft je in de tang, hè?'

'Hm.'

'Wanneer heb je 'm gebeld?'

'Twee uur geleden.'

Ik stond op.

'Het verbaast me dat je nog leeft.'

'Wat?'

'Als Dubbelkop niet achter de baarden aanzit, dan komt dat omdat-ie zaken met ze doet, stommeling. Dat heb je me zelf net uitgelegd.'

'Denk je dat?' stamelde hij, flink in de rats zittend nu. 'Geef me alsjeblieft wat te drinken.'

Verdomme, dacht ik bij mezelf, zo dadelijk schijt hij zichzelf nog een keer onder. Ik vulde het glas met zijn walgelijke wijn en gaf het hem. Het werd hoog tijd dat ik maakte dat ik hier wegkwam.

Ik keek naar Saadna. Ik wist zelfs niet zeker of je hem wel in de categorie menselijke soort kon onderbrengen. Als een zoutzak zittend in zijn stoel, in elkaar gedoken, leek hij op een steenpuist vol pus. Saadna begreep mijn blik.

'Montale, luister 's, je... Je gaat me toch niet doodschieten?'

We hoorden het geluid op hetzelfde moment. Het geluid van brekend glas. Vlammen schoten op uit een hoop oud roest, aan de rechterkant. Er ontplofte nog een fles. Molotovcocktails! Het tuig. Ik hurkte neer en ging met het geweer in mijn hand naar het raam.

Ik zag Redouane naar de sloop rennen. Nacer zou wel in de buurt zijn. En die ander, Hamel, was die er ook? Ik had niet veel zin om in dit rattenhol te creperen.

Saadna ook niet. Kermend kroop hij naar me toe. Grote zweetdruppels dropen van hem af. Hij stonk naar de dood. Naar stront en naar de dood. Alles waaruit zijn leven had bestaan.

'Red me, Montale. Ik heb geld genoeg.'

En de klootzak begon te janken.

Met een steekvlam vloog de schroothoop in de hens. Toen zag ik Nacer aankomen. Met een sprong was ik bij de voordeur. Ik laadde het geweer. Maar Nacer nam niet de moeite binnen te komen. Met kracht slingerde hij een van die verdomde flessen door het open raam. Hij brak achterin het vertrek. Precies waar Saadna een paar minuten eerder nog had gezeten.

'Montale', schreeuwde hij. 'Laat me niet achter.'

Het vuur bereikte zijn krot. Ik vloog naar de tafel om het schrift van Serge te grijpen en stopte het onder mijn overhemd. Ik ging terug naar de deur die ik voorzichtig opende. Maar ik verwachtte niet dat er op me geschoten zou worden. Naar alle waarschijnlijkheid waren Redouane en Nacer al ver weg.

De hitte greep me bij de keel. Buiten hing een weerzinwekkende brandlucht. Er klonk een explosie. Benzine waarschijnlijk. Het zou aan alle kanten gaan knallen.

Saadna had zich tot bij de deur gesleept. Als een worm. Hij greep me bij een enkel. Met onverwachte kracht klemde hij zijn beide handen eromheen. Het leek of zijn ogen uit zijn hoofd kwamen zetten.

Hij werd gek. Van angst.

'Haal me eruit!'

'Je gaat creperen!' Ik greep hem woest bij zijn haar en dwong hem zijn hoofd op te heffen. 'Kijk! Het is de hel. De echte. Die van ongedierte zoals jij! Je verdiende loon voor dat vuile stinkleven van je. Denk aan Pavie.'

En met de kolf gaf ik hem een harde slag op zijn pols. Hij brulde het uit en liet mijn enkel los. Ik sprong op en liep om het huis heen. Het vuur breidde zich uit. Ik wierp het geweer zo ver mogelijk in de vlammen en rende weg zonder halt te houden.

Ik bereikte het kanaal precies op tijd om Saadna's krot in vlammen op te zien gaan. Ik geloof dat ik hem hoorde schreeuwen. Maar zijn gebrul klonk alleen in mijn hoofd. Zoals in het vliegtuig, na de landing, als je oren nog suizen. Saadna stond in brand en zijn dood verbrijzelde mijn trommelvlies. Maar ik voelde geen wroeging.

Er volgde nog een explosie. Een brandende den viel krakend op de barak van Arno. Zo, dacht ik, het is voorbij. Dit alles is bijna verleden tijd. Met de grond gelijk gemaakt. Over één of twee jaar liggen hier Provençaalse percelen in de plaats van de autosloop. Tot grote vreugde van iedereen. Blij met hun kavel, komen jonge mensen uit het middenkader er wonen. Ze zullen snel kinderen maken. En tot ver na het jaar 2000 zullen ze een gelukkig leven leiden. Op de koudgeworden as van de ellende van Arno en Pavie.

Toen de eerste sirenes van de brandweer klonken, reed ik weg.

17

Waarin het soms beter is zo min mogelijk te zeggen

Loubet ging natuurlijk als een razende tekeer. Hij zat al uren op me te wachten. En bovendien had Cûc hem verteld dat hij Mathias niet zou kunnen ontmoeten. Ze wist niet waar hij was.

'Ze denkt zeker dat ik gek ben, of zo!' Omdat ik niet wist of het een vraag was of een bewering, hield ik mijn mond. Hij ging verder. 'Nu jij op intieme voet staat met de dame in kwestie, ga jij haar vertellen dat ze d'r zoon moet vinden. En gauw ook.'

Vanaf de plek waar ik was, zag ik een dikke zwarte rookwolk opstijgen uit de schroothoop van Saadna. Van alle kanten kwamen brandweerauto's aanrijden. Ik had precies zo gereden, dat ik niet vast was komen te staan. In het gehucht Four de Buze was ik bij een telefooncel gestopt.

'Geef me nog een uurtje', vroeg ik.

'Wat!'

'Eén uur nog.'

Opnieuw ging hij tekeer. Hij had gelijk, maar het was vermoeiend. Ik wachtte. Zonder te luisteren. Zonder een woord te zeggen.

'Hé! Montale, ben je d'r nog?'

'Wil je iets voor me doen? Bel me over een kwartier. Op het bureau van Pertin.'

'Wacht even. Leg dat 'ns uit.'

'Niet de moeite. Bel. Dan weet je zeker dat ik bij je kom. Levend, bedoel ik.'

En ik hing op.

Hoe minder je zegt, hoe beter het soms is. Voor het ogenblik voelde ik me als een houten paard in een draaimolen. Eindeloos rondjes draaiend. Ik ging niemand voorbij. En niemand kwam mij voorbij. We kwamen steeds weer op hetzelfde punt terug. Bij die verdomde verdorvenheid van de menselijke soort.

Ik belde Gélou.

'Kamer 406, alstublieft.'

'Momentje graag.' Stilte. 'Het spijt me meneer, de heer en mevrouw Narni zijn uitgegaan. De sleutel hangt aan het bord.'

'Is er een boodschap voor mij? Montale. Fabio Montale.'

'Nee, meneer. Wilt u een boodschap achterlaten?'

'Zeg maar dat ik om een uur of twee, half drie terugbel.'

Narni. Oké, dacht ik. Niet alles was verloren deze ochtend. Ik kende de naam van Alexandre. En daar schoot ik heel wat mee op!

Het eerste wat ik zag toen ik het politiebureau binnenstapte, was een affiche dat opriep om op het Front National van de politie te stemmen bij de vakbondsverkiezingen. Alsof *Solidarité Police* nog niet genoeg was.

'Op het gebied van ordehandhaving', begon een pamflet dat met punaises op het affiche was geprikt, 'zijn wij getuige van een algemene laksheid van het gezag dat opdraagt confrontaties zoveel mogelijk uit de weg te gaan en bevelen te geven die veel te angstvallig zijn.

Dat gedrag heeft bijgedragen aan een gebrek aan efficiëntie en aan een ontelbare hoeveelheid gewonden in onze rangen ten gunste van geboefte dat hun prooi voor het uitzoeken heeft.

Deze nihilistische tendens die in onze dienst heerst, moet worden gekeerd. De angst moet naar het andere kamp verhuizen. Temeer daar onze tegenstanders in de strijd geen *goede mensen* zijn, maar gespuis dat eropuit is "agentjes te mollen". Geef ons de middelen om te slachten in plaats van geslacht te worden.'

Voor serieuze informatie kon je toch nergens zo goed terecht als op het politiebureau. Het was beter dan het nieuws van acht uur!

'Dat hangt er net', zei Babar achter mij.

'Was je alvast maar met pensioen, hè?'

'Je zegt 't. Het voelt niet goed, dat soort dingen.'

'Is hij er?'

'Dat wel. Maar hij heeft last van z'n aambeien, zal ik maar zeggen. Hij blijft geen ogenblik op z'n stoel zitten.'

Ik ging binnen zonder kloppen.

'Geneer je vooral niet!' gromde Pertin.

Wat ik ook niet deed. Ik ging zitten en stak een sigaret op. Hij liep rond het bureau, zette zijn handen er plat op en boog zich met een hoogrode kleur naar me over.

'Wat verschaft me de eer?'

'Ik heb iets stoms gedaan, Pertin. De vorige keer. Weet je wel, toen ze Serge hebben neergeknald. Bij nader inzien wil ik mijn verklaring toch tekenen.'

Hij ging rechtop staan, onthutst.

'Geen gelazer, Montale. Van een zaak met een pedofiel krijg je geen opschudding. We hoeven ons alleen serieus bezig te houden met die bruinen en die apen. Zet 't maar uit je hoofd! Dat schoelje, je zou zweren dat ze de rechters pijpen. 's Ochtends pak je d'r een op en 's avonds loopt-ie al weer vrij rond... Wegwezen dus, hier!'

'Ja, zie je, het punt is dat ik bij mezelf dacht dat het misschien niet om een uit de hand gelopen zaak met een flikker ging. Dat de dood van Serge eerder iets met islamieten te maken heeft. Denk je ook niet?'

'En wat zou hij dan met hen te maken gehad hebben?' vroeg hij onschuldig.

'Dat weet je vast wel, Pertin. Er ontgaat jou niets. En je bent een politieman die verdraaid goed is geïnformeerd. Niet dan?'

'Voor de draad ermee, Montale.'

'Oké. Ik zal 't je uitleggen.'

Hij ging zitten, deed zijn armen over elkaar en wachtte af. Ik zou graag hebben geweten wat hij dacht achter die Ray-Banglazen van 'm. Maar ik durfde er wel honderd piek onder te verwedden dat hij stierf van verlangen om me een dreun tegen mijn harses te verkopen.

Ik diste een verhaal op dat ik maar half geloofde. Maar een aannemelijk verhaal. Serge was 'in dienst genomen' door de RID. Omdat hij pedofiel was. Tenminste, dat hadden ze hem in de schoenen weten te schuiven.

'Interessant.'

'Maar het wordt nog beter, Pertin. Iemand heeft je verteld dat de inlichtingendienst een homo de wijk in had gestuurd. Om eventuele netwerken als die van de terrorist Kelkal op te rollen. Daar kon je geen gekheid meer mee maken, want ze ontstonden zo'n beetje overal, in Parijs en in Lyon. Maar een paar maanden geleden kwam je er pas achter wie Serge was. Toen hij 'ontspoorde' en de inlichtingendienst hem uit het oog verloor. Niemand wist meer waar hij woonde. Ik stel me het gedonder al voor.'

Ik stopte even. Om mijn gedachten te ordenen. Want dat was wat ik dacht. Pedofiel of niet, de kinderen van de probleemwijken waren Serges leven. Hij kon niet zomaar van de één op de andere dag veranderen. Een verrader worden. De jongens 'bij wijze van ommezwaai' op de verdachtenlijst zetten. Alle Kelkals in de dop, en die lijst vervolgens overdragen aan de politie. Die ze, bij gelegenheid – de meest mediagevoelige vanzelfsprekend – alleen nog maar 's ochtends in alle vroegte hoefde op te pakken.

Er waren al een aantal mooie vangsten gedaan. In Parijs, in de buitenwijken van Lyon. En ook een paar arrestaties in Marseille. Bij de haven. En op de Cours Belsunce. Maar nog niets serieus. De netwerken waar de terroristen op leunden, in de noordelijke wijken, bleven onaangetast. Het lekkerste werd natuurlijk voor het laatst bewaard.

Ik wist het zeker. Serge zou zoiets nooit gedaan hebben. Zelfs niet om een proces te ontlopen, de gevangenis. De schaamte. Elke naam die aan de politie werd doorgegeven, was als het aanbieden van een schietschijf. Steeds weer hetzelfde verhaal, dat hij uit zijn hoofd kende. De hoge pieten, de bazen, de opdrachtgevers ontsprongen altijd de dans. De kleintjes kregen levenslang. Als ze geen kogel door hun hoofd kregen, tenminste.

De stilte was om te snijden. Een vettige stilte. Verrot. Pertin had niet geprotesteerd. Hij moest hard bezig zijn met nadenken. Ik had de telefoon diverse malen horen overgaan. Hij had geen enkel bericht door gekregen. Loubet was me vergeten. Of hij was werkelijk razend op me. Nu ik hier was, kon ik alleen maar verder gaan.

'Zal ik doorgaan?' vroeg ik.

'Ik hang aan je lippen.'

Ik ging verder met mijn uitleg. Mijn kijk op de zaak benaderde de werkelijkheid, vermoedde ik. Een waarheid waar ik me aan vastklampte.

Serge had het bestaan te doen wat niemand anders tot nog toe had aangedurfd. Naar de jongeren gaan die hij had herkend en met ze gaan praten. Vervolgens de ouders, broers en zusters ontmoeten. En tegelijkertijd de boodschap doorgeven aan de andere kinderen. Zodat ze zich ermee zouden bemoeien. Zodat iedereen in de wijken zich ermee zou bemoeien. Net als Anselme. Het *chourmo*-idee.

Op die manier had Serge jarenlang gewerkt. Het was een uitstekende methode. Doeltreffend. Die goede resultaten had opgeleverd. De jongeren die voor de baarden werkten, waren niemand anders dan de crimineeltjes met wie hij al sinds jaar en dag contact had. Dezelfden, inderdaad. Maar gehard door de gevangenis. Agressiever ook. En high van de koran die bevrijdde. Fanatici. Zoals hun werkloze broeders in de buitenwijken van Algerije.

In de probleemwijken kende iedereen Serge. Er werd naar hem geluisterd. De mensen hadden vertrouwen in hem. Het was zoals Anselme zei: 'Hij was een goeie vent.' Hij had de beste argumenten, want met veel geduld had hij het systeem om jonge naffers te rekruteren, ontmanteld. De oorlog tegen de dealers, bijvoorbeeld. Ze waren verdreven uit het Plan d'Aou en ook uit La Savine. Iedereen had gejuicht. De burgemeester, de kranten. 'Dat zijn goeie jongeren daar...' Zoals ze 'goeie wilden' zouden zeggen. De heroïnehandel was echter niet verdwenen. Die had zich verplaatst. Naar het centrum van de stad. En had zich gereorganiseerd. De rest, het kruidenspul, was gebleven. Een jointje, een gebedje, dat alles bleef in de lijn van Allah.

De dealers werden nu gecontroleerd door dezelfden die de jongeren aanspoorden ze te bestrijden. In het schrift van Serge had ik gelezen dat een van de gebedsplaatsen – de achterkamer van een stoffenwinkel, vlak bij La Place d'Aix – diende als ontmoetingsplaats voor de dealers. Degenen die de noordelijke wijken bevoorraadden. De eigenaar van de winkel was niemand anders dan de oom van Nacer. De genoemde Abdelkader.

'Waar wil je heen?' vroeg Pertin ten slotte.

'Hierheen', zei ik met een glimlach. Eindelijk beet hij in het aas. 'Om te beginnen dat de inlichtingendienst je verzocht heeft om Serge op te sporen. Maar dat had je al gedaan. Dankzij Saadna. En vervolgens om op de een of andere manier een eind te maken aan zijn streken. Hem overhoop te schieten, dus. En ten slotte, dat je me voor een debiel hield, door net te doen of je naar mijn verhaal luisterde. Omdat je het al van buiten kende. Of nagenoeg. En dat je het uitstekend speelt, vooral met een paar boeven die goed bijgeschoold zijn in de islam. Zoals Nacer en Hamel. Het lijkt me dat je vergeten bent die twee voor de rechter te slepen. Misschien pijpen ze jóu dus wel!'

'Nog even en ik sla je in mekaar.'

'Nou, Pertin, je had voor de verandering kunnen zeggen dat ik niet zo stom ben als ik eruit zie.'

Handenwrijvend stond hij op.

'Carli!' schreeuwde hij.

Dit werd mijn feestje. Carli kwam binnen en keek me vuil aan. 'Ja?'

'Mooie dag vandaag, niet? Als we 'ns een luchtje gingen scheppen. In de buurt van de steengroeve. We hebben een gast. De koning der idioten in eigen persoon.'

In het kantoor rinkelde de telefoon. Vervolgens op het bureau van Pertin.

'Hallo', zei Pertin. 'Met wie spreek ik?' Stilte. 'Goeiedag. Ja, dat kan.' Hij keek naar mij, naar Carli en liet zich toen meer in zijn stoel vallen dan dat hij erop ging zitten. 'Ja, ja. Ik geef 'm. Het is voor jou', zei hij koel, me de hoorn aanreikend.

'Ik was bijna klaar, beste jongen', zei ik tegen Loubet, die me vroeg wat ik uitspookte met die zakkenwasser. 'Wat? Goed... Laten we zeggen... Wacht. Wij zijn uitgepraat?' vroeg ik Pertin ironisch. 'Of staat dat bezoek aan de groeve nog?' Hij antwoordde niet. 'Oké, een halfuur.' Ik wilde net ophangen, maar het leek me goed er nog iets aan toe te voegen. Om Pertin te overdonderen. 'Ja, klopt, een zekere Boudjema Ressaf, en als je toch bezig bent, kijk even wat er is over ene Narni. Alexandre Narni. Oké. Ik leg 't later wel uit, Loubet.'

Hij had opgehangen. Abrupt. Ik was een lastpak, had hij precies daarvoor gezegd. Hij zou wel gelijk hebben.

Ik stond op. Ik had mijn goeie humeur weer terug. Dat voorkomt dat je jezelf bezoedelt door in het smoelwerk van schorriemorrie te spugen.

'Laat ons alleen', snauwde hij tegen Carli.

'Wat is dat voor poppenkast?' blafte hij toen de ander weg was.

'Een poppenkast zeg je? Ik heb helemaal geen pop gezien.'

'Hou op met de slimme jongen uit te hangen, Montale. Dat is je stijl niet. En Loubet is niet kogelbestendig.'

'Dat zul je toch zeker niet proberen, Pertin? Dat vuurtje stoken bij Saadna vanochtend was al niet zo'n goed idee, als je 't mij vraagt. Vooral niet omdat die twee snotapen – je weet wie ik bedoel? – nou, omdat die niet eens de tijd hebben genomen te controleren of Saadna goed doorbakken was of niet. Niet dat ik een traan om 'm zal laten.'

Dit keer kwam de klap aan. Het is als met tonijn. Er komt een moment dat ze verzwakken. Tot dan moet je vasthouden. Om opnieuw aan te slaan.

'Wat weet je daarvan?'

'Ik was er, weet je. Hij heeft je gebeld om je de informatie over Boudjema Ressaf door te geven. Hij dacht dat het een kanjer van een tip was, dat je 'm zou behangen met papiergeld. Ik kan je zelfs vertellen wie je direct daarna hebt gebeld.'

'Zal best….'

Ik blufte, maar net aan. Ik haalde het schrift te voorschijn.

'Hier staat alles in. Zie je, je hoeft 't alleen maar te lezen.' Op goed geluk opende ik het schrift. Abdelkader. De oom van Nacer. Een mijn, dit schrift. Ik ging zelfs zover te veronderstellen dat hij een zwarte BMW had, deze Abdelkader. Zo een als we die middag in La Bigotte hadden gezien. Er dermate van overtuigd dat hun niets zou kunnen gebeuren, dat ze gewoon de wagen van Abdelkader hadden gebruikt. Alsof ze naar een balletvoorstelling gingen! Behalve dat…

Pertin barstte in een zenuwachtig lachen uit, vervolgens trok hij het schrift uit mijn handen. Hij bladerde het door. Alleen maar witte bladzijden. Het andere schrift had ik in mijn auto verstopt en ik had het nieuwe gekocht voordat ik hierheen kwam. Het was nergens goed voor. Alleen maar het toefje op de slagroomtaart.

'Waardeloze klotehufter!'

'Ja, man! Je hebt verloren. Loubet heeft het origineel in handen.' Hij gooide het schrift op tafel. 'Ik zal je eens wat zeggen, Pertin. Het maakt bepaald geen goeie indruk als jij en je vrienden de andere kant opkijken als vastgelopen kinderen door een stel lamstralen worden gemanipuleerd om Frankrijk te vuur en te zwaard te verwoesten.'

'Waar heb je 't nu weer over?'

'Dat ik Saddam Hoessein nooit heb gemogen. Ik hou meer van moslims zonder baard, en van Marseille zonder jou. Aju, Dubbelkop. Het schrift mag je houden om je memoires in op te schrijven.'

Toen ik wegging, rukte ik het affiche en het pamflet van het Front National van de muur. Ik propte ze in elkaar tot een grote bal en schopte die in de richting van de vuilnisbak bij de ingang. Precies erin.

Babar floot vol bewondering.

18

Waarin je de waarheid niet kunt afdwingen

Het lukte me Loubet ervan te overtuigen naar L'Oursin te gaan, vlak bij Le Vieux-Port. Een van de beste plekken waar je van oesters, zee-egels, schelpen en zeevijgen kon genieten. Dat bestelde ik bij binnenkomst, met een fles witte wijn. Een cassis uit Fontcreuse. Hij was duidelijk slecht gehumeurd.

'Vertel het op je eigen manier', zei Loubet. 'Maar wel zo uitvoerig mogelijk. Akkoord? Ik mag je graag, Montale, maar nu ben je toch echt te ver gegaan.'

'Eén vraag, mag dat?' Hij lachte. 'Geloofde je werkelijk dat ik Fabre overhoop had geschoten?'

'Nee. Jij noch zij.'

'Waarom heb je dat nummer dan opgevoerd?'

'Voor haar, om haar schrik aan te jagen. Voor jou, zodat je zou stoppen met je onwijze gedrag.'

'Ben je opgeschoten?'

'Eén vraag, zei je. Dit is de derde. Begin dus maar. Maar vertel me eerst wat je bij Pertin moest.'

'Goed, dan begin ik daar. Maar het heeft niets met Guitou, Hocine Draoui, Fabre en zo te maken.'

Ik begon dus bij het begin. Bij mijn aankomst in La Bigotte, zonder de precieze reden aan te geven waarom ik daar was. Van de moord op Serge tot de dood van Saadna. En mijn gesprekje met Pertin.

'Serge', voegde ik eraan toe, 'was ongetwijfeld een homo, een pedofiel zelfs, waarom niet. Het zal me een zorg zijn. Hij was een eerlijk mens. Niet gewelddadig. Hij hield van mensen. Met de naïviteit van de gelovige. Een waarlijk geloof. In de mens, en in de hulp van God. De kinderen waren zijn leven.'

'Misschien hield hij een beetje te veel van ze, denk je niet?'

'En wat dan nog! Zelfs als het waar was. Bij hem waren ze niet het slechtst af.'

Met Serge was ik als met de mensen van wie ik hield. Ik vertrouwde ze. Ik kon wel erkennen dat ik bepaald gedrag van ze niet begreep. Het enige wat ik niet kon tolereren, was racisme. In mijn kinderjaren had ik die pijn van mijn vader meegemaakt: niet als een menselijk wezen beschouwd te worden, maar als een hond. Een kadehond. En hij was maar gewoon een Italiaan. Vrienden, moet ik toegeven, had ik niet meer bij de vleet.

Ik had geen zin om deze discussie over Serge verder voort te zetten. Ondanks alles zat het me niet lekker. Die bladzijde wilde ik omslaan. Me bepalen tot het verdriet. Serge. Pavie. Arno. Wederom een bladzijde van mijn leven om bij te zetten in de reeds lange rij verliezen.

Loubet bladerde door het schrift van Serge. Bij hem kon ik erop hopen dat alles wat zo zorgvuldig was opgeschreven niet onderin een la zou verdwijnen. Het belangrijkste niet, in ieder geval. En vooral dat Pertin er niet zonder kleerscheuren af zou komen. Hij was niet rechtstreeks verantwoordelijk voor Serges dood. Noch voor die van Pavie. Hij stond symbool voor het soort politie waar ik misselijk van word. Bij wie politieke ideeën en persoonlijke ambitie voorrang krijgen boven de republikeinse waarden: rechtvaardigheid, gelijkheid. Mensen als Pertin liepen er bij duizenden rond. Tot alles bereid. Als op een dag de buitenwijken exploderen, hebben we dat aan hen te danken. Aan hun minachting. Hun afkeer van vreemdelingen. Hun haat. En aan al die minderwaardige plannetjes van ze om op een dag een 'belangrijk politieman' te worden.

Pertin, die kende ik. Hij was geen anonieme diender voor mij. Hij had een gezicht. Hij was dik, had een rood hoofd. Ray-Bans, om zijn varkensoogjes achter te verbergen. Een arrogante lach. Ik wilde dat hij 'viel', deze Dubbelkop. Maar ik maakte me geen enkele illusie.

'Er is een mogelijkheid dat ik dit onderzoek kan heropenen', zei Loubet nadenkend. 'Als ik het in verband breng met het andere.'

'Maar er is toch geen verband?'

'Dat weet ik. Behalve als we de dood van Hocine Draoui in de schoenen schuiven van het FIS of de CIA. Ik ga me met die Abdelkader van jou bezighouden en zal de boel 'ns flink door elkaar schudden. Eens zien of Pertin overeind kan blijven.'

'Dat is wel vergezocht, vind je niet?'

'Luister, Montale. We nemen wat we krijgen kunnen. Je kunt de waarheid niet afdwingen. Deze waarheid gaat weer ten koste van een andere.'

'Maar de anderen. De echte moordenaars van Draoui en Guitou?'

'Maak je niet ongerust. Die krijg ik wel. Geloof me. Aan tijd hebben we nog het minst gebrek. Zullen we nog een dozijn oesters en zee-egels nemen?'

'Goed idee.'

'Heb je met haar geslapen?'

Iemand anders dan hem had ik geen antwoord gegeven. En zelfs hem niet, in andere omstandigheden. Maar nu, op dit ogenblik, was het een kwestie van vertrouwen. Van vriendschap.

'Nee.'

'Vind je dat jammer?'

'En hoe!'

'Wat heeft je tegengehouden?'

Loubet was onverslaanbaar in het afnemen van een verhoor. Altijd wist hij de juiste vraag te stellen om een verklaring boven tafel te krijgen.

'Cûc is een mannenverslindster. Omdat ze de man die ze heeft liefgehad, de eerste, de enige, de vader van Mathias, niet heeft kunnen houden. Hij is dood. En weet je, Loubet, als je één keer iets hebt verloren dan blijf je het voor eeuwig verliezen, zelfs als het volledig verdwenen is. Dat weet ik. Ik ben nooit in staat geweest de vrouwen die ik heb liefgehad, te behouden.'

'Heb je veel vrouwen verslonden?' vroeg hij glimlachend.

'Te veel, ongetwijfeld. Ik zal je een geheim vertellen, en daarna gaan we ons weer met de zaak bezighouden. Ik weet niet precies wat ik zoek, in vrouwen. En zolang ik niet weet wat ik nodig heb, bezeer ik ze alleen maar. De een na de ander. Ben jij getrouwd?'

'Ja. Twee kinderen. Jongens.'

'Ben je gelukkig?'

'Ik denk het wel, ja. Ik heb zelden de tijd om me dat af te vragen. Of ik neem die niet. Misschien omdat de vraag zich niet voordoet.'

Ik dronk mijn glas leeg en stak een sigaret op. Ik keek naar Loubet. Hij was een degelijk mens, betrouwbaar. Onbewogen, ook al was zijn werk niet altijd even plezierig. Een man van zekerheden. Mijn tegenpool.

'Zou jij met haar naar bed zijn gegaan?'

'Nee', zei hij lachend. 'Maar ik moet toegeven dat ze iets onweerstaanbaars heeft.'

'Draoui was niet tegen haar bestand. Zij had hem nodig. Zoals ze Fabre nodig had. Ze weet hoe je een man in moet palmen.'

'En had ze jou ook nodig?'

'Ze wilde dat Draoui haar hielp om Fabre te redden', vervolgde ik zonder op zijn vraag in te gaan.

Want het deed me pijn om ja te zeggen. Ja, ze had geprobeerd met me te spelen, zoals met Hocine Draoui. Ja, ik kon bruikbaar voor haar zijn. In mijn hoofd wilde ik liever blijven denken dat ze naar me verlangd had, zonder bijgedachten. Dat was beter voor mijn mannelijke trots. Ik was niet voor niets een latino!

'Denk je dat ze van haar man hield?' vroeg hij zonder een opmerking te maken over de impasse waar ik even in verzeild was geraakt.

'Ik heb geen idee of ze al dan niet van hem gehouden heeft. Zijzelf zegt van niet. Maar alles wat ze nu is, heeft ze aan hem te danken. Hij heeft haar een naam gegeven. Hij gaf haar de kans

Mathias op te voeden. En de middelen om er meer dan fatsoenlijk van te leven. Niet alle Vietnamese vluchtelingen hebben die kans gehad.'

'Je zei net dat ze Fabre wou redden. Redden waarvan?'

'Wacht even. Cûc is ook een vrouw die wil ondernemen, bouwen, winnen, slagen. Dat is de droom van iedereen die alles op een dag heeft verloren. Joden, Armeniërs, Franse Algerijnen, allemaal willen ze dat. Het zijn geen immigranten. Snap je? Een immigrant is iemand die niets heeft verloren, omdat er niets was waar hij vandaan kwam. Zijn enige motivatie is te overleven, een iets beter bestaan te krijgen.

Cûc wilde haar geluk in de mode beproeven. Fabre heeft geld voor haar gevonden. Veel geld. De middelen om haar merk in Frankrijk en Europa razendsnel bekendheid te geven. Ze had genoeg talent om de opdrachtgevers te overtuigen van de onderneming. Afgezien van het feit dat ze overal, of bijna overal, in geïnvesteerd zouden hebben. Het belangrijkste was dat het geld een bestemming kreeg. Een veilige.'

'Wil je zeggen dat het om zwart geld gaat?'

'De onderneming van Cûc is een naamloze vennootschap. Met als aandeelhouders Zwitserse, Panamese en Costaricaanse banken. Zij is er de directrice van, dat is alles. Zelfs de merknaam is niet van haar. Ze had het niet direct door. Totdat ze op een dag grote bestellingen binnenkreeg en haar man haar vertelde dat ze die niet hoefde te leveren. Ze hoefde ze alleen te factureren. En het bedrag moest op een andere rekening van de vennootschap worden overgeboekt dan op haar rekening-courant. Een Zwitserse bank waarvoor ze niet gemachtigd was. Snap je?'

'Als ik je goed begrijp, hebben we het over de maffia.'

'Dat is een naam die zoveel angst oproept dat ze die in Frankrijk nauwelijks durven uit te spreken. Waar draait de wereld op, Loubet? Op geld. En wie heeft daar het meeste van? De maffia. Weet je op welk bedrag de handel in verdovende middelen in de wereld wordt geschat? Op 1650 miljard franc per jaar. Dat is meer dan wat er aan olie omgaat in de wereld! Bijna het dubbele.'

Babette, mijn vriendin de journaliste, had me dat eens uitgelegd. Ze wist veel over de maffia. Sinds een paar maanden was ze in Italië. Samen met een journalist uit Rome was ze bezig aan een boek over de maffia in Frankrijk. 'Explosief', had ze al aangekondigd.

Volgens haar was het duidelijk dat er binnen twee jaar Italiaanse toestanden zouden zijn in Frankrijk. Zwart geld, waarvan de herkomst per definitie niet vermeld werd, was de meest gezochte waar van politici geworden. Zozeer zelfs, vertelde Babette me laatst aan de telefoon, 'dat we onmerkbaar van een politiek stelsel van het maffiose soort naar een maffioos systeem zijn afgegleden.'

'Had Fabre banden met de maffia?'

'Wie was Fabre? Daar heb je je toch een beetje verdiept, is 't niet?'

'Een architect, getalenteerd, nogal links, iemand die geslaagd is.'

'Bij wie alles geslaagd is, bedoel je. Cûc heeft me verteld dat zijn kantoor sterk wordt aanbevolen voor de aanleg van de Euromediterrane haven.'

De 'nieuwe situatie' moest Euromediterraan worden, zodat Marseille door zijn haven weer op de internationale kaart werd gezet. Ik betwijfelde het. Een plan dat in Brussel in het brein van een paar technocraten was geboren, kon niet als zorg de toekomst van Marseille in zich hebben. Wel het regelen van de havenactiviteiten. De kaarten in het mediterrane gebied tussen Genua en Barcelona te herverdelen. De Europese havens van de toekomst waren Antwerpen en Rotterdam echter al.

Zoals altijd werden we bedonderd. De enige toekomst die ze voor Marseille hadden uitgestippeld, was de grootste haven voor fruit in het Middellandse-Zeegebied te worden. En internationale cruiseschepen te ontvangen. Daarnaar lonkte het huidige project in hoofdzaak. Op de honderdtien hectaren van het oostelijk bassin van de haven was een gigantische scheepswerf in aanbouw.

Zakenkwartier, internationaal handelscentrum, teleport, universiteit voor toerisme... Manna voor de bouwondernemingen en openbare werken.

'Een goudmijn voor Fabre! Dat is weer een andere beerput dan die van Serge en de baarden.'

'Nauwelijks. Het is een andere zaak, dat is alles. Die net zo erg stinkt. Ik zal je wat vertellen, tussen de papieren van Serge heb ik documenten gevonden van de FAIS, die Algerijnse bond van artiesten, intellectuelen en wetenschappers. Je zei dat Draoui daarbij hoorde. Voor hen is Algerije in hetzelfde politiek-maffiose systeem terechtgekomen als wij. De oorlog die het FIS daarginds voert om de macht is geen heilige oorlog. Het is gewoon een strijd om de koek te verdelen. Daar is Boudiaf om vermoord. Omdat hij de enige was die dat luid en duidelijk verkondigde.'

'Pak aan', zei hij, terwijl hij onze glazen vulde. 'Dat hebben we nodig.'

'In Rusland is het precies hetzelfde, weet je. Van die kant hebben we niets te verwachten. We zullen eraan kapot gaan. Proost!' zei ik, mijn glas heffend.

Met het glas in de hand bleven we een ogenblik zwijgend zitten. Verloren in onze gedachten. De komst van de tweede schaal schelpdieren verloste ons daaruit.

'Je bent een vreemde vent, Montale. Ik heb de indruk dat er iets van een zandloper in jou zit. Als het zand helemaal is doorgelopen, is er altijd wel iemand die de loper om komt draaien. Cûc moet een duivelse uitwerking op je gehad hebben!'

Ik lachte. Dat beeld van die zandloper beviel me wel. De tijd die voorbij gaat. In dat tijdsverloop leefde je je leven. Totdat niemand de loper meer om kwam draaien. Omdat ze geen zin meer hadden om te leven.

'Cûc heeft de loper niet omgedraaid. Dat was de dood. De nabijheid van de dood. Overal om ons heen. Ik geloof nog in het leven.'

Dit gesprek voerde me te ver. Naar waar ik normaal gesproken weigerde heen te gaan. Hoe meer de tijd verstreek, hoe minder redenen ik vond voor het bestaan. Dus hield ik me liever bij simpele zaken. Zoals eten en drinken. En gaan vissen.

'Om op Cûc terug te komen,' nam ik het gesprek weer op, 'zij heeft de zaken alleen in beweging gezet. Door te verlangen dat Fabre met zijn maffiose vriendjes brak. Ze is in zijn zaken gaan snuffelen. De contracten. De lieden die hij ontmoette. Ze begon in paniek te raken, en voelde zich vooral bedreigd. In wat ze ondernomen had. De doelen die ze zich gesteld had, op een nacht in een armoedige tweekamerwoning in Le Havre. Een bedreiging van haar leven, en haar leven is Mathias. De vrucht van haar verloren liefde. Omgebracht door het geweld, de haat, de oorlog.

Ze heeft Fabre gesmeekt te stoppen. Te vertrekken. Naar Vietnam. Zij drieën. Om een nieuw leven te beginnen. Maar Fabre was met handen en voeten gebonden. Het klassieke verhaal. Net als sommige politici. Ze doen alles om een belangrijke positie te verwerven. Als ze bovenaan de ladder staan, zullen ze genoeg macht hebben om schoonmaak te houden. Denken ze. Voorbij met de slechte gewoontes, de slechte vrienden. Maar nee. Dat blijkt onmogelijk. Bij de eerste envelop ben je dood. Bij de eerste wurggreep zelfs al.

Fabre kon er geen streep onder zetten. Ciao, jongens. Bedankt. Hij wilde niet opgesloten worden. In de bak terechtkomen, zoals tegenwoordig nogal 'ns gebeurt. Hij begon woedeaanvallen te krijgen, te drinken en onuitstaanbaar te worden. 's Avonds kwam hij steeds later thuis. Soms kwam hij helemaal niet thuis. Alleen daarom heeft Cûc Hocine Draoui verleid. Om haar man te vernederen. Om hem te vertellen dat ze niet van hem hield. Dat ze hem zou verlaten. Een wanhopige chantagepoging. Een schreeuw om liefde. Omdat ik geloof dat ze in wezen van hem hield.

Fabre heeft er niets van begrepen. Of niet willen begrijpen. In ieder geval kon hij er niet tegen. Cûc was zijn hele leven. Hij hield van haar, meer dan van wat ook, denk ik. Misschien heeft hij het allemaal alleen voor haar gedaan. Ik weet 't niet... We zullen het nooit weten. Wat zeker is, is dat hij zich door haar verraden voelde. En door Hocine Draoui... Wiens werk zich ook al tegen het parkeerplan bij La Vieille-Charité keerde... Het kantoor van Fabre heeft het contract gekregen. Dat las ik op het bord bij de toegang van de bouwput.'

'Dat weet ik, dat weet ik. Maar... hoor 's, Montale. De opgravingen bij La Vieille-Charité zijn verre van bijzonder. En ik denk dat Fabre dat alleen van Hocine Draoui heeft kunnen horen. De lijst met argumenten die hij naar de betreffende diensten heeft gestuurd om het plan te verdedigen, was helder, uiterst nauwkeurig. Hij gaf de archeologen geen enkele kans. Draoui geloofde er zelf overigens nauwelijks in. Ik heb zijn betoog gelezen, van het congres in 1990. De meest interessante bouwput is die op La Place Jules-Verne. Die opgravingen maken het mogelijk tot zes eeuwen voor de christelijke jaartelling terug te gaan. Wat hier misschien te voorschijn zal komen, is de aanlegsteiger van de Ligurische haven. Waar Protis ooit aan wal stapte. Mijn hand eraf als er op die plaats geen parkeerterrein komt... Volgens mij hadden Draoui en Fabre een zeker respect voor elkaar. Dat denk ik. Dat verklaart waarom Fabre hem onderdak heeft aangeboden, zodra hij wist in wat voor ellende Draoui zat.

'Afgaande op wat ik over hem te weten ben gekomen,' ging hij door, 'was Fabre een ontwikkeld mens. Hij hield van zijn stad. Zijn patrimonium. De Middellandse Zee. Ik weet zeker dat die twee veel punten gemeen hadden. Vanaf het moment dat ze elkaar in 1990 ontmoet hebben, hebben ze voortdurend met elkaar gecorrespondeerd. Ik heb een paar brieven van Draoui aan Fabre gelezen. Dat is boeiend. Ik weet zeker dat het je zou interesseren.'

'Het is een rare geschiedenis', zei ik, niet wetend wat ik eraan toe moest voegen. Ik vermoedde waar hij heen wilde, en daar voelde ik me door in het nauw gebracht. Ik kon niet blijven doen alsof ik gek was. Voor me houden wat ik wist.

'Inderdaad, een mooi verhaal over vriendschap', zei hij op

lichte toon. 'Die slecht is afgelopen. Daar staan de kranten vol mee. De vriend die met je vrouw naar bed gaat. De bedrogen echtgenoot die verhaal komt halen.'

Ik dacht een ogenblik na.

'Maar dat klopt niet met het beeld dat je van Fabre hebt, bedoel je.'

'Temeer omdat de bedrogen echtgenoot een paar dagen later om zeep wordt geholpen. Zij heeft 'm niet gedood. Jij ook niet. Moordenaars. Net als bij Draoui. En Guitou, die het ongeluk had daar op het verkeerde moment te zijn.'

'En je denkt dat er een andere reden is.'

'Inderdaad. De dood van Draoui houdt geen verband met het feit dat hij met Cûc naar bed is geweest. Het is veel ernstiger.'

'Zo ernstig dat twee moordenaars speciaal daarvoor uit Toulon zijn gekomen. Om Hocine Draoui te doden.'

Verdomme! Ik moest het hem toch vertellen.

Hij vertrok geen spier. Zijn ogen waren op mij gericht. Ik had het vreemde gevoel dat hij al wist wat ik net had opgebiecht. Het aantal moordenaars. De plaats waar ze vandaan kwamen. Maar hoe was hij erachter kunnen komen?

'Ha! En hoe weet je dat? Dat ze uit Toulon kwamen?'

'Omdat ze de eerste dag achter me aan zaten, Loubet. Ze zochten het meisje, Naïma heet ze. Dat bij Guitou in bed lag. Ik wist wie ze was en…'

'Daarom ben je naar La Bigotte gegaan.'

'Daarom, ja.'

Hij keek me aan met een felheid die ik niet van hem kende. Hij stond op.

'Een cognac', schreeuwde hij naar de ober.

En verdween naar de plee.

'Twee', preciseerde ik. 'En nog een kop koffie.'

19

Waarin het te laat is als de dood daar is

Gekalmeerd kwam Loubet terug. Nadat hij was wezen pissen, had hij me simpelweg verzekerd: 'Je hebt geluk dat ik je graag mag, Montale. Want ik had je met alle plezier op je bek geslagen!'

Ik biechtte hem alles op wat ik wist. Guitou, Naïma, de familie Hamoudi. Vervolgens alles wat ik de vorige avond van Cûc had gehoord, en wat ik hem nog niet had verteld. Tot op de komma nauwkeurig. Als een brave leerling.

Naïma was maandagavond naar Mathias toegegaan in Aix. De dag ervoor had ze hem het belangrijkste door de telefoon verteld. Mathias had zijn moeder gebeld. In paniek, en razend van woede tegelijkertijd. Cûc ging vanzelfsprekend naar Aix. Naïma deed hun het relaas van die dramatisch verlopen nacht.

Adrien Fabre was aanwezig. Ze had hem niet gezien, maar ze had zijn naam horen schreeuwen. Nadat ze Guitou hadden dood-geschoten: 'Verdomme! Wat moet dat jong hier? Fabre!' had iemand geschreeuwd. 'Kom hier!' Ze herinnerde zich de woor-den. Die zou ze nooit kunnen vergeten.

Zelf had ze zich in de douche verstopt. In elkaar gedoken in de douchebak. Doodsbang. Dat ze het niet had uitgeschreeuwd, legde ze hun uit, kwam omdat er een druppel water op haar knie viel. De linker. Daar had ze zich op geconcentreerd. Tot hoever ze kon tellen voordat de volgende druppel haar knie bereikte.

Voor de deur van het appartement was er een discussie tussen de mannen ontstaan. Drie stemmen, waaronder die van Fabre. 'Je hebt hem doodgeschoten! Je hebt hem doodgeschoten!' schreeuwde hij. Huilend, bijna. Degene die de baas leek had hem voor stuk onbenul uitgemaakt. Daarna klonk er een dof geluid, alsof iemand een klap kreeg. Toen begon Fabre werkelijk te grienen. Een van de stemmen, met een sterk Corsicaans accent, vroeg wat ze moesten doen. De baas antwoordde dat-ie als de donder een kleine vrachtauto moest zien te vinden. Met drie of vier verhuizers. Om de tent leeg te halen. Het grootste gedeelte. Het belangrijkste. Hij zou zelf 'die ander' meenemen, voordat ze door hem in een depressie raakten.

Naïma had geen idee hoelang ze, al druppels tellend, in de douche had gezeten. Het enige wat ze zich herinnerde, was dat het op een gegeven moment stil werd. Doodstil. Op haar eigen snikken na. Ze rilde ook. De kou drong haar lichaam binnen. Niet de kou van de waterdruppels. De kou van de verschrikking die haar omringde, en waar zij zich een voorstelling van maakte.

Ze begreep dat ze het er levend vanaf had gebracht. Maar ze bleef in de douche zitten, met haar ogen dicht. Zonder zich te verroeren. Zonder een beweging te kunnen maken. Huilend. Bibberend. Hopend dat de nachtmerrie zou eindigen. Guitou zou een kus op haar lippen drukken. Zij zou haar ogen opendoen en hij zou teder zeggen: 'Stil maar, het is over nu.' Maar het wonder gebeurde niet. Er was een nieuwe druppel op haar knie gevallen. Tastbaar, alsof ze zojuist tot leven kwam. Moeizaam stond ze op. Berustend. En kleedde ze zich aan. Het ergste wachtte haar voor de deur, had ze gedacht. Ze zou over het lichaam van Guitou heen moeten stappen. Ze liep met afgewend hoofd, zodat ze hem niet hoefde te zien. Maar dat had ze niet gekund. Het was *haar* Guitou. Ze hurkte bij hem neer, om voor de laatste keer naar hem te kijken. Afscheid van hem te nemen. Ze beefde niet langer. Ze was niet bang meer. Niets zou voortaan nog van enig belang zijn, had ze tegen zichzelf gezegd, opstaand, en…

'En waar zijn ze nu, zij en Mathias?'

Ik nam mijn meest engelachtige houding aan voordat ik hem antwoord gaf.

'Tja, dat is het probleem. Dat weten we niet.'

'Denk je dat ik gek ben of zo?'

'Ik zweer 't.'

Hij keek me met een kwaaie blik aan.

'Je gaat de bak in, Montale. Voor een dag of twee, drie.'

'Als je 't maar uit je hoofd laat!'

'Je hebt me genoeg last bezorgd! Ik wil niet dat je me nog langer voor de voeten loopt.'

'Zelfs niet als ik de rekening betaal?' vroeg ik met mijn onnozelste gezicht.

Hij schoot in de lach. Een hartelijke, open lach. Een menselijke lach. In staat om alle laagheid van de wereld het hoofd te bieden.

'Je kreeg het benauwd, hè?'

'En hoe! Iedereen zou naar me zijn komen kijken. Net als in de dierentuin. Zelfs Pertin zou me pinda's zijn komen brengen.'

'De rekening delen we', zei hij, nu weer serieus. 'Ik zal een opsporingsbericht uit laten gaan voor Balducci en die ander. Narni.' Hij sprak de naam langzaam uit. Daarna boorde hij zijn ogen in de mijne. 'Hoe ben je aan die naam gekomen?'

'Narni. Narni', herhaalde ik. 'Maar…'

De deur naar het ergste en het meest onvoorstelbare van alle verdorvenheid ging open. Ik voelde hoe mijn maag in een bal veranderde. Ik moest kokhalzen.

'Montale! Wat is er? Ben je ziek?'

Hou je goed, sprak ik mezelf toe. Hou je goed. Kots niet alles over de tafel heen. Hou je in. Concentreer je. Haal adem. Kom op, haal adem. Langzaam. Alsof je in de Calanques wandelt. Haal adem. Zo, dat is beter. Nog een keer ademhalen. Uitademen. Dat is goed. Ja, 't gaat weer…. Zie je wel, alles verteert. Zelfs drek in de meest pure vorm.

Ik veegde het zweet van mijn voorhoofd.

''t Gaat wel, 't gaat wel. Iets met mijn maag.'

'Je ziet eruit om bang van te worden.'

Ik zag Loubet niet meer. Die ander zat voor me. De mooie man. Met grijzende slapen. Met een peper-en-zoutkleurige snor. Met zijn grote gouden zegelring aan zijn rechterhand. Alexandre. Alexandre Narni.

Weer moest ik kokhalzen, maar het ergste was voorbij. Hoe was Gélou in het bed van een moordenaar terechtgekomen? Tien jaar, mijn god!

'Het is niets', zei ik. 'Het gaat al over. Nog snel een cognacje?'

'Weet je zeker dat het gaat?'

Het zou gaan.

'Ik weet niet wie Narni is', zei ik met vrolijke stem. 'Het is gewoon een naam die bij me opkwam, straks. Boudjema Ressaf, Narni... Ik wilde opscheppen tegen Pertin. Hem laten denken dat jij en ik samenwerkten.'

'Aha!' zei hij.

Hij bleef zijn ogen op mij gericht houden.

'En wie is die Narni dan wel?'

'Die naam is niet gewoon bij je opgekomen. Je moet over hem hebben horen praten. Dat kan niet anders. Een van de wapen-dragers van Jean-Louis Fargette.' Hij glimlachte ironisch. 'Fargette herinner je je toch wel? Nou? De maffia en zo...'

'Ja, natuurlijk.'

'Die Narni van jou heeft jaren lang geschitterd als baas van afpersingspraktijken, aan de hele Côte. Hij kwam weer in het nieuws toen Fargette was neergeschoten, in San Remo. Het is zelfs mogelijk dat hij dat werk heeft opgeknapt. Een ommekeer in de familieverhoudingen, je weet hoe dat gaat. Daarna hoorden we niets meer van Narni.'

'En wat doet hij nu, nu Fargette dood is?'

Loubet glimlachte. De glimlach van iemand die weet dat hij de ander gaat overbluffen. Ik verwachtte het ergste.

'Hij is financieel adviseur van een internationale maatschappij voor economische marketing. De maatschappij die de tweede rekening van Cûcs onderneming beheert. Die ook de tweede rekening van het architectenbureau van Fabre beheert. En nog andere ook... Ik heb geen tijd gehad de lijst na te pluizen. Vlak voordat ik hierheen kwam om jou te ontmoeten, heb ik de bevestiging gekregen dat de Napolitaanse camorra erachter zit.

Je ziet, Fabre zat helemaal klem. Maar niet zoals je denkt.'

'Hoe dat zo?' vroeg ik ontwijkend.

Ik luisterde niet echt. Mijn maag zat in een knoop. Het bleef maar op- en neergaan vanbinnen. De zee-egels, de zeevijgen, de oesters. De cognac had niets geholpen. En ik had zin om te janken.

'De economische marketing, wat betekent dat volgens jou voor die types?'

Ik wist het. Babette had het me verteld.

'Woekerrente. Ze lenen geld aan ondernemingen die in moeilijkheden zitten. Zwart geld, uiteraard. Tegen een waanzinnige rente. Vijftien, twintig procent. Veel in ieder geval. Heel Italië functioneert al op die manier. Sommige banken zelfs! De maffia had de Franse markt bestookt. De zaak-Schneider met zijn Belgische distributiekanalen was daar onlangs het eerste voorbeeld van geweest.'

'Welnu, de man die dat allemaal leidt, heet Antonio Sartanario. Narni werkt voor hem. Hij bemoeit zich speciaal met degenen die moeite hebben met terugbetalen. Of die de regels van het spel proberen te veranderen.'

'Zat Fabre in die situatie?'

'Hij begon met lenen om zijn bureau van de grond te krijgen. Daarna nog veel meer om Cûc in de modewereld te lanceren. Hij was een geregelde klant. Maar de laatste maanden liet hij zich een beetje bidden en smeken. Toen we zijn rekeningen hebben uitgeplozen, ontdekten we dat hij enorme bedragen naar een spaarrekening overboekte. Een rekening die op naam van Mathias stond. Begrijp je, Hocine Draoui was een waarschuwing voor Fabre. De eerste. Daarom hebben ze hem bij hem thuis, voor zijn ogen, vermoord. Sinds maandag heeft Fabre grote sommen geld opgenomen.'

'Maar niettemin hebben ze hem vermoord.'

'De dood van de jongen moet Fabre hoe dan ook een geweldige dreun gegeven hebben. Dus wat wilde hij dan doen, in plaats van het geld terugbetalen? Wat ging er door zijn hoofd? Bekennen? Chanteren, zodat ze hem met rust zouden laten…? Hé! Luister je, Montale?'

'Ja, ja.'

'Je ziet wat voor bende het is. Balducci, Narni. Daar valt niet mee te spotten, met die types. Hoor je me, Montale?' Hij keek op zijn horloge. 'Verdorie, ik ben veel te laat.' Hij stond op. Ik niet. Ik was er nog niet zeker van dat mijn benen me zouden houden. Loubet legde zijn hand op mijn schouder, net als de vorige keer, bij Ange. 'Eén raad: als je iets over de kinderen hoort, vergeet me dan niet te bellen. Ik zou niet willen dat hun iets overkwam. Jij ook niet, neem ik aan?'

Ik schudde mijn hoofd.

'Loubet,' hoorde ik mezelf zeggen, 'ik mag je verdomde graag.'

Hij boog zich naar me over.

'Doe me dan een plezier, Fabio, en ga vissen. Dat is veel beter… Voor wat je aan je maag hebt.'

Ik liet me een derde cognac brengen die ik achter elkaar opdronk. Met de kracht waar ik op hoopte gleed hij naar beneden. In staat om een storm in mijn pens te ontketenen. Moeizaam stond ik op en ging richting toiletten.

Op mijn knieën, de pot met twee handen vasthoudend, gaf ik over. Alles. Tot aan de laatste schelp. Niets wilde ik binnenhouden van deze rotmaaltijd. Met een van pijn verkrampte maag begon ik zachtjes te huilen. Zie je nou, zei ik tegen mezelf, alle dingen eindigen altijd op deze manier. Omdat er geen evenwicht is. Ze kunnen niet anders eindigen. Want zo zijn ze begonnen. Je zou willen dat alles op het laatst stabiliseert. Maar nee, dat gebeurt nooit.

Nooit.

Ik stond op en drukte op de spoelknop. Zoals je op een alarmknop drukt.

Buiten was het stralend weer. Ik was vergeten dat de zon

bestond. De Cours d'Estiennes-d'Orves baadde in het licht. Ik liet me meevoeren door de zachte warmte. Met mijn handen in mijn zakken slenterde ik naar de Place aux Huiles. Aan Le Vieux-Port.

Vanuit het water steeg een sterke geur op. Een mengeling van olie, smeerolie, vervuild water. Het rook niet bepaald lekker. Op een andere dag had ik gezegd dat het stonk. Maar nu deed het me geweldig goed, deze geur. Een parfum van geluk. Waarachtig, menselijk. Alsof Marseille me bij de keel greep. In gedachten hoorde ik het 'getuf-tuf' van mijn boot. Ik zag mezelf op zee, aan het vissen. Ik lachte. In mij nam het leven zijn plaats weer in. Door de meest simpele dingen.

De veerboot kwam aan. Ik trakteerde mezelf op een retourtje voor de kortste en de mooiste van alle reizen. De overtocht van Marseille. Quai du Port – Quai de Rive-Neuve. Er waren weinig mensen op dit uur. Wat ouderen. Een moeder die haar kind de fles gaf. Ik was verrast mezelf 'Chella lla' te horen neuriën. Een oud Napolitaans liedje van Renato Carosone. Ik hervond mijzelf weer. Met de herinneringen die daarbij hoorden. Mijn vader had me voor het raam van de veerboot gezet en zei tegen me: 'Kijk eens Fabio, kijk eens. Daar is de ingang van de haven. Zie je wel? Het fort Saint-Nicolas. En het fort Saint-Jean. En daar het paleis, Le Pharo. Kijk, en daarachter ligt de zee. Het ruime sop.' Ik voelde hoe zijn grote handen me vasthielden, onder mijn oksels. Wat was ik? Zes, zeven jaar, niet meer. Die nacht droomde ik ervan zeeman te worden.

Op de Place de la Mairie werd de plaats van de oudjes die van boord gingen ingenomen door andere oudjes. De huismoeder keek me aan voordat ze van de boot stapte. Ik lachte naar haar.

Een scholiere kwam aan boord. Van het type dat in Marseille beter floreert dan elders. Antilliaanse vader of moeder waarschijnlijk. Lang krullend haar. Borsten fier vooruit. Goedkoop rokje. Omdat ik naar haar had gekeken kwam ze me om een vuurtje vragen. Ze wierp me een blik toe à la Lauren Bacall, zonder glimlach. Vervolgens ging ze aan de andere kant van de kajuit zitten. Ik kreeg geen tijd haar te bedanken. Voor het genoten plezier van haar ogen in de mijne. Op de terugweg liep ik langs de kade om Gélou op te zoeken. Voordat ik L'Oursin verliet had ik het hotel gebeld. Ze wachtte op me in het New York. Ik wist niet wat ik zou doen als Narni er was. Hem ter plekke wurgen waarschijnlijk.

Maar Gélou was alleen.

'Is Alexandre er niet?' vroeg ik, toen ik haar omhelsde.

'Hij komt over een halfuur. Ik wilde je eerst zien zonder dat hij erbij was. Wat is er aan de hand, Fabio? Met Guitou?'

Ze had kringen onder haar ogen. De angst liet zijn sporen na. Het wachten, de vermoeidheid, alles bij elkaar. Maar ze was mooi, mijn nicht. Altijd. Ik wilde nog van haar gezicht genieten, zoals het er nu uitzag. Waarom had het leven haar niet toegelachen? Had ze er te veel van verwacht? Op vertrouwd? Maar zijn we niet allemaal zo? Zodra we onze ogen op deze wereld opendoen? Zijn er mensen die niets van het leven vragen?

'Hij is dood', zei ik zachtjes.

Ik pakte haar handen. Ze waren nog warm. Daarna keek ik haar aan. In mijn blik legde ik alle liefde die ik voor de wintermaanden in reserve had.

'Wat?' stamelde ze.

Ik voelde hoe het bloed uit haar handen wegtrok.

'Kom', zei ik.

En ik dwong haar op te staan, weg te gaan. Voordat ze zou instorten. Ik sloeg mijn arm om haar schouder, alsof ze mijn geliefde was. Haar arm gleed om mijn middel. We staken over, dwars tussen de stroom auto's door. Zonder ons te storen aan de piepende remmen. Het getoeter. De scheldkanonnades. Alleen wij bestonden nog. Wij tweeën. En die gezamenlijke pijn.

We liepen langs de kade. In stilte. Tegen elkaar aangedrukt. Een ogenblik vroeg ik me af waar die schoft was. Want hij kon niet ver weg zijn. Om ons in de gaten te houden. Zich af te vragen wanneer hij eindelijk een kogel door mijn hoofd zou kunnen schieten. Daar moest hij van dromen. Ik ook. Daar zou het schietijzer dat ik sinds gisteravond in mijn auto met me meesleepte voor dienen. En ik had een voorsprong op Narni. Ik wist nu wat voor uitschot het was.

Ik voelde de schouder van Gélou schokken. De tranen kwamen. Ik stopte en draaide haar naar me toe. Ik sloeg mijn armen om haar heen. Met heel haar lichaam drukte ze zich tegen me aan. Je zou kunnen denken dat we twee geliefden waren, gek van verlangen. Achter de klokkentoren van Les Accoules verdween reeds de zon.

'Waarom?' vroeg ze tussen haar tranen door.

'De vragen doen er niet meer toe. Net zomin als de antwoorden. Het is zo, Gélou. Het is nu eenmaal zo.'

Ze hief haar gezicht naar me op. Een ontredderd gezicht. Haar mascara was uitgelopen. Lange, blauwe strepen. Het leek wel of haar wangen gespleten waren, als na een aardbeving. Ik zag hoe haar blik zich naar binnen keerde. Voor altijd. Gélou ging weg. Naar elders. Naar het land van de tranen.

Ondanks alles klampten haar ogen, haar handen zich nog wanhopig aan mij vast. Om op de wereld te blijven. Bij alles wat ons vanaf onze kinderjaren samenbond. Maar ik kon haar geen enkele hulp bieden. Mijn buik had geen kind naar het licht gestuwd. Ik was geen moeder. Zelfs geen vader. En alle woorden die ik beschikbaar had behoorden tot het woordenboek van het menselijk tekort. Er viel niets te zeggen. Ik wist niets te zeggen.

'Ik ben hier', fluisterde ik dicht bij haar oor.

Maar het was te laat.

Als de dood daar is, is het altijd te laat.

'Fabio...'

Ze zweeg. Haar voorhoofd rustte op mijn schouder. Ze werd kalmer. Het ergste zou later komen. Ik streelde zachtjes over haar haren, liet daarna mijn hand naar haar kin glijden om haar gezicht naar mij op te tillen.

'Heb je een zakdoek?'

Ze knikte. Ze maakte zich van me los, opende haar tas en haalde er een papieren zakdoekje uit en een spiegeltje. Ze veegde de mascarastrepen weg. Meer niet.

'Waar is je auto?'

'Op de parkeerplaats achter het hotel. Waarom?'

'Stel me geen vragen, Gélou. Op welk niveau? Eén? Twee?'

'Op het eerste. Rechts.'

Ik sloeg mijn arm weer om haar heen en we liepen richting het hotel. De zon verdween achter de huizen op de Butte du Panier. Ze liet een prachtig licht achter dat de woningen aan de Quai de Rive-Neuve in een roze gloed zette. Het was schitterend. En dat had ik nodig. Me vastklampen aan die momenten van schoonheid.

'Vertel het me', zei ze.

We stonden voor de ingang van een van de metrostations Vieux-Port. Er waren er drie. Deze. Eén onderaan de Canebière. De derde op La Place Gabriel-Péri.

'Later. Je gaat naar je auto. Je gaat erin zitten en wacht tot ik kom. Ik ben binnen tien minuten bij je.'

'Maar…'

'Lukt je dat?'

'Ja.'

'Goed. Dan laat ik je nu alleen. Je doet alsof je naar het hotel teruggaat. Als je ervoor staat, aarzel je een paar seconden. Alsof je ergens aan denkt. Iets wat je vergeten bent, bijvoorbeeld. Dan loop je zonder je te haasten naar de parkeerplaats. Oké?'

'Ja', zei ze automatisch.

Ik omhelsde haar alsof ik afscheid nam. Haar tegen me aandrukkend. Teder.

'Je moet het precies zo doen, Gélou', zei ik tegen haar, vriendelijk maar beslist. 'Heb je het begrepen?' Haar hand gleed in de mijne. 'Toe maar, ga.'

Ze ging. Kaarsrecht. Als een automaat.

Ik zag haar oversteken. Daarna ging ik het metrostation in, met de roltrap. Zonder me te haasten. Eenmaal in de gang beneden, zette ik het op een lopen. Ik stak de hele lengte van het station over naar de uitgang op de Place Gabriel-Péri. Met twee treden tegelijk rende ik de trappen op en stond op het plein. Ik ging naar rechts, naar de Canebière, voor het Palais de la Bourse. De parkeerplaats lag ertegenover.

Mocht Narni, of die ander, Balducci, me in de gaten houden, dan had ik twee lengtes voorsprong. Waar Gélou en ik naartoe gingen hadden we niemand nodig. Ik stak over zonder op het groene mannetje te wachten en liep het parkeerterrein op.

Er werd met koplampen geknipperd en ik herkende de Saab van Gélou.

'Schuif 'ns op', zei ik, toen ik het portier opendeed. 'Ik rij.'

'Waar gaan we heen, Fabio? Vertel 't me!'

Ze had geschreeuwd.

'We gaan gewoon een stukje rijden', zei ik rustig. 'We moeten praten, nietwaar?'

Totdat we op de autoroute Nord waren, zeiden we niets. Ik had door Marseille gezigzagd, voortdurend de achteruitkijkspiegel in de gaten houdend. Maar geen enkele auto achtervolgde ons. Gerustgesteld vertelde ik Gélou vervolgens wat er was gebeurd. Ik zei haar dat de commissaris die het onderzoek leidde een vriend van mij was. Dat we hem konden vertrouwen. Ze had naar me geluisterd zonder vragen te stellen. Ze had alleen gezegd: 'Dat verandert er nu toch niets meer aan.'

Ik verliet de autoroute bij de afrit Les Avernaux en reed verder door de straatjes die naar Sainte-Marthe lopen.

'Hoe heb je Narni leren kennen?'

'Wat?'

'Alexandre Narni, waar heb je hem ontmoet?'

'In het restaurant dat Gino en ik hadden. Hij was een klant. Een goede klant. Hij kwam vaak. Soms met vrienden, soms alleen. Hij hield van Gino's keuken.'

Ik ook. Ik herinnerde me nog een gerecht van *lingue di passero* met truffels. Nooit meer had ik het zo lekker gegeten. Zelfs niet in Italië.

'Wilde hij je versieren?'

'Nee. Dat wil zeggen, zijn complimentjes...'

'Die een knappe man een mooie vrouw kan maken.'

'Ja, als je het zo uit wilt drukken... Maar ik behandelde hem net als de andere klanten. Niet beter, niet slechter.'

'Hm... En hij?'

'Wat, en hij? Fabio, wat wil je met die vragen? Hebben ze met Guitous dood te maken?'

Ik haalde mijn schouders op.

'Ik moet dingen uit je leven weten. Om het te begrijpen.'

'Wat te begrijpen?'

'Hoe Gélou, mijn dierbare nicht, Alexandre Narni, beroeps-moordenaar van de maffia, heeft ontmoet. En hoe zij, gedurende de tien jaar dat ze met hem heeft geslapen, nooit iets vermoed heeft.'

En ik ging snel bovenop de remmen staan. Om te parkeren. Voordat ik een draai om mijn oren kreeg.

20

Waarin een beperkte kijk op de wereld
wordt voorgesteld

Al een paar maanden na de opening werd Narni een van de beste klanten van het restaurant. Steeds was hij in het gezelschap van bekende mensen. Burgemeesters, gedeputeerden. Districtsvertegenwoordigers. Ministers. Mensen uit de showbusiness. De filmwereld.

Kijk eens wat voor vrienden ik heb, leek hij te willen zeggen. U mag van geluk spreken dat ik uw keuken heb uitverkoren. En dat we *paese* zijn. Narni en Gino kwamen beide uit Umbrië. De streek in Italië waar je zonder twijfel het lekkerst kon eten. Beter nog dan in Toscane. Als je het over geluk had, was dat het wel. Dat moest wel gezegd worden. Het restaurant zat altijd vol. Sommigen kwamen er alleen maar eten om deze of gene persoonlijkheid te zien.

De muren hingen vol lijsten, met foto's van alle gasten die langs kwamen. Gélou ging met iedereen op de foto. Als een ster. Ster onder de sterren in dit restaurant. Een Italiaanse regisseur, ze wist nu niet meer wie, had haar zelfs eens voorgesteld dat ze in zijn volgende film mee zou spelen. Ze had er hartelijk om gelachen. Ze hield van film, maar had zichzelf nooit voor de camera zien staan. En Guitou was net geboren. Dus, de film…

Het geld stroomde binnen. Het was een gelukkige tijd. Ook al lagen ze 's avonds uitgeput in bed. Vooral de avonden in het weekend. Gino had een hulpkok aangenomen en twee serveersters. Gélou bediende niet meer in de zaal. Ze ontving de belangrijke gasten en dronk het aperitief met ze. Dat soort dingen. Narni zorgde ervoor dat ze werd uitgenodigd op officiële recepties, gala's. Meerdere malen ook op het festival in Cannes.

'Ging je alleen?' vroeg ik.

'Zonder Gino, ja. Het restaurant moest doordraaien. En hij hield niet zo van dat mondaine gedoe, zie je. Behalve door mij liet hij zich door niets het hoofd op hol brengen', zei ze met een droevig lachje. 'Niet door geld, niet door eerbetoon. Hij was een echte boer, met beide voeten op de grond. Daarom hield ik van hem. Hij hield me in evenwicht. Hij heeft me geleerd onderscheid te maken tussen echt en vals. De opschik. Weet je nog hoe ik was, als meisje? Ik liep achter alle jongens aan die met het geld van pa de grote sinjeur uithingen.'

'Je wilde zelfs met de zoon van een Marseillaanse schoenenfabrikant trouwen. Dat was een goeie partij.'

'Die was niet om aan te zien.'

'Gino...'

Haar gedachten dwaalden af. We waren in de straat blijven staan waar ik zo plotseling had geremd. Gélou had me niet geslagen. Ze had zich zelfs niet verroerd. Alsof ze knock-out was. Daarna had ze zich langzaam naar me toe gedraaid. Haar ogen zonden signalen van wanhoop uit. Ik had haar niet rechtstreeks aan durven kijken.

'Ben je daar mee bezig geweest?' had ze gevraagd. 'Met het uitpluizen van mijn leven?'

'Nee, Gélou.'

En ik had haar alles verteld. Nou ja, niet alles. Alleen waar ze recht op had het te weten. Daarna rookten we, in stilte.

'Fabio', begon ze toen weer.

'Ja?'

'Wat wil je te weten komen?'

'Dat weet ik niet. Het is alsof er een stukje van de puzzel ontbreekt. Je ziet het beeld, maar het ontbrekende stukje schopt alles in de war. Begrijp je?'

De avond was gevallen. Ondanks de geopende raampjes vulde de auto zich met rook.

'Dat weet ik niet zeker.'

'Gélou, die kerel woont met je samen. Hij helpt je de kinderen opvoeden. Patrice, Marc en Guitou heeft hij groot zien worden… Hij moet met ze gespeeld hebben. Er waren verjaardagsfeestjes. Kerstmis…'

'Hoe heeft hij het gekund, bedoel je dat?'

'Ja, hoe heeft hij het gekund. En hoe… Veronderstel dat we er niets van hadden geweten. Dan zou je me niet zijn komen opzoeken, hè? Narni komt hier en doodt die man, Hocine Draoui. Vervolgens Guitou die daar ongelukkigerwijs was. Hij slipt door het vangnet van de politie. Zoals gewoonlijk. Hij komt terug in Gap… Hoe kon hij… Zie je, hij trekt zijn pyjama aan, schoon, keurig gestreken, hij stapt bij je in bed en…'

'Stel dat het waar is, dan denk ik… Nu Guitou dood is, denk ik dat ik geen man meer in mijn bed zou verdragen. Alex of een ander.'

'O', zei ik, van mijn stuk gebracht.

'Het was om er zeker van te zijn dat ik de kinderen groot kon brengen, om Guitou op te voeden met name, dat ik een man nodig had. Een… Een vader, ja.' Gélou werd steeds nerveuzer. 'O, Fabio, ik ben helemaal in de war. Zie je, er is van alles wat een vrouw van een man verwacht. Vriendelijkheid. Tederheid. Genot. Genot is belangrijk, weet je. En dan zijn er nog de andere dingen. Die maken dat een man een echte man is. De vastigheid die hij biedt. De zekerheid. Een autoriteit. Op wie je kunt steunen… Alleenstaande moeder zijn, met drie kinderen, nee, daar heb ik de moed niet voor gehad. En zo is het.' Ze stak nog een sigaret op, zonder erbij na te denken. Peinzend. 'Het is niet zo eenvoudig allemaal.'

'Dat weet ik, Gélou. Vertel 'ns, heeft hij nooit een kind van je gewild?'

'Jawel. Hij wel, ja. Ik niet. Drie is meer dan genoeg, vind je niet?'

'Ben je gelukkig geweest, de laatste jaren?'

'Gelukkig? Ik geloof van wel. Alles ging goed. Zie je waarin ik rij?'

231

'Dat heb ik gezien. Maar dat is niet per se gelukkig zijn.'

'Dat weet ik. Maar wat wil je dat ik zeg? Zet de tv aan… Als je ziet wat er hier gebeurt, of elders… Ik kan niet zeggen dat ik ongelukkig was.'

'Wat vond Gino van Narni?'

'Hij mocht hem niet zo. Althans, in het begin wel. Toen vond hij hem best aardig. Ze praatten wat over hun streek. Maar Gino is nooit erg toeschietelijk geweest voor anderen. Voor hem telde alleen de familie.'

'Was dat omdat hij jaloers was?'

'Een beetje. Als iedere rechtgeaarde Italiaan. Maar dat is nooit een probleem geweest. Zelfs niet als er een gigantisch boeket rozen voor mijn verjaardag werd bezorgd. Dat herinnerde hem er alleen aan dat hij mijn verjaardag was vergeten. Maar dat was niet erg. Gino hield van me, en dat wist ik.'

'Waardoor kwam het dan?'

'Ik weet het niet. Gino… Alex bracht ook wel eens vreemde types mee om te eten. Goed gekleed, maar… vergezeld door… Het leken wel lijfwachten. Met hen was er geen sprake van foto's maken! Gino vond het maar niets dat ze in zijn restaurant kwamen. Hij zei dat het de maffia was. Dat je die smoelen er direct uit haalde. Ze waren echter dan op de film!'

'Heeft-ie daar een opmerking over gemaakt, tegen Narni?'

'Nee, stel je voor. Hij was een klant. Als je een restaurant hebt, lever je geen commentaar. Je dient eten op, meer niet.'

'Ging Gino zich vanaf dat moment anders tegen hem gedragen?'

Ze maakte haar sigaret uit. Het was lang geleden. Het was, vooral ook, een periode waarvan ze, tien jaar later, de bladzijde nog niet had omgeslagen. In gedachten droeg ze ongetwijfeld een foto van Gino mee, in een goudkleurig lijstje met een roos ernaast.

'Op een bepaald moment is Gino zenuwachtig geworden. Angstig. 's Nachts werd hij wakker. Omdat we te hard werken, zei hij. Dat klopt, we gingen maar door. Het restaurant was altijd vol en toch bulkten we niet van het geld. We leefden. Soms had ik het idee dat we minder verdienden dan in het begin. Gino zei dat het restaurant steeds meer op een gekkenhuis ging lijken. Hij begon over verkopen te praten. Ergens anders heen gaan. Minder hard werken. Dat we evengoed gelukkig zouden zijn.'

Gino en Gélou. Adrien Fabre en Cûc. Met de ene hand nam de maffia wat hij met de andere gaf. Zonder iets cadeau te doen. Je ontkwam niet aan afpersing. Vooral niet als de afperser je klantenkring had opgebouwd. Welke dan ook. Overal werkte het op dezelfde manier. Op verschillende niveaus. Zelfs in de kleinste cafeetjes in de wijk, van Marseille tot Menton. Niets bijzonders, alleen een flipperkast die niet was aangegeven. Of twee.

Daarbij kwam dat Narni verliefd was op de bazin. Gélou. Mijn nicht. Mijn Claudia Cardinale. Ik herinner me dat ze tien jaar geleden nog mooier was dan in haar puberteit. Een rijpe vrouw, bloeiend. Zoals ik ze graag zie.

'Op een avond hadden ze ergens woorden over', vertelde Gélou verder. 'Dat schiet me nu weer te binnen. Ik weet niet waarover. Gino wilde er niet met me over praten. Alex was alleen komen eten, dat deed hij soms. Gino was bij hem aan tafel gaan zitten, om een glas wijn te drinken en wat te kletsen. Alex had zijn pasta opgegeten en vertrok toen. Zonder iets anders te nemen. Er kon nauwelijks een groet af. Maar voordat hij wegging, keek hij me heel lang aan.'

'Wanneer was dat?'

'Een maand voor Gino werd gedood... Fabio!' kreet ze, 'je wilt toch niet beweren dat...'

Ik wilde juist helemaal niets zeggen.

Vanaf die avond zette Narni geen voet meer in het restaurant. Eénmaal belde hij Gélou. Om haar te vertellen dat hij voor zaken op reis ging, maar dat hij snel terug zou zijn. Twee dagen na Gino's dood dook hij pas weer op. Voor de begrafenis, om precies te zijn. In die periode was hij veelvuldig aanwezig, om Gélou voortdurend bij de staan, haar raad te geven.

Ze nam hem in vertrouwen over haar plan te verkopen, weg te gaan uit de regio. Ergens anders opnieuw te beginnen. Ook daar hielp hij haar bij. Hij voerde de onderhandelingen over de verkoop van het restaurant en kreeg er een zeer goede prijs voor. Van een familielid van hem. Langzaamaan begon Gélou op hem te steunen. Meer dan op haar familie. Wel kreeg ze na de rouw weer interesse in haar omgeving. Mij inbegrepen.

'Je had me kunnen bellen', protesteerde ik.

'Misschien wel, ja. Als ik alleen was geweest. Maar Alex was er en… Ik hoefde niets te vragen, zie je.'

Op een dag, bijna een jaar later, bood Narni aan haar mee naar Gap nemen. Hij had een kleine zaak gevonden die haar wel aan zou staan. En een villa, gelegen op de eerste steile hellingen van de Col Bayard. Het uitzicht op de vallei was magnifiek. De kinderen, zei hij tegen haar, zouden er gelukkig zijn. Een ander leven.

Ze bekeken het huis, als een jong stel dat bezig was zich te nestelen. Lachend. Plannen makend, in bedekte termen. In plaats van naar huis te gaan, 's avonds, bleven ze in Gap dineren. Het werd laat. Narni stelde voor daar te blijven slapen. Het restaurant was tevens hotel en er waren twee kamers vrij. Zonder precies te weten hoe, belandde Gélou in zijn armen. Zonder spijt, overigens.

'Het was zo lang geleden… Ik… Ik kon niet leven zonder man. In het begin dacht ik van wel. Maar… Ik was achtendertig, Fabio', verduidelijkte ze, als om zich te verontschuldigen. 'Mijn omgeving, vooral mijn familie, kon het niet erg waarderen. Maar je leeft niet met je familie. Die is er niet als de kinderen 's avond naar bed zijn en je alleen voor de tv zit.'

En daar was deze man, die ze al zo lang kende en die op haar had weten te wachten. Deze elegante man, zelfverzekerd, zonder geldzorgen. Financieel adviseur in Zwitserland was hij, had hij haar verteld. Ja, Narni was vertrouwenwekkend. Er tekende zich een toekomst voor haar af. Niet de toekomst waarover ze droomde toen ze met Gino trouwde. Maar niet erger dan wat ze na zijn dood voor ogen had gehad.

'Daarna was hij vaak weg, op zakenreis. In Frankrijk, Europa. En dat', benadrukte Gélou, 'was ook goed. Ik was vrij. Om te gaan en te staan waar ik wilde. Alleen te zijn met de kinderen, alleen maar met hen. Precies als ik hem begon te missen kwam hij terug. Nee, Fabio, deze laatste tien jaar ben ik niet ongelukkig geweest.'

Narni had gekregen wat hij begeerde. Dat was het enige wat ik hem niet kon betwisten. Dat hij zoveel van Gélou had gehouden, dat hij de kinderen van Gino had opgevoed. Had hij hem alleen daarom vermoord? Uit liefde? Of omdat Gino had besloten geen cent meer op te hoesten? Wat deed het ertoe. Die man was een moordenaar. Hij zou Gino in ieder geval omgelegd hebben. Omdat Alexandre Narni was zoals alle maffiosi zijn. Vroeg of laat namen ze wat ze wilden hebben. Macht, geld, vrouwen. Gélou. Ik haatte Narni er des te meer om. Dat hij het lef had gehad haar lief te hebben. Haar te bevuilen, door haar met al zijn misdaden in aanraking te brengen. Met al die dood die hij in zijn hoofd met zich meedroeg.

'Wat gaat er nu gebeuren?' vroeg Gélou toonloos.

Ze was een sterke vrouw. Maar het was wel veel voor één vrouw op één dag. Ze moest rusten voordat ze voorgoed zou instorten.

'Je gaat rusten.'

'Niet in het hotel!' riep ze uit, geschokt.

'Nee. Daar ga je niet meer naartoe. Narni is net een dolle hond op het ogenblik. Hij moet weten dat ik op de hoogte ben. Nu hij ziet dat je niet terugkomt, kan hij wel raden dat ik je alles heb verteld. Hij is in staat wie dan ook te doden. Zelfs jou.'

Ze keek naar me. Ik zag haar niet. Alleen haar gezicht zo nu en dan, dat verlicht werd door een passerende auto. In haar ogen zou niet veel meer te lezen staan. Verlatenheid. Als na het voorbij-trekken van een tornado.

'Dat geloof ik niet', zei ze zachtjes.

'Wat geloof je niet, Gélou?'

'Wat je zei. Dat hij me zou kunnen doden.' Ze haalde diep adem. 'We hadden een keer net met elkaar gevrijd. Hij was lang weg geweest. Hij was uitgeput thuisgekomen. Terneergeslagen, vond ik. Een beetje bedrukt. Hij nam me in zijn armen, teder. Hij kon teder zijn, dat vond ik heerlijk. "Weet je wel", mompelde hij, "dat ik alles liever zou willen verliezen dan jou?" Hij had tranen in zijn ogen.'

Wel verdomme! dacht ik. Ik zal in dit verrotte leven ook alles aan moeten horen ook. Zelfs dat. Verhalen over tedere moordenaars. Gélou, Gélou, waarom heb je m'n hand losgelaten, die zondag in de bioscoop?

'We hadden moeten trouwen samen.'

Ik zei maar wat.

Ze begon te huilen en verschool zich in mijn armen.

Op mijn borst doordrenkten haar tranen mijn overhemd, mijn huid. Ze zouden er een onuitwisbare vlek achterlaten, wist ik.

'Ik zeg maar wat, Gélou. Maar ik ben er. En ik hou van je.'

'Ik hou ook van jou', zei ze, haar neus ophalend. 'Maar je bent er niet altijd geweest.'

'Narni is een moordenaar. Een gevaarlijk man. Het kan best zijn dat hij van het gezinsleven hield. En hij hield ongetwijfeld ook van jou. Maar dat verandert er niets aan. Hij is een beroepsmoordenaar. Tot alles in staat. In dat beroep vertrek je niet zomaar met de noorderzon. Moorden is zijn beroep. Hij moet verantwoording afleggen aan mensen die boven hem staan. Aan types die nog veel gevaarlijker zijn. Types die niet, zoals hij, doden met vuurwapens. Maar die politici in hun macht hebben, industriëlen, militairen. Types voor wie het menselijk leven geen waarde heeft… Narni kan het zich niet veroorloven gewonden achter te laten. Hij kon Guitou niet laten leven. En jou ook niet. Of mij…'

Mijn zin bleef in de lucht hangen. Ikzelf verwachtte niets meer van het leven. Ik had het alleen ooit om zichzelf onder ogen gezien. En ten slotte was ik ervan gaan houden. Zonder schuldgevoelens, zonder wroeging, zonder angst. Zonder omhaal. Het leven is als de waarheid. Je neemt wat je van pas komt. En dat is vaak wat je hebt gegeven. Dat was niet ingewikkeld. De avond voor ze me verliet zei Rosa, de vrouw die het langst mijn leven heeft gedeeld, tegen me dat ik een beperkte kijk op de wereld had. Daar had ze gelijk in. Maar ik leefde nog steeds en iets onbeduidends maakte me al gelukkig. De dood zou daar niets aan veranderen.

Ik sloeg mijn arm om de schouders van Gélou en herhaalde: 'Wat ik bedoel Gélou, is dat ik van je hou en dat ik je tegen hem zal beschermen. Totdat alles geregeld is. Maar dan moet jij hem eerst uit je hart bannen. Het laatste flintertje tederheid voor hem vernietigen. Anders kan ik je niet helpen.'

'Het zijn twee mannen, Fabio', zei ze smekend.

Het moeilijkste moest ik nog vertellen. Ik had gehoopt dat me dat bespaard zou blijven.

'Gélou, stel je Guitou voor. Hij heeft net zijn eerste liefdesnacht beleefd met een lief meisje. En dan klinken er rare geluiden in huis. Een kreet, misschien. Een doodskreet. Angstaanjagend voor wie dan ook. Ongeacht je leeftijd. Misschien slapen ze nog, Guitou en Naïma. Misschien zijn ze weer aan het vrijen. Stel je hun paniek eens voor.

Dan staan ze op. En Guitou, je zoon, een man nu, doet wat niet iedere man per se gedaan zou hebben. Maar hij doet het. Omdat Naïma naar hem kijkt. Omdat Naïma helemaal radeloos is. Omdat hij bang is om haar. Hij doet de deur open. En wat ziet hij? Die vuilak van een Narni. Die ellendeling die hem de les leest over blanken, zwarten en Arabieren. Die in staat is je vriend zo hard en gemeen te slaan dat hij twee weken later nog steeds blauwe plekken heeft. Die kerel die met zijn moeder slaapt. Die met zijn moeder doet wat hijzelf zojuist met Naïma heeft gedaan.

Stel je de ogen van Guitou voor op dat ogenblik, Gélou. De haat, en ook de angst. Omdat hij weet dat hij geen enkele kans meer heeft. Stel je ook de ogen van Narni voor. Die dat kind voor hem zien. Dat kind dat hem al jarenlang tart, dat hem minacht. Stel het je voor, Gélou. Ik wil dat je al die weerzinwekkende beelden in je hoofd opslaat! Je kind in onderbroek. En Narni met zijn pistool. Die gaat schieten. Zonder aarzelen. Gericht. Zonder te trillen. Eén kogel, Gélou. Eén kogel, godverdomme!'

'Hou op!' snikte ze.

Haar vingers grepen mijn overhemd vast. Ze was niet ver van een zenuwcrisis verwijderd. Maar ik moest doorgaan.

'Nee Gélou, je moet naar me luisteren. Stel je Guitou nogmaals voor, vallend, waarbij zijn voorhoofd tegen de stenen trap wordt verbrijzeld. Het bloed dat begint te stromen. Wie van de twee denk je, heeft op dat moment aan jou gedacht? In die fractie van een seconde waarin de kogel werd afgevuurd om in het hart van Guitou te blijven steken? Ik wil dat je je dat allemaal in je hoofd prent, voor eens en voor altijd. Anders kun je nooit meer slapen. Nooit van je leven. Je moet Guitou voor je zien. En Narni ook, je moet voor je zien hoe hij schiet. Ik ga hem afmaken, Gélou.'

'Nee!' schreeuwde ze tussen haar snikken door. 'Nee! Niet jij!'

'Iemand zal het moeten doen. Om het van ons af te kunnen zetten. Niet om het te vergeten. Dat zul je nooit kunnen. Ik ook niet. Nee, alleen maar om de rotzooi op te ruimen. Het een beetje schoner om ons heen te maken. In ons hoofd. In ons hart. Dan, alleen dan, kunnen we proberen te overleven.'

Gélou drukte zich tegen me aan. Zo zaten we daar, net als in onze puberteit, toen we, weggekropen in hetzelfde bed, elkaar verhalen vertelden die met geen mogelijkheid waar konden zijn. Maar de verschrikkelijke verhalen hadden ons ingehaald. Ze waren wel degelijk echt. Natuurlijk, we zouden in kunnen slapen, tegen elkaar aan, zoals vroeger. Lekker warm. Maar we wisten dat de waanzin bij het ontwaken niet verdwenen zou zijn.

Hij had een naam. Een gezicht.

Narni.

Ik reed weg. Zonder er een woord aan toe te voegen. Ik was op het punt aangekomen dat ik niet langer kon wachten. Met een flinke vaart reed ik door de smalle straten die op dit uur bijna verlaten waren.

Het was nog dorpachtig hier, met oude huizen waarvan sommige nog uit het koloniale tijdperk stamden. Er was er een, in moorse stijl, dat ik erg mooi vond. Zo vind je ze ook in El Biar, ter hoogte van Algiers. Het stond leeg, net als veel andere. De ramen keken hier niet meer uit op grote groene parken en tuinen, zoals vroeger, maar op betonnen flatgebouwen.

We klommen nog steeds. Gélou liet zich meevoeren. Het zou wel goed zijn, waar ik haar mee naartoe nam. Toen verscheen op de berghelling de enorme vergulde boeddha. Verlicht door de maan. Majestueus stak hij boven de stad uit, onbewogen. Sinds kort was er in de tempel ook een boeddhistisch centrum gevestigd. Cûc wachtte ons op. Samen met Mathias en Naïma.

Hier had zij ze verborgen. Dit was Cûcs geheime tuin. Waar ze haar toevlucht zocht, als het niet meer ging. Waar ze kwam mediteren, nadenken. Nieuwe energie opdoen. Waar haar hart lag. Voor altijd. Vietnam.

Ik geloofde in geen enkele God. Maar het was een geheiligde plek. Een ongerept oord. En, dacht ik, het kon geen kwaad zo nu en dan zuivere lucht in te ademen. Hier zou Gélou veilig zijn. Bij hen. Ze hadden alles in het leven verloren. Cûc een echtgenoot. Mathias een vriend. Naïma een liefde. En Gélou alles. Ze zouden voor haar weten te zorgen. Ze zouden voor elkaar weten te zorgen. Hun wonden verzorgen.

Bij de ingang werden we verwelkomd door een monnik. Gélou drukte zich in mijn armen. Ik gaf haar een kus op haar voorhoofd. Ze lichtte haar gezicht naar me op. Haar ogen waren als een sluier die op het punt staat uiteen te scheuren.

'Ik moet je nog iets vertellen.'

En ik wist dat ik dat iets nooit gehoord zou willen hebben.

21

Waarin uit weerzin en neerslachtigheid
in de afgrond wordt gespuugd

Ik reed naar huis met de Saab. Ik had de radio aangezet en kwam terecht in een programma over de tango. Edmundo Rivero zong 'Garufa'. Net wat ik nodig had. Ik was in een bandoneonstemming na hetgeen Gélou me had toevertrouwd. Maar ik wilde er niet aan denken. De laatste woorden zover mogelijk van me af duwen. Ze vergeten, zelfs.

Ik had het gevoel door het leven van anderen te zappen. Ondertussen de series volgend. Gélou en Gino. Guitou en Naïma. Serge en Redouane. Cûc en Fabre. Pavie en Saadna. Ik kwam altijd aan het einde. Waar gemoord werd. Waar men stierf. Altijd te laat voor een leven. Een geluk.

Op die manier had ik oud moeten worden. Met te veel treuzelen en het geluk niet te grijpen als het zich aandiende. Ik had het nooit gekund, een besluit nemen. Noch verantwoordelijkheid. Niets wat me in de toekomst kon binden. Uit angst te verliezen. En ik verloor. Loser.

In Caen had ik Magali teruggezien. In een klein hotel. Drie dagen voordat ik ervandoor ging naar Djibouti. We hadden met elkaar gevrijd. Langzaam, langdurig. De hele nacht. Voordat ze 's ochtends onder de douche ging, had ze gevraagd: 'Wat wil je het liefst dat ik word? Juf of mannequin?' Ik had mijn schouders opgehaald, zonder antwoord te geven. Aangekleed was ze weer te voorschijn gekomen, klaar om te vertrekken.

'Heb je erover nagedacht?'

'Net wat je wilt', antwoordde ik. 'Ik vind je goed zoals je bent.'

'Goochemerd', diende ze me van repliek, een vluchtige kus op mijn lippen drukkend. Ik had haar tegen me aangedrukt. Nog steeds vol verlangen naar haar. 'Ik kom te laat op school.'

'Tot vanavond.'

De deur was achter haar dichtgevallen. Ze was niet meer teruggekomen. Ik heb haar niet meer kunnen vinden om haar te vertellen dat ik haar, op de eerste plaats, als vrouw wilde in mijn leven. Om de belangrijkste zaak had ik heen gedraaid. De keuze. En daar had ik geen les uit getrokken. Ik wist niet waar Magali en ik zouden zijn uitgekomen. Maar ik weet zeker dat Fonfon trots geweest zou zijn ons samen gelukkig te zien. Dan zou hij nu niet alleen zijn geweest. En ik ook niet.

Toen Carlos Gardel 'Volver' inzette, deed ik de radio uit. Tango en nostalgie kon ik maar beter laten voor wat het was. Het kon me gek maken en ik moest mijn hoofd erbij houden. Om Narni te trotseren. Er waren nog duistere kanten aan hem, die ik niet kon verklaren. Waarom was hij pas gisteren op het toneel verschenen, terwijl hij in de schaduw had kunnen blijven en doorgaan met zoeken naar Naïma? Dacht hij misschien dat hij me beter in de val kon laten lopen als hij Gélou teruggestuurd had naar Gap? Het doet er niet meer toe, zei ik tegen mezelf. Het waren overwegingen die me vreemd waren.

Ik nam de Chemin du Littoral. Langs de havens. Vanwege het plezier de kades van bovenaf de brug te zien. Langs de binnenhavens te rijden. Me de luxe te gunnen van de verlichte ferryboten die aan de wal lagen. Daar lagen nog altijd mijn dromen. Ongeschonden. In die boten die op het punt stonden de trossen los te gooien. Op weg naar elders. Dat zou ik misschien moeten doen. Vanavond. Morgen. Vertrekken. Eindelijk. Alles achterlaten. Naar de landen gaan waar Ugo was geweest. Afrika, Azië, Zuid-Amerika. Tot aan Puerto Escondito. Hij had daar nog een huis. Een visserswoning. Zoals die van mij, in Les Goudes. Ook met een boot. Dat had hij Lole verteld toen hij was teruggekomen om Manu te wreken. Lole en ik hadden het er vaak over gehad. Om erheen te gaan. Naar dat andere huis aan het einde van de wereld.

Alweer te laat. Zou ik me door Narni te doden eindelijk met het leven verzoenen? Maar afrekenen met iemand was niet het antwoord op al mijn mislukkingen. En hoe kon ik er zo zeker van zijn dat ik Narni zou doden? Omdat ik niets te verliezen had. Maar ook hij had niets meer te verliezen.

En zij waren met zijn tweeën.

Ik reed de tunnel van Le Vieux-Port in en kwam onder het fort Saint-Nicolas weer te voorschijn. Voor het vroegere droogdok. Ik reed langs de Quai de Rive-Neuve. Het was het uur waarop Marseille tot leven kwam. Waarop men zich afvroeg bij welke saus men die avond zou gaan 'twisten'. Antilliaans. Braziliaans. Afrikaans. Arabisch. Grieks. Armeens. Réunions. Vietnamees. Italiaans. Provençaals. Er zat van alles in de Marseillaanse kookketel. Voor elk wat wils.

In de Rue Francis-Davso parkeerde ik de Saab dubbel voor mijn eigen auto. Ik pakte er een paar cassettebandjes uit, en het wapen van Redouane. Daarna reed ik weer verder, over de Rue Molière die langs de Opéra loopt, linksaf de Rue Saint-Saëns in, en de Rue Glandeves. Terug bij de haven. Op twee passen van hotel Alizé. Een lege parkeerplaats opende zijn armen voor me. Alles om mij ter wille te zijn. Bij de zebra en het trottoir. Deze plek moest een vermogen kosten. Aangezien niemand hem had ingenomen. Maar ik hoefde er hoogstens vijf minuten te staan.

Ik stapte een telefooncel in, bijna recht voor het hotel. En belde Narni. Op dat ogenblik zag ik de Safrane staan, dubbel geparkeerd voor het New York. Met ongetwijfeld Balducci aan het stuur, gezien de rook die uit het raampje ontsnapte. Een geluksdag, zei ik in mezelf. Ik had liever dat ze hier waren dan ze me bij mij voor de deur te wanen. Om mij op te wachten.

Narni nam meteen op.

'Montale', zei ik. 'We zijn nog niet aan elkaar voorgesteld. Maar dat zouden we nu kunnen doen, nietwaar?'

'Waar is Gélou?' Hij had een mooie, diepe stem, warm, die me verraste.

'Je bent te laat, beste jongen. Om je om haar gezondheid te bekommeren. Ik denk niet dat je haar ooit nog zult zien.'

'Weet ze het?'

'Ze weet het. Iedereen weet het. Zelfs de politie weet het. We hebben niet veel tijd meer. Om het onder ons te regelen.'

'Waar ben je?'

'Thuis', loog ik. 'Ik kan er in drie kwartier zijn. In het New York, oké?'

'Best. Ik zal er zijn.'

'Alleen', zei ik om mezelf een binnenpretje te bezorgen.

'Alleen.'

Ik hing op en wachtte.

Het kostte hem nog geen tien minuten om beneden te komen en in de Safrane te stappen. Ik liep terug naar de Saab. Rijen maar, zei ik tegen mezelf.

Ik had een plan. Waarvan ik alleen nog maar kon hopen dat het goed was.

Dankzij de opstoppingen, en daar had ik rekening mee gehouden, ontdekte ik de Safrane op de Quai Rive-Neuve. Ze hadden besloten over de Corniche te gaan. Mij best. Er waren erger dingen.

Ik reed ver achter hen. Het was vroeg genoeg als ik ze bij het beeld van David inhaalde. Bij Le Rond-Point de la Plage. Wat ik deed. Toen ze vlak bij La Pointe-Rouge waren, reed ik ze langzaam achterop en gaf ze een lichtsignaal. Toen, zonder vaart te minderen, reed ik om het standbeeld heen en ging de Avenue du Prado op. Bij de Avenue de Bonneveine konden ze pas draaien. Daar zouden ze het wel van op hun zenuwen krijgen. Het gaf mij de tijd onder aan de Avenue du Prado te komen. Zonder risico. Daar wachtte ik op ze. Aan de lage kant van de rotonde Prado-Michelet. Hierna zou het wild-west worden.

Ik haalde het pistool uit het plastic, en daarna de kogels. Ik laadde het, spande het en legde het op de stoel naast me. Met de kolf naar me toe. Toen zette ik een bandje op van ZZ Top. Dat had ik nodig. De enige rockgroep waar ik van hield. De enige authentieke. Ik zag de Safrane. De eerste tonen van 'Thunderbird'. Ik reed weg. Ze zouden zich wel afvragen wat voor spelletje ik speelde. De wetenschap dat zij de touwtjes niet in handen hadden, amuseerde me. Een van mijn troeven was hun nervositeit. Mijn hele plan berustte op een vergissing van hun kant. Een vergissing waarvan ik hoopte dat die fataal zou zijn.

Groen. Oranje. Rood. Onophoudelijk reden de auto's over de Boulevard Michelet. Daarna op wieldoppen de kruising Mazargue over. Na Le Redon en Luminy, de grote weg. De D559. Richting Cassis. Over de Col de la Gineste. Een klassieker voor de wielrenners uit Marseille. Een route die ik kon dromen. Van daaruit liepen veel wegen naar de kreken.

De D559 was een bochtige weg. Smal. Gevaarlijk.

ZZ Top zette 'Long Distance Boogie' in. Duivelse Billy Gibbons! Ik nam de helling met honderdtien, de Safrane aan mijn bumper. De Saab leek me een beetje krachteloos, maar hij reageerde prima. Een dergelijke behandeling zal hij van Gélou wel nooit gehad hebben.

Na de eerste grote bocht kwam de Safrane achter me vandaan. Hij wilde nu al proberen naast me te komen. Ze hadden haast. Ter hoogte van mijn achterraampje zag ik de neus van de auto verschijnen. En de arm van Narni te voorschijn komen. Een wapen aan het uiteinde. Ik schakelde terug naar z'n vierde. Ik reed bijna honderd en ging met de grootst mogelijke moeite de tweede bocht in. Zij ook.

Ik won terrein.

Nu ik hier was, twijfelde ik aan mijn kansen. Balducci zag eruit als een autocrack. Weinig kans dat je de poutargue van Honorine zult proeven, dacht ik bij mezelf. Shit! Ik had honger. Stommeling. Je had van tevoren moeten eten. Voordat je de hele boel in gang zette. Dat ben jij weer. In het diepe springen, zonder zelfs maar adem te halen. Voor Narni kwam het niet op een uur aan. Hij had wel op je gewacht. Of hij was je komen zoeken.

Hij zou zeker gekomen zijn.

Een goed bord spaghetti à la *matricciana*, dat zou je geen kwaad hebben gedaan. Een lekker rood wijntje erbij. Een rode Tempier bijvoorbeeld. Uit de Bandol. Misschien was dat er wel, in de andere wereld. Wat zit je nou dom te kletsen, dwaas! Hierna is er niets meer.

Nee, hierna is er niets meer. Een zwart gat, dat is alles. En dan weet je zelfs niet eens dat het zwart is. Want dan ben je dood.

De Safrane reed nog altijd vlak achter me aan. Maar verder kon hij niets doen. Voor het moment. Na de bocht zouden ze opnieuw proberen me voorbij te gaan.

Goed, dan is er maar één oplossing, Montale, zorg dat je eruit komt. Oké? Dan kun je je daarna net zo volstoppen als je maar wilt. Precies ja, het is verdomd lang geleden dat ik bonensoep gegeten heb. God ja, met grote sneden gegrild brood en een scheut olijfolie erover. Niks mis mee. Ik versnelde iets. Je had het tegen Honorine moeten zeggen. Dat ze de marinade alvast maakte. Zou de Tempier erbij kunnen? Ja, natuurlijk kon dat. Het water liep me al in de mond...

Er kwam een auto aan. Hij knipperde met zijn lichten. De man raakte in paniek toen hij ons met deze snelheid op zich af zag komen. Toen hij me passeerde, toeterde hij als een gek. Hij moest de schrik van zijn leven gehad hebben.

Ik schudde mijn hoofd, om de kookgeuren te verdrijven. Mijn maag begon zich ook te roeren, merkte ik. Daar heb je later nog tijd genoeg voor, Montale. Wind je niet op. Hou je kalm.

Hou je kalm.

Bij honderd kilometer per uur op deze vervloekte Gineste zeker!

We reden boven de baai van Marseille. Het was een van de mooiste panorama's van de stad. Iets hoger, vlak voor de afdaling naar Cassis, was het nog mooier. Maar we waren hier niet voor ons plezier.

Ik schakelde weer naar de vijfde. Om kracht te verzamelen. Ik liet me terugzakken naar negentig. De Safrane zat onmiddellijk bovenop mijn bumper. De rotzak wilde me voorbij.

Honderd meter, ik had nog honderd meter nodig. Ik schakelde terug naar de derde. De auto leek weg te springen. Precies bij het uitgaan van de bocht trok ik weer op naar honderd. Naar de vierde. Vóór mij, een rechte weg. Negenhonderd, duizend meter. Niet langer. Daarna kwam er een bocht naar rechts. En niet naar links, zoals tot nu toe.

Ik trok op. De Safrane zat nog steeds aan mijn bumper.

Honderdtien.

Hij kwam achter me vandaan. Ik zette het geluid maximaal. In mijn oren voelde ik alleen nog de elektriciteit van de gitaren.

De Safrane kwam op gelijke hoogte.

Ik versnelde.

Honderdtwintig.

De Safrane versnelde nog meer.

Ik zag Narni's vuurwapen tegen mijn ruit.

'Nu!' brulde ik.

Nu!

Nu!

Ik ging op mijn remmen staan. Voluit.

Honderdtien. Honderd. Negentig.

Ik geloof dat ik hoorde schieten.

De Safrane passeerde me en reed verder. Tegen de betonnen reling. Sloeg over de kop. En verdween in het niets. Met de vier wielen in de lucht.

Vijfhonderd meter lager lagen de rotsen en de zee. Niemand die die grote sprong had gemaakt, kon het navertellen.

'Nasty dogs and funky kings', brulde ZZ Top.

Mijn voet trilde op de pedaal. Ik minderde nog meer vaart en stopte vervolgens zo rustig mogelijk tegen de reling. Mijn hele lichaam beefde nu. Ik verging van de dorst. Ik voelde hoe de tranen over mijn wangen stroomden. De angst. De blijdschap.

Ik begon te lachen. Een langgerekte, nerveuze lach.

Achter mij verschenen de lichten van een auto. Instinctief deed ik de alarmlichten aan. De wagen reed me voorbij. Een Renault 21. Hij minderde vaart en parkeerde vijftig meter voor me. Twee mannen stapten uit. Potig. Spijkerbroek en leren jack. Ze liepen mijn kant op.

Shit.

Te laat om te begrijpen welke stommiteit ik had kunnen begaan.

Mijn hand legde ik op de kolf van het pistool. Ik trilde nog steeds. Ik zou niet in staat zijn dat wapen op te tillen. Laat staan het op hen te richten. Wat schieten betreft...

Ze waren er.

Een van de kerels tikte op mijn raampje. Langzaam draaide ik het naar beneden. En ik zag zijn kop.

Ribero. Een van de inspecteurs van Loubet.

Ik blies mijn adem uit.

'Die hebben een mooie duik gemaakt! Hè? Alles goed met jou?'

'Verdomme. Ik schrok me rot.'

Ze lachten. Ik herkende de ander. Vernet.

Ik stapte de auto uit. En deed een paar stappen in de richting waar Narni en Balducci hun duik hadden gemaakt. Ik stond te wankelen op mijn benen.

'Val niet naar beneden', zei Ribero.

Vernet kwam vlak bij me staan en keek naar beneden.

'Dat zal een hele klus worden, om dat allemaal van dichtbij te gaan bekijken. D'r zal trouwens wel niet veel van over zijn.'

Ze hadden dikke pret, de schooiers.

'Hebben jullie me lang gevolgd?' vroeg ik, een sigaret te voorschijn halend.

Ribero gaf me een vuurtje. Ik trilde te erg om hem zelf aan te steken.

'Sinds vanmiddag. We hebben je opgewacht bij het restaurant. Loubet had ons gebeld.'

De zak; toen hij was gaan pissen natuurlijk.

'Hij mag je graag', ging Vernet verder. 'Maar om je nou te vertrouwen…'

'Wacht even', zei ik. 'Hebben jullie me overal gevolgd?'

'De veerboot. De afspraak met je nicht. De boeddha. En daar, weet je… We hielden zelfs met twee man jouw huis in de gaten. Voor het geval dat.'

Ik ging op een stuk reling zitten dat aan de vernieling was ontsnapt.

'Hé! Kijk uit! Val niet alsnog naar beneden', deed Ribero weer geestig.

Ik was helemaal niet van plan om een duik te maken. Dat niet. Ik dacht aan Narni. De vader van Guitou. Narni had zijn zoon vermoord. Alleen wist hij niet dat het zijn kind was. Gélou had het hem nooit verteld. Hem niet en niemand niet. Behalve mij. Daarstraks.

Het was op een avond in Cannes. Een première. Ze hadden een overvloedige maaltijd gehad. Het was net een sprookje voor haar. Het meisje dat in de straten van Le Panier was opgegroeid. Rechts van haar zat De Niro. Links, Narni. Wie er verder om hen heen zaten, herinnerde ze zich niet meer. Andere sterren. En zij daar tussenin. Narni had zijn hand op de hare gelegd. 'Ben je gelukkig?' had hij gevraagd. Zijn knie tegen de hare. Ze voelde zijn warmte. Een warmte die haar lichaam overspoelde.

Later waren ze met zijn allen naar een nachtclub gegaan. En in zijn armen had ze zich laten gaan. Om te dansen. Zoals ze jarenlang niet had gedaan. Ze was het vergeten. Dansen. Drinken. Plezier maken. De vervoering van toen ze twintig was. Ze had haar hoofd verloren. Vergeten waren Gino en de kinderen, het restaurant.

Het hotel was een paleis. Het bed enorm. Narni had haar uitgekleed. Hij had haar hartstochtelijk genomen. Meerdere malen. Ze had zich weer jong gevoeld. Ook dat was ze vergeten. Ze was nog meer vergeten. Maar dat merkte ze pas later. Dat het haar vruchtbare periode was. Gélou behoorde nog tot een andere generatie. Die de pil niet slikte. En een spiraaltje verdroeg ze niet. Het gaf weinig risico. Gino en zij haalden 's avonds, als het restaurant was gesloten, allang geen capriolen meer uit.

Die nacht had een herinnering voor haar kunnen worden. Een bijzonder souvenir. Haar geheim. Maar er was dit kind dat zich aankondigde. En de vreugde van Gino, die haar van haar stuk bracht. Langzamerhand legde ze de beelden van geluk over elkaar heen. Die van de twee mannen. Zonder schuldgevoel. En toen ze het kind ter wereld bracht, verwend als nooit tevoren door Gino, schonk ze deze man die van haar hield, de man van haar leven, een derde zoon. Guitou.

Ze werd weer moeder en hervond haar evenwicht. Ze wijdde zich aan haar kinderen, aan Gino. Aan het restaurant. Als Narni kwam, maakte hij geen indruk meer op haar. Hij behoorde tot het verleden. Tot haar jeugd. Totdat het drama gebeurde. En Narni haar de hand toestak in haar ontreddering, haar eenzaamheid.

'Waarom zou ik het hem verteld hebben?' had Gélou gezegd. 'Guitou hoorde bij Gino. Bij onze liefde.'

Ik had mijn handen om haar gezicht gelegd.

'Gélou…'

Ik wilde niet dat ze de vraag stelde die op haar lippen lag.

'Denk je dat het allemaal anders gelopen zou zijn? Als hij geweten had dat het zijn zoon was?'

De monnik was er. Ik had hem een teken gegeven. Hij had haar schouders vastgepakt en ik was weggegaan, zonder om te kijken. Zoals Mourad. Zoals Cûc. En zonder antwoord te geven.

Want er was geen antwoord te geven.

Ik spuugde in de diepte. Op de plek waar Narni en Balducci waren verdwenen. Voor altijd. Een dikke fluim vol weerzin. En diepe neerslachtigheid.

Trillen deed ik nu bijna niet meer. Ik had zin in een groot glas whisky. Lagavullin. Een hele fles liefst. Dat zou ik willen.

'Hebben jullie niks te drinken bij je?'

'Zelfs geen biertje, beste jongen. Maar als je wilt, kunnen we er ergens een gaan pakken. Dan moet je wel eerst op aarde terugkeren', lachte hij.

Ze begonnen me de keel uit te hangen, die twee.

Ik stak nog een paffer op, zonder hulp deze keer. Met behulp van mijn peuk. Ik nam een lange haal en hief mijn hoofd naar ze op.

'En waarom hebben jullie niet eerder ingegrepen?'

'Het was jouw zaak, heeft Loubet gezegd. Een familiekwestie. Jij speelde jouw spel, wij het onze. En waarom niet? We zullen niet rouwig zijn om die twee schurken. Dus…'

'En… En als ik in de diepte was verdwenen? In plaats van zij?'

'Nou, dan zouden we ze geplukt hebben. Als bloemetjes. Aan de andere kant staat de marechaussee. Ze zouden er niet doorgekomen zijn. Tenzij ze waren gaan lopen, door de bergen. Maar dat was hun favoriete sport niet, denk ik zo… We hadden ze toch wel te pakken gekregen, weet je.'

'Bedankt', zei ik.

'Niets te danken. Zodra we doorhadden dat je de Gineste opging, begrepen we alles. Misschien is het je niet opgevallen, maar we hadden de weg mooi voor je vrijgemaakt, nietwaar?'

'Dat ook nog!'

'Eén auto is er doorheen geslipt. We weten niet waar die vandaan kwam. Als ze net een wip in de bosjes hadden gemaakt, dat verliefde stel, zullen ze snel afgekoeld zijn!'

'En waar is Loubet?'

'Bezig een paar kinderen te pesten', antwoordde Ribero. 'Jou welbekend, overigens. Nacer en Redouane. Hij heeft ze vanmiddag op laten pakken. Ze reden nog steeds rond in de BMW, de halvegaren. Ze waren naar de Cité La Paternelle gegaan. Waar Boudjema Ressaf zich bij hen aansloot. Een paar van onze jongens hielden zijn huis in de gaten. De samenkomst vond plaats. Tussen hen. Tussen ons ook. Ik zeg niet dat het de jackpot was. Die gebedsruimte was een waar arsenaal. Ze troffen voorbereidingen om het spul te verhuizen. We denken dat Ressaf daarvoor moest zorgen. De artillerie naar Algerije brengen.'

'Morgen', ging Vernet verder, 'wordt er een monsterrazzia uitgevoerd. Heel vroeg, zoals je weet. Overal zullen er koppen vallen. Dat schrift van jou is top, volgens Loubet.'

Alles sloot in elkaar. Zoals altijd. Met zijn deel verliezers. En de anderen, alle anderen, de gelukkigen, sliepen in hun bed. Wat er ook gebeurde. Of niet gebeurde. Hier, elders. Op aarde.

Ik stond op.

Met moeite. Want ik was ineens volkomen uitgeput. Op het moment dat ik flauwviel, vingen ze me op.

Epiloog

De nacht is hetzelfde, en de schaduw in het water
is de schaduw van een uitgeput mens

We waren toch iets gaan drinken, Ribero, Vernet en ik. Ribero
reed de Saab tot aan het beeld van David op Le Rond-Point de la
Plage. Nu, met een whisky lekker warm in mijn maag, zag alles
er weer beter uit. Het was weliswaar maar een Glenmorangie,
maar hij was toch niet slecht. Zij waren van die muntlimonade-
types.

Vernet dronk zijn glas leeg, stond op en wees met zijn arm naar
links.

'Zeg, je woont die richting op, hè? Lukt 't, of heb je nog
beschermengelen nodig?'

'Het zal wel lukken', zei ik.

'Want wij zijn nog niet klaar. We hebben nog heel wat werk
voor de boeg.'

Ik drukte hun de hand.

'O ja, dat is waar ook! Loubet raadt je van harte aan om te gaan
vissen. Volgens hem is dat het beste voor je, met wat je mankeert.'

En voor de zoveelste keer begonnen ze te lachen.

Ik had nog maar net voor de deur geparkeerd, of ik zag
Honorine haar huis uit komen. In ochtendjas. Ik had haar nog
nooit in ochtendjas gezien. Of ik moet nog heel klein geweest zijn.

'Kom mee, kom mee', zei ze heel zachtjes.

Ik volgde haar naar haar huis.

Fonfon was er. Leunend met zijn ellebogen op de keukentafel.
Achter de kaarten. Ze zaten met zijn tweeën een potje rami te
spelen. Om twee uur 's nachts. Ik kon mijn kont nog niet keren of
er gebeurde hier van alles en nog wat.

'Alles goed met je?' vroeg hij, me tegen zich aandrukkend.

'Moet je nog wat eten?' vroeg Honorine.

'Als je stoofpot hebt, zeg ik geen nee.'

'Toe maar! Wat denkt-ie wel niet', vloog Fonfon op. 'Stoofpot maar liefst. Alsof we niets anders aan ons hoofd hadden.'

Ze waren zoals ik van ze hield.

'Ik maak gauw wat bruschetta voor je klaar, als je wilt.'

'Laat maar, Honorine. Ik heb vooral zin in een borrel. Ik ga mijn fles halen.'

'Nee, nee, dat gaat niet', zei ze. 'Dan maak je ze allemaal wakker. Daarom zaten Fonfon en ik op de uitkijk.'

'Wie bedoel je, allemaal?'

'Nou... in je bed liggen Gélou, Naïma en... o jee! ik weet haar naam niet meer. De Vietnamese dame.'

'Cûc.'

'Die ja. Mathias ligt op de bank. En in de hoek op een matras dat ik nog had liggen, Naïma's broer. Mourad, geloof ik?'

'Klopt. En wat doen ze daar?'

'Dat weet ik niet. Ze zullen gedacht hebben dat ze beter hier konden zijn dan ergens anders, denk je ook niet? Wat zeg jij ervan, Fonfon?'

'Ik zeg dat ze er goed aan hebben gedaan. Wil je bij mij komen slapen?'

'Dank je. Dat is aardig. Maar ik denk dat ik niet zoveel slaap meer heb. Ik ga een tochtje op zee maken. Ik geloof dat het een mooie nacht is.'

Ik omhelsde ze.

Als een dief sloop ik mijn huis in. In de keuken pakte ik een nieuwe fles whisky, een jack en, uit de kast, een warme deken. Ik zette mijn oude visserspet op en liep naar mijn boot.

Mijn trouwe vriend.

Ik zag mijn schaduw in het water. De schaduw van een uitgeput mens.

Roeiend, om geen leven te maken, voer ik weg.

Op het terras dacht ik Honorine en Fonfon te zien staan, met de armen om elkaar heen geslagen.

Toen begon ik te huilen.

En dat was heerlijk.

Jean-Claude Izzo bij Uitgeverij De Geus

Teringzooi

De Franse havenstad Marseille is het werkterrein van Fabio Montale, liefhebber van whisky, jazz, vrouwen en poëzie. Het broeit in de stad: rivaliserende maffiabendes voeren een machtsstrijd die twee jeugdvrienden van Montale het leven kost. De moord op de jonge immigrante Leila brengt Montale op het spoor van een groep rechts-extremisten.